Les Voyages du
Sieur de Champlain

Samuel de Champlain

Les Voyages du Sieur de Champlain

by Samuel de Champlain

READEX MICROPRINT

Foreword

Les Voyages Du Sieur De Champlain, published at Paris in 1613, was one of several books which the French navigator Samuel de Champlain wrote about his explorations in North America. As the first person to make public a detailed description of the coasts of Nova Scotia and New England, and as the founder of the first permanent French settlement in the New World at Quebec, Champlain's accounts possess a particular interest and value.

The material contained in this book covers Champlain's activities in North America between 1604-1613. He had visited America prior to 1604 and he would continue active in America as an explorer and administrator after 1613, but the middle years were especially fruitful. Included in the "first book" are descriptions of his voyages along the New England shore and his most southern penetration in 1606 to the vicinity of Cape Cod. The "second book" treats of his voyage up the St. Lawrence River in 1608, the foundation of Quebec that summer, the cruel winter which he and his companions endured there, and his discovery of Lake Champlain. Then, after a brief sojourn in France, he describes his return to New France in 1610 (which he calls his "second voyage") and his hostile encounters with the Iroquois Indians. The "third voyage" relates his trip up the St. Lawrence River and through the Lachine Rapids in 1611. Champlain added an account of his "fourth voyage" in 1613, which took him up the Ottawa River in a vain search for the sea. Although this latter account seems to be separate from the rest of the book, it was printed at the same time.

The desire to find a northern passage to China still haunted men's thoughts in Champlain's day. Indeed, Champlain tells us that to make easier the achievement of this goal the French "had in recent years attempted to establish a permanent settlement in the lands we call New France." Champlain fully realized his dependence on support from France to carry through such undertakings. Therefore he repeatedly emphasized the advantages which France derived from voyages of discovery by pointing out that because of them "we attract and bring to our country all sorts of riches." Furthermore, he wrote, because of these voyages, "the idolatry of paganism is overthrown and Christianity is proclaimed in every corner of the globe."

Champlain believed, rightly, that his "little treatise" could render valuable service by providing maps of the coasts, ports, rivers, and lands he had explored. Consequently he saw to it that numerous maps and illustrations accompanied the text.

A useful study of Champlain and his voyages is that of Narcisse E. Dionne, *Champlain* (Toronto, 1963). For an English translation of *Les Voyages*, see *The Works of Samuel de Champlain*, ed. H. P. Biggar (Toronto, 1922-1936).

Les Voyages du
Sieur de Champlain

LES VOYAGES

DV SIEVR DE CHAMPLAIN

XAINTONGEOIS, CAPITAINE

ordinaire pour le Roy, T
en la marine.

DIVISEZ EN DEVX LIVRES

ou,

IOVRNAL TRES-FIDELE DES OBSERVA-
tions faites és defcouuertures de la Nouuelle France : tant en la defcri-
ptiõ des terres, coftes, riuieres, ports, haures, leurs hauteurs, & plufieurs
declinaifons de la guide-aymant : qu'en la creãce des peuples, leur fuper-
ftition, façon de viure & de guerroyer : enrichi de quantité de figures.

Enfemble deux cartes geografiques : la premiere feruant à la nauigation, dreffée felon les compas qui nordeftent, fur lefquels
les mariniers nauigent : l'autre en fon vray Meridien, auec fes
longitudes & latitudes : à laquelle eft adioufté le voyage du
deftroict qu'ont trouué les Anglois, au deffus de Labrador,
depuis le 53e. degré de latitude, iufques au 63e. en l'an 1612.
cerchans vn chemin par le Nord, pour aller à la Chine.

A PARIS,

Chez IEAN BERJON, rue S. Iean de Beauuais, au Cheual
volant, & en fa boutique au Palais, à la gallerie
des prifonniers.

M. DC. XIII.

AVEC PRIVILEGE DV ROY.

AV ROY.

SIRE,

Vostre Maiesté peut auoir assez de cognoissance des descouuertures, faites pour son seruice, de la nouuelle France (dicte Canada) par les escripts que certains Capitaines & Pilotes en ont fait, des voyages & descouuertures, qui y ont esté faites, depuis quatre vingts ans, mais ils n'ont rien rendu de si recommandable en vostre Royaume, ny si profitable pour le seruice de vostre Majesté & de ses subiects; comme peuuët estre les cartes des costes, haures, riuieres, & de la situation des lieux lesquelles seront representées par ce petit traicté, que ie prens la hardiesse d'adresser à vostre Maiesté, intitulé Iournalier des voyages & descouuertures que i'ay faites auec le sieur de Mons, vostre Lieutenant, en la nouuelle France: & me voyant poussé d'vne iuste recognoissance de l'honneur que i'ay reçeu depuis dix ans, des commandements, tant de vostre Maiesté, Sire, que du feu Roy, Henry le Grand, d'heureuse memoire, qui me commanda de

faire les recherches & deſcouuertures les plus ex-
actes qu'il me ſeroit poſſible: Ce que i'ay fait auec les
augmentatiõs, repreſentées par les cartes, contenues
en ce petit liure, auquel il ſe trouuera vne remar-
que particuliere des perils, qu'on pourroit encourir
s'ils n'eſtoyent euitez : ce que les ſubiects de voſtre
Majeſté, qu'il luy plaira employer cy apres, pour la
conſeruation deſdictes deſcouuertures pourront euiter ſelon la cognoiſſance que leur en donneront les
cartes contenues en ce traicté, qui ſeruira d'exem-
plaire en voſtre Royaume, pour ſeruir à voſtre
Majeſté, à l'augmentation de ſa gloire, au bien
de ſes ſubiects, & à l'honneur du ſeruice tres-humble que doit à l'heureux accroiſſement de vos iours.

SIRE,

Voſtre treſ-humble, treſ-obeiſſant
& treſ-fidele ſeruiteur & ſubiect.

CHAMPLAIN.

A LA ROYNE REGENTE
MERE DV ROY.

MADAME,
Entre tous les arts les plus vtiles
& excellens, celuy de nauiger
m'a touſiours ſemblé tenir le
premier lieu : Car d'autant plus
qu'il eſt hazardeux & accópa-
gné de mille perils & naufrages, d'autant plus
auſſi eſt-il eſtimé & releué par deſſus tous, n'eſtát
aucunement conuenable à ceux qui máquent
de courage & aſſeurance. Par cet art nous auós
la cognoiſſance de diuerſes terres, regions, &
Royaumes. Par iceluy nous attirons & appor-
tons en nos terres toutes ſortes de richeſſes, par
iceluy l'idolatrie du Paganiſme eſt renuerſé, &
le Chriſtianiſme annoncé par tous les endroits
de la terre. C'eſt cet art qui m'a des mó bas aage
attiré à l'aimer & qui m'a prouoqué à m'expo-
ſer preſque toute ma vie aux ondes impetueu-
ſes de l'Oceá, & qui m'a fait nauiger & coſtoyer
vne partie des terres de l'Amerique & principalement de la Nouuelle France, où i'ay touſiours en deſir d'y faire fleurir le Lys auec l'vni-
ã iij

que Religion Catholique, Apostolique & Romaine. Ce que ie croy à present faire auec l'aide de Dieu, estant assisté de la faueur de vostre Majesté, laquelle ie supplie tres-humblement de continuer à nous maintenir, afin que tout rëussisse à l'honneur de Dieu, au bien de la France & splendeur de vostre Regne, pour la grandeur & prosperité duquel, ie prieray Dieu, de vous assister tousiours de mille benedictions, & demeureray.

MADAME,

Vostre tres-humble, tres-obeissant
& tres-fidele seruiteur & subiect.

CHAMPLAIN.

AVX FRANCOIS, SVR LES
voyages du sieur de Champlain.

STANCES.

LA France estant vn iour à bon droit irritée
De voir des estrangers l'audace tant vantée,
Voulans comme ranger la mer à leur merci,
Et rendre iniustement Neptune tributaire
Estant commun à tous; ardente de cholere
Appella ses enfans, & les tançoit ainsi.

2

Enfans, mon cher soucy, le doux soin de mon ame,
Quoy? l'honneur qui espoint d'vne si douce flamme,
Ne touche point vos cœurs? Si l'honneur de mon nom
Rend le vostre pareil d'eternelle memoire,
Si le bruit de mon los redonde à vostre gloire,
Chers enfans, pouués vous trahir vostre renom?

3

Ie voy de l'estranger l'insolente arrogance,
Entreprenant par trop, prendre la iouïssance
De ce grand Ocean, qui languit apres vous.
Et pourquoy le desir d'vne belle entreprise
Vos cœurs comme autresfois n'espoinçonne & n'attise?
„ Tousiours vn braue cœur de l'honneur est ialoux.

4

Apprenés qu'on a veu les François armées
De leur nombre couurir les plaines Idumées,
L'Afrique quelquefois a veu vos deuanciers,
L'Europe en a tremblé, & la fertile Asie
En a esté souuent d'effroy toute saisie,
Ces peuples sont tesmoins de leurs actes guerriers.

Ainſi moy voſtre mere en armes ſi feconde
    I'ay fait trembler ſoubs moy les trois parts de cĕ monde,
    La quarte ſeulement mes armes n'a gouſté.
    C'eſt ce monde nouueau dont l'Eſpagne roſtie,
    Ialouſe de mon los, ſeule ſe glorifie,
    Mon nom plus que le ſien y doit eſtre planté.

Peut eſtre direz vous que mon ventre vous donne
    Ce que pour eſtre bien, Nature vous ordonne,
    Que vous auez le Ciel clement & gracieux,
    Que de chercher ailleurs ſe rendre à la fortune,
    Et plus ſe confier à vne traiſtre Neptune,
    Se ſeroit s'hazarder ſans eſpoir d'auoir mieux.

Si les autres auoyent leurs terres cultiuées,
    De fleuues & ruiſſeaux plaiſamment abbreuuées
    Et que l'air y fut doux: ſans doute ils n'auroyent pas
    Dans ce pays lointain porté leur renommée
    Que foible on la verroit dans leurs murs enfermée
,,   Mais pour vaincre la faim, on ne craint le treſpas.

Il eſt vray chers enfans, mais ne faites vous compte
    De l'honneur, qui le temps & ſa force ſurmonte?
    Qui ſeul peut faire viure en immortalité?
    Ha! ie ſçay que luy ſeul vous plaiſt pour recompenſe,
    Allé's donc courageux, ne ſouffrez ceſte offenſe,
    De ſouffrir tels affrons, ce ſeroit laſcheté.

Ie n'en ſentirois pas la paſsion ſi forte,

Si nature n'ouuroit à ce deſſein la porte,
Car puis qu'elle a voulu me bagner les coſtés
De deux ſi larges mers: c'eſt pour vous faire entendre
Que guerriers il vous faut mes limites eſtendre
Et rendre des deux parts les peuples ſurmontés.

10

C'eſt trop, c'eſt trop long temps ſe priuer de l'vſage,
D'vn bien que par le Ciel vous euſtes en partage,
Allés donc courageux, faites bruire mon los,
Que mes armes par vous en ce lieu ſoyent portées
Rendés par la vertu les peines ſurmontées
,, L'honneur eſt tant plus grand que moindre eſt le repos.

11

Ainſi parla la France: & les vns approuuerent
Son diſcours, par les cris qu'au Ciel ils eſleuerent,
D'autres faiſoient ſemblant de louer ſon deſſein,
Mais nul ne s'efforçoit de la rendre contente,
Quand Champlain luy donna le fruit de ſon attente.
,, Vn cœur fort genereux ne peut rien faire en vain.

12

Ce deſſein qui portoit tant de peines diuerſes,
De dangers, de trauaux, d'eſpines de trauerſes,
Luy ſeruit pour monſtrer qu'vne entiere vertu
Peut rompre tous efforts par ſa perſeuerance
,, Emporter, vaincre tout: vn cœur plein de vaillance
,, Se monſtre tant plus grand, plus il eſt combattu.

13

François, chers compagnons, qu'vn beau deſir de gloire
Eſpoinçonnant vos cœurs, rende voſtre memoire
Illuſtrée à iamais: venez braues guerriers,

Non non ce ne sont point dès esperances vaines.
Champlain à surmonté les dangers & les peines.
Veñés pour receuillir mille & mille lauriers.

14

HENRY mon grand Henry à qui la destinée
Impiteuse à trop tost la carriere bornée,
Si le Ciel t'eust laissé plus long temps icy bas,
Tu nous eusse assemblé la France auec la Chine:
Tu ne meritois moins que la ronde machine,
Et l'eussions veu courber sous l'effort de ton bras.

15

Et toy sacré fleuron, digne fils d'vn tel Prince,
Qui luis comme vn soleil aux yeux de ta Prouince,
Le Ciel qui te reserue à vn si haut dessein,
Face vn iour qu'arriuant l'effect de mon enuie,
Ie verse en t'y seruant & le sang, & la vie,
Ie ne quiers autre honneur si tel est mon destin.

16

Tes armes ô mon Roy, ô mon grand Alexandre!
Iront de tes vertus vn bon odeur espandre
Au couchant & leuant. Champlain tout glorieux
D'vn desir si hautain ayant l'ame eschauffée
Aux fins de l'Ocean plantera ton trophée,
La grandeur d'vn tel Roy doit voler iusqu'aux Cieux.

L'ANGE Parif.

A MONSIEVR DE CHAM-
plain sur son liure & ses cartes marines.

ODE.

Ve desire, tu voir encore
  Curieuse temerité :
  Tu cognois l'vn & l'autre More,
En ton cours est-il limité?
En quelle coste reculee
N'es-tu pas sans frayeur allee?
Et ne sers tu pas de raison?
Que l'ame est vn feu qui nous pousse,
Qui nous agite & se courouce
D'estre en ce corps comme en prison:
Tu ne trouues rien d'impossible,
  Et mesme le chemin des Cieux
  A peine reste inaccessible
  A ton courage ambitieux.
  Encore vn fugitif Dedale,
  Esbranlant son aisle inegale
  Eut l'audace d'en approcher,
  Et ce guerrier qui de la nue
  Vid la jeune Andromede nue
  Preste à mourir sur le rocher.
Que n'ay ie leur aisle asseuree,
  Ou celle du vent plus leger,
  Ou celles des fils de Boree
  Ou l'Hippogriphe de Roger.
  Que ne puis-ie par characteres
  Parfums & magiques mysteres

ẽ ij

Courir l'vn & l'autre Element.
Et quand ie voudrois l'entreprendre
Auſſi-toſt qu'vn daimon me rendre
Au bout du monde en vn moment.
Non point qu'alors ie me promette
D'aller au ſeiour eſleué
Qu'auec vne longue lunette
On a dans la lune trouué;
Ny d'apprendre ſi les lumieres
D'eſclairer au ciel couſtumieres,
Et qui font nos biens & nos maux,
D'humides vapeurs ſont nourries,
Comme icy bas dans les prairies
D'herbe on nourit les animaux.
Mais pour aller en aſſeurance
Viſiter ces peuples tous nuds
Que la bien heureuſe ignorance
En long repos a maintenus.
Telle eſtoit la gent fortunée
Au monde la premiere née,
Quand le miel en ruiſſeaux fondoit
Au ſein de la terre fleurie
Et telle ſe voit l'Hetrurie
Lors que Saturne y commandoit.
Quels honneurs & quelles loüanges
Champlain ne doit point eſperer,
Qui de ces grands pays eſtranges
Nous a ſçeu le plan figurer
Ayant neuf fois tenu la ſonde
Et porté dans ce nouueau monde

Son courage aueugle aux dangers,
Sans craindre des vents les haleines,
Ny les monstrueuses Baleines
Le butin des Basques legers.
Esprit plus grand que la fortune
Patient & laborieux.
Tousiours soit propice Neptune
A tes voyages glorieux.
Puisses tu d'aage en aage viure,
Par l'heureux effort de ton liure:
Et que la mesme eternité
Donne tes chartes renommées
D'huile de cedre perfumées
En garde à l'immortalité.

Motin.

SOMMAIRES DES CHAPITRES
LIVRE PREMIER

Auquel font defcrites les defcouuertures de la cofte
d'Acadie & de la Floride.

CHAP. I.

L'Vtilité du commerce a induit plufieurs Princes à recercher vn chemin plus facile pour trafiquer auec les Orientaux. Plufieurs voyages qui n'ont point reuffi. Refolution des François à cet effect. Entreprife du fieur de Mons. Sa commiffion, & reuocation d'icelle. Nouuelle commiffion au mefme fieur de Mons.

CHAP. II.

Defcription de l'ifle de Sable: Du Cap Breton, de la Heue: Du port au Mouton: Du port du cap Negre: Du cap & Baye de Sable: De l'ifle aux Cormorans: Du cap Fourchu: De l'ifle longue: De la baye fainɛte Marie: Du port fainɛte Marguerite, & de toutes les chofes remarquables qui font le long de cefte cofte.

CHAP. III.

Defcription du port Royal & des particularitez d'iceluy. De l'ifle haute. Du port aux Mifnes. De la grande baye Françoife. De la riuiere fainɛt Iean, & ce que nous auons remarqué depuis le port aux Mifnes iufques à icelle. De l'ifle appellée par les Sauuages Methane. De la riuiere des Etechemins & de plufieurs belles ifles qui y font. De l'ifle de fainɛte Croix, & autres chofes remarquables d'icelle cofte.

CHAP. IV.

Le fieur de Mons ne trouuant point de lieu plus propre pour faire vne demeure arreftée, que l'ifle de fainɛte Croix, la fortifie & y fait des logemens. Retour des raiffeaux en France, & de Ralleau Secretaire d'iceluy fieur de Mons, pour mettre ordre à quelques affaires.

CHAP. V.

De la cofte, peuples & riuieres de Norembegue, & de tout ce qui s'eft paffé durant les defcouuertures d'icelle.

CHAP. XV.

L'incommodité du temps, ne permettant pour lors, de faire d'auantage de descouuertures, nous fit resoudre de retourner en l'habitation: & ce qui nous arriua iusques à icelle.

CHAP. XVI.

Retour des susdites descouuertures & ce qui se passa durant l'hyuernement.

CHAP. XVII.

Habitation abandonnée. Retour en France du sieur de Poitrincour & de tous ses gens.

SECOND LIVRE

Auquel sont descrits les voyages faits au grand fleuue sainct Laurens, par le sieur de Champlain.

CHAP. I.

Résolution du sieur de Mons, pour faire les descouuertures par dedans les terres: sa commission & enfrainté d'icelle, par des Basques, qui desarmerent le vaisseau de Pont-graué; & l'accord qu'ils firent aprés entre eux.

CHAP. II.

De la riuiere de Saguenay, & des Sauuages, qui nous y vindrent abborder. De l'isle d'Orleans, & de tout ce que nous y auons remarqué de singulier.

CHAP. III.

Arriuée à Quebec, où nous fismes nos logemens. Sa situation. Conspiration contre le seruice du Roy, & ma vie, par aucuns de nos gens. La punition qui en fut faite, & tout ce qui se passa en cet affaire.

CHAP. IV.

Retour du Pont-graué en France. Description de nostre logement, & du lieu où seiourna Iaques Quartier en l'an 1535.

CHAP. V.

___

SECOND VOYAGE DV SIEVR
de Champlain.

CHAP. I.

ĩ

LE TROISIESME VOYAGE DV
sieur de Champlain en l'annee 1611.

CHAP. I.

PArtement de France pour retourner en la Nouuelle France. Les dangers & autres choses qui arriuerent iusques en l'habitation.

CHAP. II.

Descente à Quebec pour faire raccommoder la barque. Partement dudit Quebecq pour aller au saut trouuer les sauuages & recognoistre vn lieu propre pour vne habitation.

CHAP. III.

Deux cens sauuages rameinent le François qu'on leur auoit baillé, & rem-menerent leur sauuage qui estoit retourné de France. Plusieurs discours de part & d'autre.

CHAP. IV.

Arriuée à la Rochelle. Association rompue entre le sieur de Mons & ses associés les sieurs Colier & le gendre de Rouen. Enuie des François touchant les nouuelles descouuertures de la nouuelle France. Intelligence des deux cartes Geografiques de la nouuelle France.

PLus est adiouté le voyage à la petite carte du destroit qu'ont trouué les Anglois au dessus de Labrador depuis le 53 degré de latitude, iusques au 63. qu ils ont descouuert en ceste presente annee 1612. pour trouuer vn passage d'aller à la Chine par le Nort, s'il leur est possible : & ont hyuerné au lieu où est ceste marque, ϵ Ce ne fut pas sans auoir beaucoup enduré de froidures, & furent contraincts de retourner en Angletetre : ayans laissé leur chef dans les terres du Nort, & depuis six mois, trois autres vaisseaux sont partis pour pene-trer plus auant, s'ils peuuent, & par mesmes moyens voir s'ils trouueront les hommes qui ont esté delaissez audict pays.

EXTRAIT DV PRIVILEGE.

Ar lettres patentes du Roy données à Paris, le 9. de Ianuier, 1613. & de noſtre regne le 3. par le Roy en ſon Conſeil Perreav: & ſeellées en cire jaune ſur ſimple queüe, il eſt permis à Iean Berjon, Imprimeur & Libraire en ceſte ville de Paris, imprimer ou faire imprimer par qui bon luy ſemblera vn liure intitulé, *Les Voyages de Samuel de Champlain Xainctongeois, Capitaine ordinaire pour le Roy en la Marine, &c.* pour le temps & terme de ſix ans entiers & conſecutifs à commencer du iour que ledit liure aura eſté acheué d'imprimer, iuſques audit temps de ſix ans. Eſtant ſemblablement fait deffenſes par les meſmes lettres, à tous Imprimeurs, marchans Libraires, & autres quelconques, d'imprimer, ou faire imprimer, vendre ou diſtribuer ledit liure durant ledit temps, ſans l'exprés conſentement dudit Berjon, ou de celuy à qui il en aura donné permiſſion, ſur peine de confiſcation deſdicts liures la part qu'ils ſeront trouuez, & d'amende arbitraire, comme plus à plein eſt declaré eſdictes lettres.

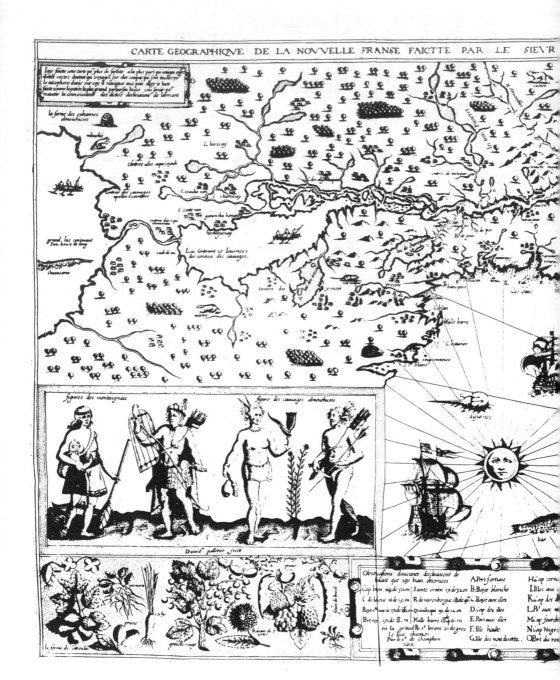

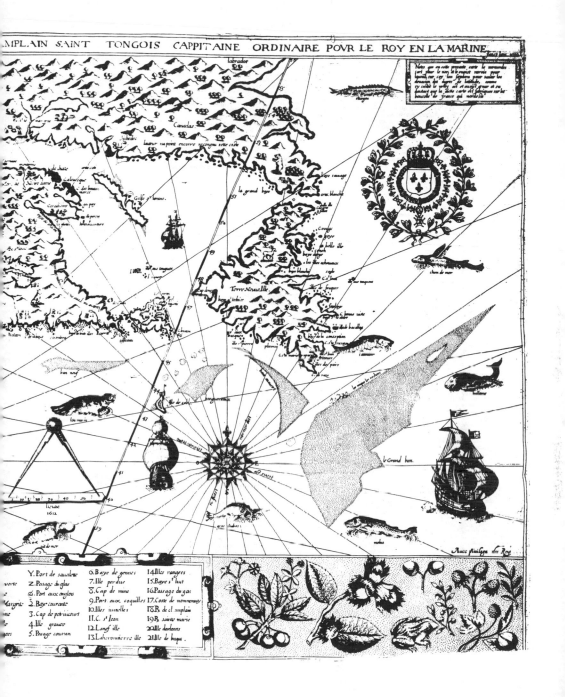

LES VOYAGES
DV SIEVR DE CHAMPLAIN
CAPITAINE ORDINAIRE POVR LE
Roy en la marine, & Lieutenant de Monſieur de Mons
gentilhomme ordinaire de laChambre du Roy,ſonLieu-
tenant general en la Nouuelle France, & Gouuerneur
de Pons en Xaintonge,

OV

IOVRNAL TRES-FIDELE DES OBSER-
uations faites és deſcouuertures de la Nouuelle France: tant en la deſcri-
ption des terres, coſtes, riuieres, ports, haures, leurs hauteurs & plu-
ſieurs declinaiſons de la guide-aimant ; qu'en la creance des peuples, leur
ſuperſtition, façon de viure & de guerroyer , enrichi de quantité de figures.

ENSEMBLE

Deux cartes geographiques : la premiere ſeruant à la nauigation,dre-
ſée ſelon les compas qui nordeſtent,ſur leſquels les mariniers na-
uigent:l'autre en ſon vray meridié,auec ſes longitudes &latitudes.

PREMIER VOYAGE DE L'AN 1604.

L'vtilité du commerce a induit pluſieurs
Princes a rechercher vn chemin plus
facile pour trafiquer auec les Orien-
taux.
Pluſieurs voyages qui n'ont pas reüſſy.

Reſolutions des François a cet effeƈt.
Entrepriſe du Sieur de Mons:ſa commiſ-
ſion & reuocation d'icelle.
Nouuelle commiſſion au meſme ſieur de
Mons pour continuer ſon entrepriſe.

CHAP. I.

Elon la diuerſité des humeurs les
inclinations ſont differentes: &
chacun en ſa vacation a vne fin
particuliere. Les vns tirét au proffit, les autres à la Gloire,& aucuns
au bien public. Le plus grand eſt au commer-

A

ce, & principalement celuy qui se faict sur la
mer. De là vient le grand soulagement du peuple, l'opulence & l'ornement des Republiques.
C'est ce qui a esleué l'ancienne Rome à la Sei-
gneurie & domination de tout le monde. Les
Venitiens à vne grandeur esgale à celle des
puissans Roys. De tout temps il a fait foisonner
en richesses les villes maritimes, dont Alexan-
drie & Thir sont si celebres : & vne infinité
d'autres, lesquelles remplissent le profond des
terres aprés que les nations estrangeres leur
ont enuoyé ce qu'elles ont de beau & de singulier. C'est pourquoy plusieurs Princes se sont
efforcez de trouuer par le Nort, le chemin de
la Chine, afin de faciliter le commerce auec
les Orientaux, esperans que ceste route seroit
plus briefue & moins perilleuse.

En l'an 1496. le Roy d'Angleterre commit à
ceste recherche Ieã Chabot & Sebastié son fils.
Enuiron le mesme temps Dom Emanuel Roy
de Portugal y enuoya Gaspar Cortereal, qui
retourna sans auoir trouué ce qu'il pretendoit:
& l'année d'aprés reprenant les mesmes erres,
il mourut en l'entreprise, comme fit Michel son
frere qui la continuoit obstinément. Es annees
1534. & 1535 Iacques Quartier eut pareille commission du Roy François I. mais il fut arresté
en sa course. Six ans aprés le sieur de Roberual

l'ayât renouuelee, enuoya Iean Alfonce Xain-
tongeois plus au Nort le long de la coſte deLa-
brador, qui en reuint auſſi ſçauant que les autres. Es annees 1576. 1577. & 1578. Meſſire Mar-
tin Forbicher Anglois fit trois voyages ſuiuant
les coſtes du Nort. Sept ans aprés Hunfrey Gil-
bert auſſi Anglois partit auec cinq nauires, &
s'en alla perdre ſur l'iſle de Sable, où demeurerêt
trois de ſes vaiſſeaux. En la meſme année, & és
deux ſuiuantes Iean Dauis Anglois fit trois
voyages pour meſme ſubiect, & penetra ſoubs
les 72. degrez & ne paſſa pas vn deſtroit qui eſt
appelé auiourdhuy de ſon nom. Et depuis luy
le Capitaine Georges en fit auſſi vn en l'an 1590.
qui fut contraint à cauſe des glaces, de retourner ſans auoir rien deſcouuert. Quant aux Ho-
landois ils n'en ont pas eu plus certaine cognoiſſance a la nouuelle Zemble.

   Tant de nauigations & deſcouuertures vai-
nement entrepriſes, auec beaucoup de trauaux
& deſpences, ont fait reſoudre noz François en
ces dernieres annees, à eſſayer de faire vne demeure arreſtee és terres que nous diſons la
Nouuelle France, eſperans paruenir plus facilement à la perfection de ceſte entrepriſe, la
Nauigation commençeant en la terre d'outre
l'Occan, le long de laquelle ſe fait la recherche
du paſſage deſiré: Ce qui auoit meu le Marquis

de la Roche en l'an 1598. de prendre commiſſion du Roy pour habiter ladite terre. A cet ef-
feǎ il deſchargea des hommes & munitions
en l'Iſle de Sable: mais les conditions qui luy
auoient eſté accordees par ſa Maieſté luy ayant
eſté deniees, il fut contraint de quitter ſon
entrepriſe, & laiſſer là ſes gens. Vn an aprez le
Capitaine Chauuin en prit vne autre pour y
conduire d'autres hommes : & peu aprez eſtát
auſſi reuocquee, il ne pourſuit pas dauantage.

A prez ceux cy, nonobſtant toutes ces variations & incertitudes, le ſieur de Mons voulut
tenter vne choſe deſeſperee : & en demanda
commiſſion à ſa Maieſté : recognoiſſant que
ce qui auoit ruiné les entreprinſes precedentes, eſtoit faute d'auoir aſſiſté les entrepre-
neurs, qui en vn an, ny deux, n'ont peu recognoiſtre les terres & les peuples qui y ſont:
ny trouuer des ports propres à vne habitation.
Il propoſa à ſa Maieſté vn moyen pour ſuppor-
ter ces frais ſans rien tirer des deniers Royaux,
aſçauoir, de luy oǎroyer, priuatiuement a tous
autres la traitte de peleterie d'icelle terre. Ce
que luy ayát eſté accordé, il ſe mit en gráde &
exceſſiue deſpéce: & mena auec luy bon nombre d'hommes de diuerſes conditions : & y fit
baſtir des logemens neceſſaires pour ſes gens:
laquelle deſpence il continua trois annees con-

fecutiues, aprez lefquelles, par l'enuie & importunité de certains marchans Bafques &
Bretons, ce qui luy auoit efté octroyé, fut re-
uocqué par le Confeil, au grand preiudice d'i-
celuy fieur de Mons : lequel par telle reuocation fut contraint d'abbandonner tout, auec
perte de fes trauaux & de tous les vtenfilles
dont il auoit garny fon habitation.

Mais comme il eut fait raport au Roy de la
fertilité de la terre; & moy du moyen de trouuer le paffage de la Chine, fans les incómodi-
tez des glaces du Nort, ny les ardeurs de la Zo-
ne torride, foubs laquelle nos mariniers paffent deux fois en allant & deux fois en retournant, auec des trauaux & perils incroia-
bles, fa Maiefté commanda au fieur de Mons
de faire nouuel equipage & renuoyer des hómes pour continuer ce qu'il auoit commencé.
Il le fit. Et pour l'incertitude de fa commiffion
il changea de lieu, afin d'ofter aux enuieux
l'ombrage qu'il leur auoit apporté; meu auffi
de l'efperance d'auoir plus d'vtilité au dedans
des terres où les peuples sót ciuilifez, & eft plus
facile de planter la foy Chreftienne & eftablir
vn ordre comme il eft neceffaire pour la con-
feruation d'vn païs, que le long des riues de la
mer, où habitét ordinairement les fauuages: &
ainfi faire que le Roy en puiffe tirer vn proffit

ineſtimable: Car il eſt aiſé à croire que les peuples de l'Europe rechercheront pluſtoſt ceſte
facilité que non pas les humeurs enuieuſes &
farouches qui ſuiuent les coſtes & les nations
barbares.

DESCRIPTION DE L'ISLE DE SABLE: DV CAP
Breton; De la Héue; Du port au Mouton; Du port du cap Negré: Du cap &
baye de Sable: De l'iſle aux Cormorans : Du cap Fourchu: De l'iſle Longue:
De la baye ſainɛte Marie: Du port de ſainɛte Marguerite: & de toutes les
choſes remarcables qui ſont le long de cette coſte.

CHAP. II.

LE ſieur de Mons, en vertu de ſa commiſſion, ayant par tous les ports & haures
de ce Royaume fait publier les defences de
la traitte de pelleterie à luy accordée par ſa
Maieſté, amaſſa enuiron 120. artiſans, qu'il fit
embarquer en deux vaiſſeaux : l'vn du port de
120. tonneaux, dans lequel commandoit le
ſieur de Pont-graué:& l'autre de 150.ou ſe il mit
auec pluſieurs gentilshommes.

Le ſeptieſme d'Auril mil ſix cens quatre,
nous partiſmes du Hauredegrace,& Pont-graué le 10. qui auoit le rendes-vous à Canceau 20.
lieuës du cap Breton. Mais comme nous fuſmes en pleine mer le ſieur de Mons changea
d'aduis & prit ſa route vers le port au Mouton, a cauſe qu'il eſt plus au midy, & auſſi plus

commode pour aborder, que non pas Cáceau.

Le premier de May nous eufmes cognoiffance de l'ifle de Sable, où nous courufmes rifque d'eftre perduz par la faute de nos pilotes
qui s'eftoient trompez en l'eftime qu'ils firent
plus de l'auant que nous n'eftions de 40. lieues.

Cefte ifle eft efloignee de la terre du cap
Breton de 30. lieues, nort & fu, & contient enuiron 15. lieues. Il y a vn petit lac. L'ifle eft fort
fablonneufe & n'y a point de bois de haute fu-
taie, fe ne font que taillis & herbages que pa-
fturent des bœufz & des vaches que les Portu-
gais y porterét il y a plus de 60. ans, qui feruirét
beaucoup aux gens du Marqúis de la Roche :
qui en plufieurs annees qu'ils y feiournerent
prirent grande quantité de fort beaux renards
noirs, dont ils conferuerent bien foigneufemét
les peaux. Il y a force loups marins de la peau
defquels ils s'abillerent ayans tout difcipé
leurs veftemens. Par ordonnance de la Cour
de Parlement de Rouan il y fut enuoie vn vaiffeau pour les requerir : Les conducteurs firent
la peche de mollues en lieu proche de cefte ifle
qui eft toute batturiere és enuirons.

Le 8. du mefme mois nous eufmes cognoiffance du Cap de la Héue, à l'eft duquel il y a
vne Baye où font plufieurs Ifles couuertes de
fapins; & à la grand terre de chefnes, ormeaux

& bouleaux. Il eſt ioignant la coſte d'Accadie par les 44. degrez & cinq minutes de latitude, & 16. degrez 15. minutes de declinaiſon
de laguide-aimát, diſtant à l'eſt nordeſt du Cap
Breton 85. lieuës, dont nous parlerons, cy aprez.

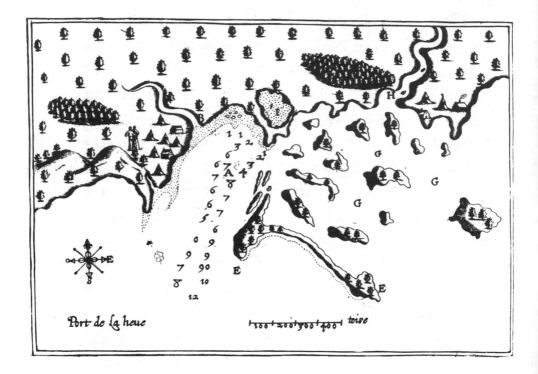

Les chifres montrent les braſſes d'eau.

A Le lieu ou les vaiſſeaux moullent l'ancre.
B Vne petite riuiere qui aſſeche de baſſe mer.
C Les lieux ou les ſauuages cabannent,

D Vne baſſe a l'entree du port.
E Vne petite iſle couuerte de bois.
F Le Cap de la Héue.
G Vne baye ou il y a quanti-té d'iſles couuertes de bois.

H Vne riuiere qui va dans les terres 6, ou 7. lieux, auec peu d'eau.
I Vn eſtang proche de la mer.

Le 12.

Le 12. de May nous entrasmes dans vn autre port, à 5. lieuës du cap de la Héue, où nous primes vn vaisseau qui faisoit traitte de peleterie contre les defences du Roy. Le chef s'appeloit Rossignol, dont le nó en demeura au port, qui est par les 44. degrez & vn quart de latitude.

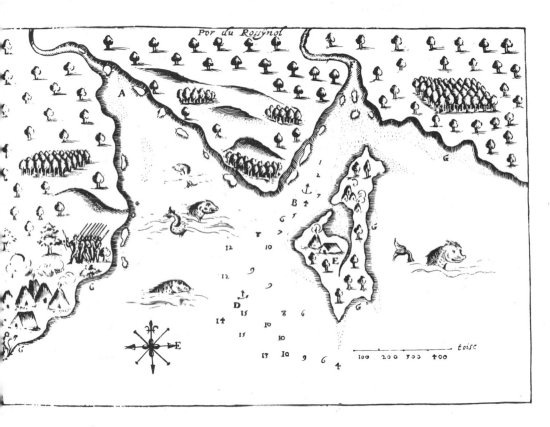

Por du Rossynol

Les chifres montrent les brasses d'eau.

A Riuiere qui va 25. lieuës dans les terres.
B Le lieu où ancrent les vaisseaux.
C Place à la grande terre où les sauuages font leur logement.
D la rade où les vaisseaux mouillent l'ancre en attendant la maree.
E L'endroit où les sauuages cabannent dans l'isle.
F Achenal qui asseche de basse mer.
G La coste de a grande terre. Ce qui est piqueté demonstre les basses.

B

Le 13. de May nous arriuafmes à vn tres-beau port, où il y a deux petites riuieres, appelé le port au Mouton, qui eft à fept lieuës de celuy du Roffignol. Le terroir eft fort pierreux, rempli de taillis & bruyeres. Il y a grand nombre de lappins; & quantité de gibier à caufe des eftangs qui y font.

Auffi toft que nous fufmes defembarquez, chacun commença à faire des cabannes felon fa fantaifie, fur vne pointe à l'entree du port auprés de deux eftangs d'eau douce. Le fieur de Mons en mefme téps depefcha vne chalouppe, dans laquelle il enuoya auec des lettres vn des noftres, guidé d'aucuns fauuages, lelong de la cofte d'Accadie, chercher Pót-graué, qui auoit vne partie des commoditez neceffaires pour noftre hyuernement. Il le trouua a la Baye de Toutes-ifles fort en peine de nous (car il ne fçauoit point qu'on eut changé d'aduis) & luy prefenta fes lettres. Incontinent qu'il les eut leuës, il s'en retourna vers fon nauire à Canceau, où il faifit quelques vaiffeaux Bafques qui faifoyent traitte de pelleterie, nonobftát les defences de fa Maiefté; & en enuoya les chefs au fieur de Mós: Lequel ce pendát me donna la charge d'aller recognoiftre la cofte, & les ports propres pour la feureté de noftre vaiffeau.

Defirant accomplir fa volonté ie partis du
port au Mouton le 19. de May, dans vne barque
de huiƈt tonneaux, accõpaigné du fieurR aleau
fon Secretaire, & de dix hommes. Allant le
long de la cofte nous abordâmes à vn port tres-
bon pour les vaiffeaux, où il y a au fonds vne
petite riuiere qui entre affez auant dans les
terres, que i'ay appelé le port du cap Negré, à
caufe d'vn rocher qui deloing en a la fembláce,
lequel eft efleué fur l'eau proche d'vn cap où
nous paffames le mefme iour, qui en eft à quatre lieuës, & à dix du port au Mouton. Ce cap
eft fort dangereux à raifon des rochers qui iettent à la mer. Les coftes que ie vis iufques là
font fort baffes couuertes de pareil bois qu'au
cap de la Héue; & les ifles toutes remplies de
gibier. Tirant plus outre nous fufmes paffer la
nuiƈt à la Baye de Sable, où les vaiffeaux peuuent mouiller l'ancre fans aucune crainte de
danger.

Le lendemain nous allames au cap de Sable, qui eft auffi fort dangereux, pour certains
rochers & batteures qui iettent prefque vne
lieuë à la mer. Il eft à deux lieuës de la baye
de Sable, où nous paffames la nuiƈt precedente.
Delà nous fufmes en l'ifle aux Cormorans, qui
en eft à vne lieue, ainfi appelee àcaufe du nombre infini qu'il y a de ces oyfeaux, où nous pri-

mes plein vne barrique de leurs œufs. Et de
cest isle nous fismes l'ouest enuiron six lieues
trauarsant vne baye qui fuit au Nort deux ou
trois lieues: puis rencontrasmes plusieurs isles
qui iettent 2. ou trois lieues à la mer, lesquelles
peuuent contenir les vnes deux, les autres trois,
lieues, & d'autres moins, selon que i'ay peu iuger. Elles sont la pluspart fort dangereuses à
aborder aux grands vaisseaux, à cause des grandes marees, & des rochers qui sont à fleur d'eau.
Ces isles sont remplies de pins, sapins, boulleaux & de trébles. Vn peu plus outre, il y en a
encore quatre. En l'vne nous vismes si grande
quátité d'oiseaux appelez tangueux, que nous
les tuyós aisemét à coups de bastó. En vne autre
nous trouuâmes le riuage tout couuert de loups
marins, desquels nous primes autant que bon
nous sembla. Aux deux autres il y a vne telle a-
bondáce d'oiseaux de differentes especes, qu'on
ne pourroit se l'imaginer si l'on ne l'auoit veu,
comme Cormorans, Canards de trois sortes,
Oyees, Marmettes, Outardes, Perroquets de
mer, Beccacines, Vaultours, & autres Oyseaux
de proye: Mauues, Allouettes de mer de deux
ou trois especes; Herons, Goillans, Courlieux,
Pyes de mer, Plongeons, Huats, Appoils, Cor-
beaux, Grues, & autres sortes que ie ne cognois point, lesquels y font leurs nyds. Nous

les auons nommees, iſles aux loups marins. Elles ſont par la hauteur de 43. degrez & demy
de latitude, diſtantes de la terre ferme ou Cap
de Sable de quatre à cinq lieues. Apres y auoir
paſſé quelque temps au plaiſir de la chaſſe
(& non pas ſans prendre force gibier) nous
abordâmes à vn cap qu'auons nommé le port
Fourchu: d'autant que ſa figure eſt ainſi, diſtant
des iſles aux loups marins cinq à ſix lieues. Ce
port eſt fort bon pour les vaiſſeaux en ſon entree: mais au fonds il aſſeche preſque tout de
baſſe mer, fors le cours d'vne petite riuiere, toute enuironnee de prairies, qui rendét ce lieu aſſez aggreable. La peſche de moruës y eſt bonne
auprés du port. Partát de là nous fiſmes le nort
dix ou douze lieues ſans trouuer aucun port
pour les vaiſſeaux, ſinon quátité d'ances ou playes treſbelles, dont les terres ſemblét eſtre propres pour cultiuer. Les bois y ſont tres-beaux,
mais il y a bien peu de pins & de ſappins. Ceſte
coſte eſt fort ſeine, ſans iſles, rochers ne baſſes:
de ſorte que ſeló noſtre iugemét les vaiſſeaux y
peuuét aller en aſſeurance. Eſtans eſloignez vn
quart de lieuë de la coſte, nous fuſmes à vne iſle,
qui s'appelle l'iſle Lógue, qui gît nort nordeſt,
& ſur ſuroueſt, laquelle faict paſſage pour aller dedans la grande baye Françoiſe, ainſi nommee par le ſieur de Mons.

B iij

Cefte ifle eft de fix lieues de lóg:& a en quelques endroicts prés d'vne lieue de large, & en
d'autres vn quart feulemét. Elle eft remplie de
quâtité de bois, cóme pins &boulleaux. Toute
la cofte eft bordee de rochers fort dágereux:&
n'y a point de lieu propre pour les vaiffeaux,
qu'au bout de l'ifle quelques petites retrait-
tes pour des chalouppes , & trois ou quatre
iflets de rochers, où les fauuages prennent force loups marins. Il y court de grandes marees,
& principalement au petit paffage de l'ifle,
qui eft fort dangereux pour les vaifeaux s'ils
vouloyent fe mettre au hafard de le paffer.

Du paffage de l'ifle Lógue fifmes le nordeft
deux lieux, puis trouuâmes vne ance où les
vaiffeaux peuuent ancrer en feureté, laquelle a
vn quart de lieue ou enuiron de circuit. Le
fonds n'eft que vafe, & la terre qui l'enuironne
eft toute bordee de rochers affez hauts. En ce
lieu il y a vne mine d'argent trefbonne, felon
le raport du mineur maiftre Simon, qui eftoit
auec moy. A quelques lieues plus outre eft auffi vne petite riuiere, nommée du Boulay, où
la mer monte demy lieue dans les terres, à l'entree de laquelle il y peut librement furgir des
nauires du port de cent tonneaux. A vn quart
de lieue d'icelle il y a vn port bon pour les
vaiffeaux où nous trouuâmes vne mine de fer

que noftre mineur iugea rédre cinquante pour
cent. Tirant-trois lieux plus outre au nordeft,
nous vifmes vne autre mine de fer affezbonne,
proche de laquelle il y a vne riuiere enuirónee
de belles &aggreables prairies. Le terroir d'al-
lentour eft rouge cóme fang. Quelques lieues
plus auant il y a encore vne autre riuiere qui
affeche de baffe mer, horfmis fon cours qui eft
fort petit, qui va proche du port Royal. Au
fonds de cefte baye y a vn achenal qui affeche
auffi de baffe mer, autour duquel y a nóbre de
prez & de bonnes terres pour cultiuer, toutesfois réplies de quátité de beaux arbres de toutes les fortes que i'ay dit cy deffus. Cefte baye
peut auoir depuis l'ifle Lógue iufques au fonds
quelque fix lieues. Toute la cofte des mines eft
terre affez haute, decouppee par caps, qui paroiffent ronds, aduançans vn peu à la mer. De
l'autre cofté de la baye au fueft, les terres font
baffes & bonnes, où il y a vn fort bon port,
& en fon entree vn banc par où il faut paffer,
qui a de baffe mer braffe & demye d'eau, &
l'ayant paffé on en trouué trois & bon fonds.
Entre les deux pointes du port il y a vn iflet de
caillons qui couure de plaine mer. Ce lieu va
demye lieue dans les terres. La mer y baiffe de
trois braffes, & y a force coquillages, comme
moulles coques & bregaux. Le terroir eft des

meilleurs que i'aye veu. l'ay nommé ce port, le
port saincte Marguerite. Toute ceste coste du
sueſt eſt terre beaucoups plus baſſe que celle
des mines qui ne ſont qu'a vne lieue & demye
de la coſte du port de saincte Marguerite, de la
largeur de la baye, laquelle a trois lieues en ſon
entree. Ie pris la hauteur en ce lieu, & la trouué par les 45. degrez & demy, & vn peu plus
de latitude, & 17. degrez 16. minuttes de declinaiſon de la guide-aymant.

　　Apres auoir recogneu le plus particulieremét qu'il me fut poſſible les coſtes ports & haures, ie m'en retourné au paſſage de l'iſle Longue ſans paſſer plus outre, d'où ie reuins par le
dehors de toutes les iſles , pour remarquer
s'il y auoit point quelques dangers vers l'eau:
mais nous n'en trouuâmes point , ſinon aucuns rochers qui ſont à pres de demye lieue des
iſles aux loups marins, que l'on peut eſuiter facilement: d'autant que la mer briſe par deſſus.
Continuant noſtre voyage nous fuſmes ſur-
pris d'vn grand coup deuent qui nous contraignit d'eſchouer noſtre barque à la coſte, où
nous couruſmes riſque de la perdre: ce qui
nous eut mis en vne extreſme peine. La tourmente eſtant ceſſee nous nous remiſmes en la
mer: & le lendemain nous arriuaſmes au port
du Mouton, où le ſieur de Mons nous atten-
　　　　　　　　　　　　　　　　　　doit

doit de iour en iour ne ſachât que pſer de noſtre ſeiour, ſinon qu'il nous fuſt arriué quelque
fortune. Ie luy fis relatiõ de tout noſtre voyage
& où nos vaiſſeaux pouuoyent aller en ſeureté.
Cependant ie cõſideré fort particulieremét ce
lieu, lequel eſt par les 44. degrez de latitude.

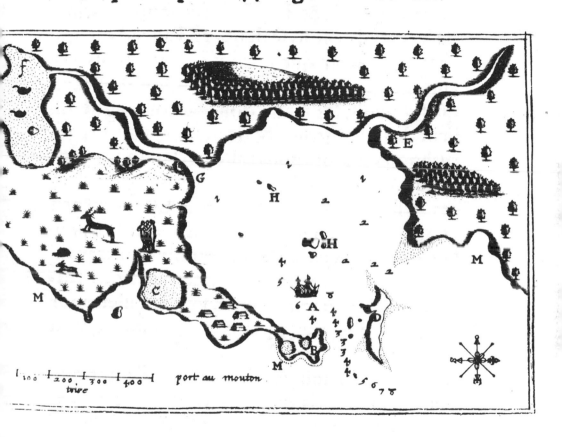

port au mouton

Les chifres montrent les braſſes d'eau.

A Les lieux où poſent les vaiſ-
ſeaux.
B Le lieu où nous fiſmes nos
logemens.
C Vn eſtang.
D Vne iſle à l'entrée du port

couuerte de bois.
E Vne riuiere qui eſt aſſez
baſſe d'eau.
F Vn eſtang.
G Ruiſeau aſſez grand, qui
vient de l'eſtang f.

H 6. Petites iſles qui ſont dãs
le port.
L Cãpagne où il n'y a que des
taillis & bruyeres fort peticos.
M La coſte du coſté de la mer.

Le lendemain le ſieur de Mons fit leuer les
ancres pour aller à la baye ſainɕte Marie, lieu
qu'auions recogneu propre pour noſtre vaiſſeau, attendant que nous en euſſions trouué
vn autre plus commode pour noſtre demeure. Rengeant la coſte nous paſſames proche
du cap de Sable & des iſles aux loups marins,
où le ſieur de Mons ſe delibera d'aller dans vne
chalouppe voir quelques iſles dont nous luy
auions faiɕt recit, & du nóbre infini d'oiſeaux
qu'il y auoit. Il s'y mit donc accompagné du
ſieur de Poitrincourt & de pluſieurs autres gé-
tilshómes en intétion d'aller en l'iſle aux Tangueux, où nous auiós auparauát tué quátité de
ces oyſeaux à coups de baſton. Eſtant vn peu
loing de noſtre nauire il fut hors de noſtre puiſſance de la gaigner, & encore moins noſtre vaiſſeau : car la maree eſtoit ſi forte que nous fuſmes cótrains de relaſcher en vn petit iſlet, pour
y paſſer celle nuiɕt, auquel y auoit grand
nombre de Gibier. I'y tué quelques oyſeaux
de riuiere, qui nous ſeruirent bien : d'autát que
nous n'auiós pris qu'vn peu de biſcuit, croyás
retoúrner ce meſme iour. Le lendemain nous
fuſmes au cap Fourchu, diſtant de là, demy.e
lieue. Rengeant la coſte nous fuſmes trouuer
noſtre vaiſſeau qui eſtoit en la baye ſainɕte M a-
rye. Nos gens furent fort en peine de nous l'e-

ſpace de deux iours, craignant qu'il nous fuſt
arriué quelque malheur : mais quand ils nous
virent en lieu de ſeureté, celà leur donna beaucoup de reſiouiſſance.

　Deux ou trois iours aprés noſtre arriuee, vn
de nos preſtres, appellé meſire Aubry, de la
ville de Paris, s'eſgara ſi bien dans vn bois en
allant chercher ſon eſpee laquelle il y auoit ou-
blyee, qu'il ne peut retrouuer le vaiſſeau : &
fut 17. iours ainſi ſans aucune choſe pour ſe
ſubſtanter, que quelques herbes ſeures & aigrettes comme de l'oſeille, & des petits fruits
de peu de ſubſtáce, gros comme groiſelles, qui
viennent rempant ſur la terre. Eſtant au bout
de ſon rollet, ſans eſperance de nous reuoir iamais, foible & debile, il ſe trouua du coſté de
la baye Françoiſe, ainſi nommee par le ſieur de
Mons, proche de l'iſle Longue, où il n'en pouuoit plus, quand l'vne de nos chalouppes allát à la peſche du poiſſon, l'aduiſa, qui ne pouuant appeller leur faiſoit ſigne auec vne gaule
au bout de laquelle il auoit mis ſon chappeau,
qu'on l'allaſt requerir : ce qu'ils firent auſſi
toſt & l'ammenerent. Le ſieur de Mons l'a-
uoit faict chercher, tant par les ſiens que des
ſauuages du païs, qui coururent tout le bois
& n'en apporterent aucunes nouuelles. Le
tenant pour mort, on le voit reuenir dans la

chaloupe au grand contentement d'vn chacun: Et fut vn long temps à se remettre en son
premier estat.

___

CHAP. III

A Quelques iours de là, le sieur de Mons se
delibera d'aller descouurir les costes de la
baye Frãçoise: & pour cet effect partit du vaisseau le 16. de May, & passames par le destroit de
l'isle Lógue. N'ayant trouué en la baye S. Marie
aucun lieu pour nous fortiffier qu'auec beaucoup de téps, celà nous fit resoudre de voir si à
l'autre il n'y en auroit point de plus propre.
Mettát le cap au nordest 6. lieux, il y a vne ance
où les vaisseaux peuuét mouiller l'ancre à 4. 5. 6.
& 7. brasses d'eau. Le fonds est Sable. Ce lieu
n'est que cóme vne rade. Continuát au mesme
vent deux lieux, nous entrasmes en l'vn des
beaux ports que i'eusse veu en toutes ces costes, où il pourroit deux mille vaisseaux en seureté. L'entree est large de huict cens pas :
puis on entre dedans vn port qui a deux lieux
de long & vne lieu ede large, que i'ay nommé

port Royal, où deffendent trois riuieres , dont
il y en a vne affez grande , tirant à l'eft , appel-
lee la riuiere de l'Equille , qui eft vn petit
poiffon de la grandeur d'vn Efplan, qui s'y pefche en quantité, côme auffi on fait du Harang,
& plufieurs autres fortes de poiffon qui y
font en abondance en leurs faifons. Cefte riuiere a prés d'vn quart de lieue de large en fon entree, où il y a vne ifle, laquelle peut contenir
demye licue de circuit , remplie de bois ainfi
que tout le refte du terroir , comme pins,
fapins, pruches, boulleaux, trables, & quelques
chefnes qui font parmy les autres bois en petit
nombre. Il y a deux entrees en ladite riuiere,
l'vne du cofté du nort: l'autre au fu de l'ifle. Celle du nort eft la meilleure, où les vaiffeaux peuuent mouiller l'ancre à l'abry de l'ifle à 5. 6. 7. 8.
& 9. braffes d'eau : mais il faut fe donner garde quelques baffes qui font tenant à l'ifle , & a
la grand terre, fort dangereufes, fi on n'a recogneu l'achenal.

Nous fufmes quelques 14. ou 15. lieux où la
mer monte, & ne va pas beaucoup plus auant
dedans les terres pour porter bafteaux : En ce
lieu elle contient 60. pas de large , & enuiron
braffe & demye d'eau. Le terroir de cefte
riuiere eft remply de force chefnes, frefnes &
autres bois. De l'entree de la riuiere iufques au

C iij

lieu où nous fuſmes y a nombre de preries :
mais elles ſont innondees aux gràdes marees,
y ayant quantité de petits ruiſſeaux qui trauerſent d'vne part & d'autre, par où des chalouppes & batteaux peuuét aller de pleine mer. Ce
lieu eſtoit le plus propre & plaiſant pour habiter que nous euſſions veu. Dedans le port y a
vne autre iſle, diſtante de la premiere prés de
deux lieues, où il y a vne autre petite riuiere
qui va aſſez auant dans les terres, que nous
auons nommée la riuiere ſainĉt Antoine. Son
entree eſt diſtante du fonds de la baye ſainĉte
Marie de quelque quatre lieux par le trauers
des bois. Pour ce qui eſt de l'autre riuiere ce
n'eſt qu'vn ruiſſeau remply de rochers, où on
ne peut monter en aucune façon que ce ſoit,
pour le peu d'eau : & a eſté nommee, le ruiſſeau
de la roche. Ce lieu eſt par la hauteur de 45. degrez de latitude & 17. degrez 8. minuttes de
declinaiſon de la guide-ayment.

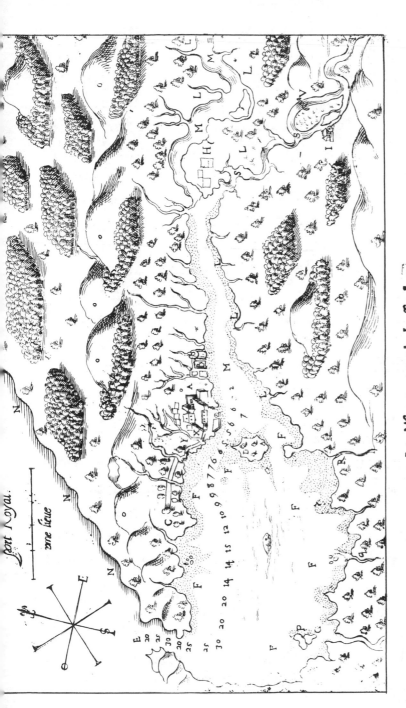

port Royal.

une lieue

pour la page 23

Les chiffres montrent les brasses d'eau.

A Le lieu de l'habitation.
B Iardin du sieur de Champlain.
C Allée au travers les bois que fit faire le sieur de Poitrin court.
D Isle à l'entrée de la riviere de l'Equille.
E entrée du port Royal.
F Basses qui assechét de basse mer

G Riviere sainct Antoine.
H Lieu du labourage ou on seme le blé.
I Moulin que fit faire le sieur de Poitrincourt.
L Prairies qui sont innundées des eaux aux grandes marées.
M Riviere de l'Equille.

N La coste de la mer du port Royal.
O Costes de montaignes.
P Isle proche de la riviere sainct Antoine.
Q Ruisseau de la Roche.
R Autre Ruisseau.

S Riviere du moulin.
T Petit ac.
V Le lieu où les sauvages peschent le harang en la saison.
X Ruisseau de la truitte.
Y Allée que fit faire le sieur de Champlain.

Apres auoir recogneu ce port, nous en partifmes pour aller plus auant dans la baye Françoife, & voir fi nous ne trouuerions point la
mine de cuiure qui auoit efté defcouuerte l'annee precedéte. Mettant le cap au nordeft huiĉt
ou dix lieux rengeant la cofte du port Royal,
nous trauerfames vne partie de la baye comme de quelque cinq ou fix lieues; iufques
à vn lieu qu'auons nommé le cap des deux
bayes: & paffames par vne ifle qui en eft à
vne lieue, laquelle contient autant de circuit,
efleuée de 40. ou 45. toifes de haut : toute entouree de gros rochers, horf-mis en vn endroit
qui eft en talus, au pied duquel y a vn eftang
d'eau fallee, qui vient par deffoubs vne poinĉte
de cailloux, ayant la forme d'vn efperon. Le
deffus de l'ifle eft plat, couuert d'arbres auec
vne fort belle fource d'eau. En ce lieu y a vne
mine de cuiure. De là nous fufmes à vn port
qui en eft à vne lieue & demye, où iugeâmes
qu'eftoit la mine de cuiure qu'vn nommé Pre-
uert de fainĉt Mallo auoit defcouuerte par le
moyen des fauuages du païs. Ce port eft foubs
les 45. degrez deux tiers de latitude, lequel affeche de baffe mer. Pour entrer dedans il faut
ballizer & recognoiftre vne batture de Sable
qui eft à l'entree, laquelle va rengeant vn canal
fuiuant l'autre cofté de terre ferme: puis on
                                        entre

entre dans vne baye qui contient prés d'vne
lieue de long, & demye de large. En quelques
endroits le fonds eſt vaſeux & ſablonneux,&
les vaiſſeaux y peuuent eſchouer.La mer y pert
& croiſt de 4. a 5. braſſes. Nous y miſmes pied
à terre pour voir ſi nousverrions les mines que
Preuerd nous auoit dit. Et ayant faict enuiron
vn quart de lieue le long de certaines montagnes, nous ne trouuaſmes aucune d'icelles, ny
ne recognuſmes nulle apparéce de la deſcriptió
du port ſelon qu'il nous l'auoit figuré: Auſſi n'y
auoit il pas eſté : mais bien deux ou trois des
ſiens guidés de quelques ſauuages, partie par
terre & partie par de petites riuieres ; qu'il
attendit dans ſa chaloupe en la baye ſainct
Laurens, à l'entree d'vne petite riuiere: leſquels
à leur retour luy apporterent pluſieurs petits morceaux de cuiure, qu'il nous môſtra au
retour de ſon voyage. Toutesfois nous trouuaſmes en ce port deux mines de cuiure non
en nature, mais par apparence, ſelon le rapport du mineur qui les iugea eſtre treſbonnes.

D

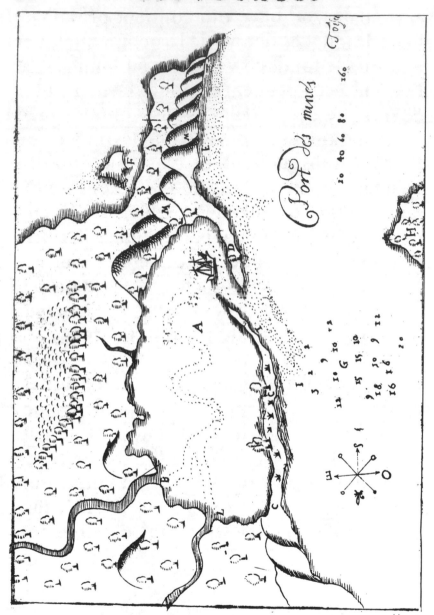

Les chifres montrent les brasses d'eau.

A Le lieu ou les vaisseaux peuuent eschouer.
B Vne petite riuiere.
C Vne langue de terre qui est
de Sable.
D Vne pointe de gros cailloux qui est comme vne
moule.

E Le lieu où est la mine de
cuiure qui couure de mer
deux fois le iour.
F Vne isle qui est derriere le
cap des mines.
G La rade ou les vaisseaux
posent l'ancre attendant la
maree.

I Lachenal.
H L'isle haute qui est a vne
lieue & demye du port aux
mines.
L Petit Ruisseau.
M Costeau de montaignes
le long de la coste du cap
aux mines.

Le fonds de la baye Françoise que nous tra-
uersames entre quinze lieux dans les terres.
Tout le païs que nous auons veu depuis le petit paffage de l'iſleLongue rangeant la coſte,ne
ſont que rochers, où il n'y a aucun endroit où
les vaiſſeaux ſe puiſſent mettre en ſeureté, ſinon le port Royal.Le païs eſt remply de quantité de pins & boulleaux, & à mon aduis n'eſt
pas trop bon.

Le 20. de May nous partiſmes du port aux
mines pour chercher vn lieu propre à faire vne
demeure arreſtee afin de ne perdre point de
temps: pour puis apres y reuenir veoir ſi nous
pourrions deſcouurir la mine de cuiure franc
que les gens de Preuerd auoient trouuee par le
moyen des ſauuages. Nous fiſmes l'oueſt deux
lieux iuſques au cap des deux bayes : puis le
nort cinq ou ſix lieux : & trauerſames l'autre
baye, où nous iugions eſtre ceſte mine de cuiure,dont nous auons deſia parlé: d'autát qu'il y
a deux riuieres:l'vne venát dedeuers le cap Breton : & l'autre du coſté de Gaſpe ou de Tre-
gatté, proche de la grande riuiere de ſainct
Laurens. Faiſant l'oueſt quelques ſix lieues
nous fuſmes à vne petite riuiere, à l'entree de
laquelle y a vn cap aſſez bas, qui aduance à la
mer:&vn peu dans les terres vne môtaigne qui
a la forme d'vn chappeau de Cardinal. En ce

D ij

lieu nous trouuafmes vne mine de fer. Il n'y a
ancrage que pour des chalouppes. A quatre
lieux à l'oueft furoueft y a vne pointe de rocher qui auance vn peu vers l'eau, où il y a de
grandes marees, qui font fort dangereufes. Proche de la pointe nous vifmes vne ance qui a
enuiron demye lieue de circuit, en laquelle
trouuafmes vne autre mine de fer, qui eft auffi
trefbonne. A quatre lieux encore plus de l'aduant y a vne belle baye qui entre dans les terres, où au fonds y a trois ifles & vn rocher: dont
deux font à vne lieue du cap tirant à l'oueft : &
l'autre eft à l'emboucheure d'vne riuiere des
plus grandes & profondes qu'euffions encore
veues, que nommafmes la riuiere S. Iean: pource que ce fut ce iour là que nous y arriuafmes:
& des fauuages elle eft appelee Ouygoudy.
Cefte riuiere eft dangereufe fi on ne recognoift
bien certaines pointes & rochers qui font des
deux coftez. Elle eft eftroicte en fon entree,
puis vient à s'eflargir : & ayant doublé vne
pointe elle eftrecit de rechef, & fait comme vn
faut entre deux grands rochers, où l'eau y
court d'vne fi grande viteffe, que y jettant
du bois il enfonce en bas, & ne le voit on
plus. Mais attendant le pleine mer, l'on peut
paffer fort aifement ce deftroict : & lors elle
s'eflargit comme d'vne lieue par aucuns en-

droicts, où il y a trois ifles. Nous ne la recogneufmes pas plus auant: Toutesfois Ralleau
Secretaire du fieur de Mons y fut quelque
téps apres trouuer vn fauuage appellé Secondon chef de la ladicte riuiere, lequel nous ra-
porta qu'elle eftoit belle, grãde & fpacieufe: y
ayant quantité de preries & beaux bois, comme chefnes, heftres, noyers & lambruches de
vignes fauuages. Les habitans du pays vont
par icelle riuiere iufques à Tadouffac, qui eft
dans la grande riuiere de fainct Laurens: & ne
paffent que peu de terre pour y paruenir. De la
riuiere fainct Iean iufques à Tadouffac y a 65.
lieues. A l'entree d'icelle, qui eft par le hauteur
de 45. degrez deux tiers, y a vne mine de fer.

D iij

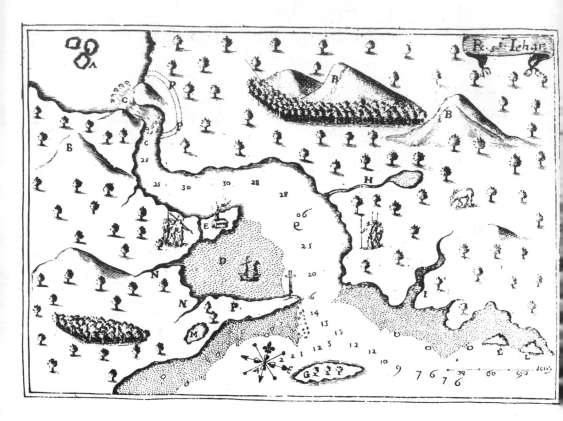

Les chifres montrent les brasses d'eau.

A Trois isles qui sont par dela le saut.
B Montaignes qui paroissent
   par dessus les terres deux
   lieues au su de la riuiere.
C Le saut de la riuiere.
D Basses quand la mer est perdue, ou vaisseaux peuuent
   eschouer.
E Cabanne où se fortifient les
   sauuages.

F Vne pointe de cailloux, où y
   a vne croix.
G Vne isle qui est a l'entree
   de la riuiere.
H Petit ruisseau qui vient
   d'vn petit estang.
I Bras de mer qui asseche de
   basse mer.
L Deux petits isslets de rocher.
M Vn petit estang.

N Deux Ruisseaux.
O Basses fort dangereuses le
   long de la coste qui asse-
   chent de basse mer.
P Chemin pat où les sauuages
   portent leurs canaux quand
   ils veulent passer le sault.
Q Le lieu où peuuent mouiller l'ancre où la riuiere a
   grand cours.

De la riuiere sainct Iean nous fusmes à
quatre isles, en l'vne desquelles nous mismes
pied à terre, & y trouuasmes grande quantité
d'oiseaux appellez Margos, dont nous prismes
force petits, qui sont aussi bons que pigeon-
neaux. Le sieur de Poitrincourt s'y pensa
esgarer: Mais en fin il reuint à nostre barque
comme nous l'allions cerchant autour de isle,
qui est esloignee de la terre ferme trois lieues.
Plus à l'ouest y a d'autres isles: entre autres vne
contenant six lieues, qui s'appelle des sauuages
Manthane, au su de laquelle il y a entre les isles
plusieurs ports bons pour les vaisseaux. Des
isles aux Margos nous fusmes à vne riuiere en
la grāde terre, qui s'appelle la riuiere des Este-
chemins, nation de sauuages ainsi nommee en
leur païs : & passames par si grande quantité
d'isles, que n'en auons peu sçauoir le nombre,
assez belles; côtenant les vnes deux lieues les autres trois, les autres plus ou moins. Toutes ces
isles sont en vn cu de sac, qui contient à mon
iugement plus de quinze lieux de circuit: y
ayant plusieurs endrois bons pour y mettre tel
nombre de vaisseaux que l'on voudra, lesquels
en leur saison sont abondans en poisson, comme mollues, saulmons, bars, harangs, flaitans,
& autres poissons en grand nombre. Faisant
l'ouest norouest trois lieux par les isles, nous en

trafmes dans vne riuiere qui a prefque demye
lieue de large en fon entree, où ayans faiᵗ vne
lieue ou deux, nous y trouuafmes deux ifles:
l'vne fort petite proche de la terre de l'oueſt:
& l'autre au milieu, qui peut auoir huiᵗ ou
neuf cens pas de circuit, efleuee de tous coſtez
de trois à quatre toifes de rochers, fors vn petit
endroiᵗ d'vne poinᵗe de Sable & terre graſſe,
laquelle peut feruir à faire briques, & autres
chofes neceſſaires. Il y a vn autre lieu à couuert pour mettre des vaiſſeaux de quatre vingt
à cent tonneaux : mais il aſſeche de baſſe mer.
L'iſle eſt remplie de fapins , boulleaux, efra-
bles & chefnes. De foy elle eſt en fort bonne
fituation, & n'y a qu'vn coſté où elle baiſſe
d'enuiron 40. pas, qui eſt aifé à fortifier, les coſtes de la terre ferme en eſtans des deux coſtez
efloignees de quelques neuf cens à mille pas.
Il y a des vaiſſeaux qui ne pourroyent paſſer
fur la riuiere qu'a la mer cy du canon d'icelle
Qui eſt le lieu que nous iugeâmes le meilleur:
tant pour la fituation, bon pays, que pour le
communication que nous pretendions auec
les fauuages de ces coſtes & du dedans des terres, eſtans au millieu d'eux: Lefquels auec le
temps on efperoit pacifier, & amortir les guerres qu'ils ont les vns contre les autres, pour en
tirer à l'aduenir du feruice : & les reduire à la
foy

foy Chreſtiéne. Ce lieu eſt nommé par le ſieur
de Mons l'iſle ſaincte Croix. Paſſant plus outre
on voit vne grande baye en laquelle y a deux
iſles: l'vne haute & l'autre platte: & trois riuieres, deux mediocres, dont l'vne tire vers l'O-
rient & l'autre au nord : & la troiſieſme grande, qui va vers l'Occident. C'eſt celle des Etechemins, dequoy nous auons parle cy deſſus.
Allans dedans icelle deux lieux il y a vn ſault
d'eau, où les ſauuages portent leurs cannaux
par terre quelque 500. pas, puis rentrent dedans icelle, d'où en aprés en trauerſant vn peu
de terre on va dans la riuiere de Norembegue & de ſainct Iean , en ce lieu du ſault que
les vaiſſeaux ne peuuent paſſer à cauſe que
ce ne ſont que rochers, & qu'il n'y a que quatre
a cinq pieds d'eau. En May & Iuin il s'y prend
ſi grande abondance de harangs & bars que
l'on y en pourroit charger des vaiſſeaux. Le
terroir eſt des plus beaux, & y a quinze ou
vingt arpens de terre deffrichee, où le ſieur de
Mons fit ſemer du froment, qui y vint fort
beau. Les ſauuages s'y retirent quelquesfois
cinq ou ſix ſepmaines durant la peſche. Tout le
reſte du païs ſont foreſts fort eſpoiſſes. Si les
terres eſtoiét deffrichees les grains y viédroiét
fort bié. Ce lieu eſt par la hauteur de 45. degrez
vn tiers de latitude, & 17. degrez 32. minuttes
de declinaiſon de laguide-ayment.

E

Isle. de sainte Croix.

Les chiffres montrent les brasses d'eau.

A Le plan de l'habitation.
B Iardinages.
C Petit islet seruant de plate-forme à mettre le canon.
D Platte forme où onmettroit du canon.
E Le cimetiere.
F La chappelle.
G Basses de rochers autour de l'isle saincte Croix.
H vn petit islet
I Le lieu où le fleur de Mons auoit fait commencer vn moulin à eau.
L Place où l'on faisoit le charbon
M Iardinages à la grâd terre, e de l'Ouest.
N Autres iardinages à la grande

terre de l'Est.
Q Grande montaigne fort haute dans la terre
P Riuiere des Etechemins passant au tour de l'isle saincte Croix.

LE SIEVR DE MONS NE TROVVANT POINT
de lieu plus propre pour faire vne demeure arreſtee que l'iſle de S. Croix,
la fortifie & y faiſt des logemens. Tetour des vaiſſeaux en France, & de
Ralleau Secretaire d'iceluy ſieur de, Mons pour mettre ordre à quelques
affaires.

Chap. IV.

N'Avant trouué lieu plus propre que ceſte Iſle, nous commençames à faire vne barricade ſur vn petit iſlet vn peu ſeparé de l'Iſle, qui ſeruoit de platte-forme pour mettre noſtre canõ. Chacun s'y employa ſi veitueuſemét qu'en peu de temps elle fut rédue en defénce, bien que les mouſquittes (qui ſont petites mouches) nous apportaſſent beaucoup d'incomodité au trauail : car il y euſt pluſieurs de nos gens qui eurent le viſage ſi enflé par leur piqueure qu'ils ne pouuoient preſque voir. La barricade eſtant achcuee, le ſieur de Mons enuoya ſa barque pour aduertir le reſte de nos gens qui eſtoiét auec noſtre vaiſſeau en la baye ſaincte Marie, qu'ils vinſſent à ſaincte Croix. Ce qui fut promptement fait : Et en les attendant nous paſſames le temps aſſez ioyeuſement.

Quelques iours aprés nos vaiſſeaux eſtans arriuez, & ayant mouillé l'ancre, vn chacun deſcendit à terre : puis ſans perdre temps le ſieur de Mons commança à employer les ouuriers à

E ij

baſtir des maiſons pour noſtre demeure, & me permit de faire l'ordónáce de noſtre logemét. Aprez que le ſieur de Mons eut prins la place du Magazin qui cótient neuf thoiſes de long, trois de large & douze pieds de haut, il print le plan de ſon logis, qu'il fit promptement baſtir par de bons ouuriers, puis aprés dóna à chacun ſa place: & auſſi toſt on Cómença à s'aſſembler cinq a cinq & ſix a ſix, ſelon que l'on deſiroit. Alors tous ſe mirét à deffricher l'iſle, aller au bois, charpenter, porter de la terre & autres choſes neceſſaires pour les baſtimens.

Cependant que nous baſtiſſions nos logis le ſieur de Mons depeſcha, le Capitaine Fouques dans le vaiſſeau de Roſſignol, pour aller trou-uer Pontgraué à Cáceáu, afin d'auoir ce qui re-ſtoit des commoditez pour noſtre habitation.

Quelque temps apres qu'il fut parti, il arriua vne petite barque du port de huiẛ tonneaux, où eſtoit du Glas de Honfleur pilotte du vaiſſeau de Pontgraué, qui amena auec luy les Maiſtres des nauires Baſques qui auoiét eſté prins par ledit Pont en faiſant la traiẛe de pe-leterie, cóme nous auons dit. Le ſieur de Mons les receut humainement & les renuoya par le-dit du Glas au Pont auec commiſſion de luy dire qu'il emmenaſt à la Rochelle les vaiſſeaux qu'il auoit prins, afin que iuſtice en fut faiẛe.

Cependât on trauailloit fort & ferme aux logemens: les charpentiers au magazin & logis
du fieur de Mons , & tous les autres chacun
au fien; comme moy au mien, que ie fis auec
l'aide de quelques feruiteurs que le fieur d'Oruille & moy auiôs; qui fut incontinent ache-
ué:où depuis le fieur de Mons fe logea attendant que le fien le fut. L'on fit auffi vn four, &
vn moulin à bras pour moudre nos bleds, qui
donna beaucoup de peine & trauail à la plufpart, pour eftre chofe penible. L'on fit aprés
quelques iardinages, tant à la grand terre que
dedans l'ifle, où on fema plufieurs fortes de
graines, qui y vindrent fort bien, horfmis en
l'ifle; d'autant que ce n'eftoit que Sable qui
brufloit tout, lors que le foleil donnoit, encore
qu'on prift beaucoup de peine à les arroufer.

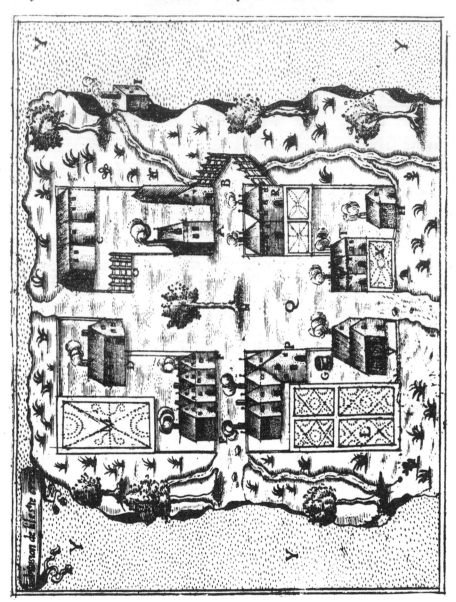

A Logis du sieur de Mons.
B Maison publique ou l'on passoit le temps durant la pluie.
C Le magasin.
D Logement des suisses.
E La forge.
F Logement des charpentiers
G Le puis.
H Le tour ou l'on faisoit le pain.

I La cuisine.
L Iardinages.
M Autres Iardins.
N La place où au milieu y a vn arbre.
O Palissade.
P Logis des sieurs d'Oruille, Champlain & Chandore.
Q Logis du sieur Boulay, & autres artisans.

R Logis ou logeoiët les sieurs de Genestou, Sourin & autres artisans.
T Logis des sieurs de Beaumont, la Motte Bourioli & Fougeray.
V Logement de nostre curé.
X Autres iardinages.
Y La riuiere qui entoure l'isle.

Quelques iours aprés le ſieur de Mons ſe delibera de ſçauoir où eſtoit le mine de cuiure
franc qu'auions tant cherchee : Et pour ceſt
effect m'enuoya auec vn ſauuage appellé Meſ-
famouet, qui diſoit en ſçauoir bien le lieu. Ie
party dans vne petite barque du port de cinq a
ſix tonneaux,& neuf matelots auec moy. A
quelque huict lieues de l'iſle,tirât à la riuiere S.
Iean,en trouuaſmes vne de cuiure, qui n'eſtoit
pas pur;neantmoins bonne ſelon le rapport du
mineur,lequel diſoit que l'on en pourroit tirer
18. pour cent . Plus outre nous en trouuaſmes
d'autres moindres que ceſte cy . Quand nous
fuſmes au lieu où nous pretédiós que fut celle
que nous cherchions le ſauuage ne la peut
trouuer : de ſorte qu'il fallut nous enreuenir,
laiſſant cette recerche pour vne autre fois.

Comme ie fus de retour de ce voyage,le
ſieur de Mons reſolut de renuoyer ſes vaiſſaux
en France, & auſſi le ſieur de Poitrincourt qui
n'y eſtoit venu que pour ſon plaiſir, & pour
recognoiſtre de païs & les lieux proprés pour
y habiter,ſeló le deſir qu'il en auoit: c'eſt pourquoy il demáda au ſieur de Mós le portRoyal,
qu'il luy donna ſuiuant le pouuoir & commiſſion qu'il auoit du Roy.Il renuoya auſſi Ralleau ſon Secretaire pour mettre ordre à quelques affaires touchant le voyage; leſquels par-

tirent de l'isle S. Croix le dernier iour d'Aoust audict an 1604.

DE LA COSTE, PEVPLES ET RIVIERE DE NO-
rembeque: & de tout ce qui c'est passé durant les descouuertures d'icelle.

CHAP. V.

APres le partement des vaisseaux, le sieur de Mons se delibera d'enuoyer descouurir le long de la coste de Norembegue, pour ne perdre temps : & me commit ceste charge, que i'eus fort aggreable.

Et pour ce faire ie partis de S. Croix le 2. de Septembre auec vne pattache de 17. a 18. tonneaux, douze matelots, & deux sauuages pour nous seruir de guides aux lieux de leur cognoissance. Ce iour nous trouuasmes les vaisseaux où estoit le sieur de Poitrincourt, qui estoient ancrés à l'amboucheure de la riuiere sainte Croix, à cause du mauuais temps, duquel lieu ne pusmes partir que le 5. dudict mois : & estans deux ou trois lieux vers l'eau la brume s'esleua si forte que nous perdimes aussi tost leurs vaisseaux de veue. Cotinuát nostre route le log des costes nous fismes ce iour là quelque 25. lieux : & passames par gráde quantité d'isles, bancs, battures & rochers qui iettent plus de quatre lieux à la mer par endroicts. Nous auós nommé les isles, les isles rangees, la plus part desquel-

defquelles font couuertes de pins & fapins, &
autres mefchants bois. Parmy ces ifles y a force
beaux & bós ports, mais mal-aggreables pour
y demeurer. Ce mefme iour nous paffames
auffi proche d'vne ifle qui contient enuiron 4.
ou cinq lieux de lóg, auprés laquelle nous nous
cuidames perdre fur vn petit rocher à fleur
d'eau, qui fit vne ouuerture à noftre barque
proche de la quille. De cefte ifle iufques au
nord de la terre ferme il n'y a pas cêt pas de large. Elle eft fort haute couppee par endroiéts,
qui paroiffét, eftát en la mer, cóme fept ou huit
montagnes rägees les vnes proches des autres.
Le fómet de la plus part d'icelles eft defgarny,
d'arbres; parce que ce ne font que rochers. Les
bois ne font que pins, fapins & boulleaux. Ie
l'ay nómée l'ifle desMonts-deferts. La hauteur
eft par les 44. degrez & demy de latitude.

Le lendemain 6. du mois fifmes deux lieux:
& aperçeumes vne fumee dedans vne ance
qui eftoit au pied des montaignes cy deffus: &
vifmes deux canaux códuits par des fauuages,
qui nous vindrent recognoiftre à la portee du
moufquet. I'enuoyé les deux noftres dans vn
canau pour les affeurer de noftre amitié. La
crainte qu'ils eurent de nous les fit retourner. Le lendemain matin ils reuindrent au
bort de noftre barque, & parlementerent auec

F

nos ſauuages. Ie leur fis donner du biſcuit, petum & quelques autres petites bagatelles. Ces
ſauueges eſtoient venus à la chaſſe des Caſtors
& à la peſches du poiſſon, duquel ils nous
donnerent. Ayant fait alliance auec eux, ils
nous guiderent en leur riuiere de Peimtegoüet
ainſi d'eux appelee, où ils nous dirent qu'eſtoit
leur Capitaine nommé Beſſabez chef d'icelle.
Ie croy que ceſte riuiere eſt celle que pluſieurs
pilottes & Hiſtoriens appellent Norembegue: & que la plus part ont eſcript eſtre grande & ſpacieuſe, auec quantité d'iſles: & ſon entree par la hauteur de 43. & 43. & demy: &
d'autres par les 44. degrez, plus ou moins de
latitude. Pour la declinaiſon, ie n'en ay leu ny
ouy parler à perſonne. On deſcrit auſſi qu'il
y a vne grande ville fort peuplée de ſauuages adroits & habilles, ayans du fil de cotton.
Ie m'aſſeure que la pluſpart de ceux qui en font
mentió ne l'ont veue, & en parlét pour l'auoir
ouy dire à gens qui n'en ſçauoyent pas plus
qu'eux. Ie croy bien qu'il y en a qui ont peu en
auoir veu l'emboucheure, à cauſe qu'en effet il
y a quátité d'iſles, & qu'elle eſt par la hauteur de
44. degrez de latitude en ſon entree, comme ils
diſent: Mais qu'aucun y ait iamais entré il n'y a
point d'apparence: car ils l'euſſent deſcripte
d'vne autre façon, afin d'oſter beaucoup de

gens de ceſte doute.

Ie diray donc au vray ce que i'en ay reco-
neu & veu depuis le commencement iuſques
ou i'ay eſté.

Premierement en ſon entree il y a pluſieurs
iſles eſloignees de la terre ferme 10. ou 12. lieues
qui ſont par la hauteur de 44. degrez de latitude, & 18. degrez & 40. minuttes de declinaiſon de la guide-aymāt. L'iſle des Mōts-deſerts
fait vne des pointes de l'emboucheure, tirant à
l'eſt : & l'autre eſt vne terre baſſe appelee des
ſauuages Bedabedec, qui eſt à l'oueſt d'icelle, di-
ſtātes l'vn de l'autre neuf ou dix lieues. Et preſque au milieu à la mer y a vne autre iſle fort
haute & remarquable, laquelle pour ceſte raiſon i'ay nommee l'iſle haute. Tout autour il y
en à vn nombre infini de pluſieurs grandeurs & largeurs : mais la plus grande eſt celle
des Monts-deſerts. La peſche du poiſſon de
diuerſes ſortes y eſt fort bonne : comme auſſi la
chaſſe du gibier. A quelques deux ou trois
lieues de la poincte de Bedabedec, rengeant la
grande terre au nort, qui va dedans icelle riuiere, ce ſont terres fort hautes qui paroiſſent à
la mer en beau temps 12. à 15. lieues. Venant
au ſu de l'iſle haute, en la rengeāt comme d'vn
quart de lieue où il y a quelques battures qui
ſont hors de l'eau, mettant le cap à l'oueſt iuſ-

ques à ce que l'on ouure toutes les montaignes
qui font au nort d'icelle ifle, vous vous pouuez
affeurer qu'en voyant les huict ou neuf de-
couppees de l'ifle des Monts-deferts & celle
de Bedabedec, l'on fera le trauers de la riuiere de Norembegue : & pour entrer dedans
il faut mettre le cap au nort, qui eft fur les plus
hautes montaignes dudict Bedabedec : & ne
verrez aucunes ifles deuant vous : & pouuez
entrer feurement y ayant affez d'eau, bien que
voyez quantité de brifans, ifles & rochers à
l'eft & oueft de vous. Il faut les efuiter la fonde
en la main pour plus grande feureté : Et croy
à ce que i'en ay peu iuger, que l'on ne peut
entrer dedans icelle riuiere par autre endroict,
finon auec des petits vaiffeaux ou chalouppes : Car comme i'ay dit cy deffus le quantité
des ifles, rochers, baffes, bancs & brifans y font
de toutes parts en forte que c'eft chofe eftrange à voir.

Or pour reuenir à la continuation de noftre routte : Entrát dans la riuiere il y a de belles ifles, qui font fort aggreables, auec de belles
prairies. Nous fufmes iufques à vn lieu où les
fauuages nous guiderent, qui n'a pas plus de
demy quart de licue de large : Et a quelques
deux cens pas de la terre de l'oueft y a vn rocher à fleur d'eau, qui eft dangereux. De là

à l'ifle haute y a quinze lieues. Et depuis ce lieu
eftroict, (qui eft la moindre largeur que nous
euffions trouuee,) apres auoir faict quelque 7.
ou 8. lieues, nous rencontrafmes vne petite riuiere, où auprés il fallut mouiller l'ancre: d'autant que deuant nous y vifmes quantité de rochers qui defcouurent de baffe mer: & auffi
que quand euffions voullu paffer plus auant
nous n'euffions pas peu faire demye lieue: à
caufe d'vn fault d'eau qu'il y a, qui vient en
talus de quelque 7. a 8. pieds, que ie vis allant
dedans vn canau auec les fauuages que nous
auions: & n'y trouuafmes de l'eau que pour vn
canau: Mais paffé le fault, qui à quelques deux
cens pas de large, la riuiere eft belle, &
continue iufques au lieu ou nous auions
mouillé l'ancre. Ie mis pied à terre pour veoir le
païs: & allát à la chaffe ie le trouué fort plaifant
& aggreable en ce que i'y fis de chemin. Il
femble que les chefnes qui y font ayent efté
plantez par plaifir. I'y vis peu de fapins, mais
bien quelques pins à vn cofté de la riuiere:
Tous chefnes a l'autre: & quelques bois taillis
qui s'eftendent fort auant dans les terres. Et
diray que depuis l'entree où nous fufmes, qui
font enuiron 25. lieux, nous ne vifmes aucune
ville ny village, ny apparence d'y en auoir eu:
mais bien vne ou deux cabannes de fauuages

où il n'y auoit perſonne, leſquelles eſtoient faites de meſme façon que celles des Souriquois
couuertes d'eſcorce d'arbres : Et à ce qu'auons
peu iuger il y a peu de ſauuages en icelle riuiere, qu'on appele auſſi Etechemins. Ils n'y
viennent non plus qu'aux iſles, que quelques
mois en eſté durant la peſche du poiſſon &
chaſſe du gibier, qui y eſt en quantité. Ce ſont
gens qui n'ont point de retraicte arreſtee à ce
que i'ay recogneu & apris d'eux : car ils yuer-
nent tantoſt en vn lieu & tantoſt à vn autre, où
ils voient que la chaſſe des beſtes eſt meilleure;
dont ils viuent quand la neceſſité les preſſe,
ſans mettre rien en reſerue pour ſubuenir aux
diſettes qui ſont grandes quelquesfois.

　　Or il faut de neceſſité que ceſte riuiere ſoit
celle de Norembegue : car paſſé icelle iuſques
au 41. degré que nous auons coſtoyé, il n'y en a
point d'autre ſur les hauteurs cy deſſus dictes,
que celle de Quinibequy, qui eſt preſque en
meſme hauteur, mais non de grande eſtendue.
D'autre part il ne peut y en auoir qui entrent
auant dans les terres : d'autant que la grande
riuiere ſaint Laurens coſtoye la coſte d'Accadie & de Norembegue, où il n'y a pas plus de
l'vne à l'autre par terre de 45. lieues, ou 60. au
plus large, comme il ſe pourra veoir par ma
carte Geographique.

Or ie laiſſeray ce diſcours pour retourner
aux ſauuages qui m'auoient conduit aux ſaults
de la riuiere de Norembegue, leſquels furent
aduertir Beſſabez leur chef, & d'autres ſauuages, qui allerent en vne autre petite riuiere aduertir auſſi le leur, nommé Cabahis, &
luy donner aduis de noſtre arriuee.

Le 16. du mois il vint à nous quelque trente
ſauuages, ſur l'aſſeurance que leur donnerent
ceux qui nous auoient ſeruy de guide. Vint
auſſi ledict Beſſabez nous trouuer ce meſme
iour auec ſix canaux. Auſſi toſt que les ſauuages qui eſtoient à terre le virent arriuer, ils ſe
mirét tous à châter, dancer & ſauter, iuſques à
ce qu'il eut mis pied à terre : puis aprés s'aſ-
ſirent tous en rond contre terre, ſuiuant leur
couſtume lors qu'ils veulét faire quelque harā-
gue ou feſtin. Cabahis l'autre chef peu aprés arriua auſſi auec vingt ou tréte de ſes cópagnós,
qui ſe retirét apart, & ſe reiouirét fort de nous
veoir: d'autāt que c'eſtoit la premiere fois qu'ils
auoient veu des Chreſtiens. Quelque temps
aprés ie fus à terre auec deux de mes compagnons & deux de nos ſauuages, qui nous ſer-
uoient de truchemét : & donné charge à ceux
de noſtre barque d'approcher prés des ſauuages, & tenir leurs armes preſtes pour faire leur
deuoir s'ils aperçeuoient quelque eſmotion

de ces peuples contre nous. Beſſabez nous voyant à terre nous fit aſſeoir, & commença à petuner auec ſes compagnons , comme ils font ordinairement auparauant que faire leurs diſcours. Ils nous firent preſent de venaiſon & de gibier.

Ie dy à noſtre truchement, qu'il diſt à nos ſauuages qu'ils fiſſent entendre à Beſſabez, Cabahis & à leurs compagnons , que le ſieur de Mons m'auoit enuoyé pardeuers eux pour les voir & leur pays auſſi: & qu'il vouloit les tenir en amitié,& les mettre d'accord auec les Souriquois &Canadiens leurs ennemis:Et d'auantage qu'il deſiroit habiter leur terre,& leur môtrer à la cultiuer, afin qu'ils ne trainaſſent plus vne vie ſi miſerable qu'ils faiſoient , & quelques autres propos à ce ſubiet. Ce que nos ſauuages leur firent entendre, dont ils demonſtrerent eſtre fort contens, diſant qu'il ne leur pouuoit arriuer plus grand bien que d'auoir noſtre amitié: & deſiroyent que l'on habitaſt leur terre,& viure en paix auec leur ennemis:afin qu'a l'aduenir ils allaſſent à la chaſſe aux Caſtors plus qu'ils n'auoient iamais faict, pour nous en faire part, en les accômodant de choſes neceſſaires pour leur vſage. Apres qu'il eut acheué ſa harangue,ie leur fis preſent de haches, patinoſtres, bonnets, couſteaux & autres petites

titces

tites ioliuetés:aprez nous nous feparafmes les
vns des autres. Tout le refte de ce iour , & la
nuict fuiuante, ils ne firent que dancer, châter
& faire bonne chere, attendans le iour auquel
nous trectafmes quelque nôbre de Caftors: &
aprez chacun s'en retourna, Beffabez auec fes
compagnons de fon cofté, & nous du noftre,
fort fatiffaits d'auoir eu cognoiffance de ces
peuples.

Le 17.du mois ie prins la hauteur,& trouuay
45. degrez & 25. minuttes de latitude: Ce faict
nous partifmes pour aller à vne autre riuiere
appelee Quinibequy, diftâte de ce lieu de trente cinq lieux,& prés de 20.deBedabedec.Cefte
nation de fauuages de Quinibequy s'appelle
Etechemins, auffi bien que ceux de Norembegue.

Le 18. du mois nous paffames prés d'vne petite riuiere où eftoit Cabahis, qui vint auec
nous dedans noftre barque quelque douze
lieues:Et luy ayant demandé d'où venoit la riuiere de Norembegue,il me dit qu'elle paffé le
fault dont i'ay faict cy deffus mention , & que
faifant quelque chemin en icelle on entroit
dás vn lac par où ils vôt à la riuiere de S. Croix,
d'où ils vont quelque peu par terre , puis
entrent dans la riuiere des Etechemins . Plus
au lac defcent vne autre riuiere par où ils

G

vont quelques iours, en aprés entrent en vn
autre lac, & paſſent par le millieu; puis eſtans
paruenus au bout,ils font encore quelque chemin par terre, aprés entrent dans vne autre
petite riuiere qui vient ſe deſcharger à vne
lieue de Quebec, qui eſt ſur le grand fleuue S.
Laurés.Tous ces peuples de Norembegue ſont
fort baſannez, habillez de peaux de caſtors
& autres fourrures, cõme les ſauuages Canna-
diens & Souriquois : & ont meſme façon de
viure.

　Le 20.du mois rangeaſmes la coſte de l'oueſt,
& paſſames les montaignes de Bedabedec,où
nous mouillaſmes l'ancre: Et le meſme iour recogneuſmes l'entree de la riuiere , où il peut
aborder de grands vaiſſeaux : mais dedás il y a
quelques battures qu'il faut eſuiter la ſonde en
la main.Nos ſauuages nous quitterent, d'autát
qu'ils ne vollurent venir a Quinibequy: parce•
que les ſauuages du lieu leur ſont grands ennemis. Nous fiſmes quelque 8. lieux rangeant
la coſte de l'oueſt iuſques à vne iſle diſtante de
Quinibequy 10. lieux, où fuſmes cõtrainꞇs de
relaſcher pour le mauuais temps & vent contraire. En vne partye du chemin que nous fiſmes nous paſſames par vne quantité d'iſles &
briſlans qui iettent à la mer quelques lieues
fort dágereux.Et voyát que le mauuais temps

nous contrarioit fi fort, nous ne paſſames pas plus outre que trois ou 4.lieues.Toutes ces iſles & terres ſont répliesde quantité de pareil bois que i'ay dit cy deſſus aux autres coſtes. Et conſiderant le peu de viures que nous auions, nous reſoluſmes de retourner à noſtre habitation, attendans l'annee ſuiuante où nous eſperions y reuenir pour recognoiſtre plus amplement. Nous y rabrouſſames donc chemin le 23. Septembre & arriuaſmes en noſtre habitation le 2. Octobre enſuiuant.

Voila au vray tout ce que i'ay remarqué tant des coſtes,peuples que riuiere de Norembegue, & ne ſont les merueilles qu'aucuns en ont eſcrites. Ie croy que ce lieu eſt auſſi mal aggreble en yuer que celuy de noſtre habitation, dont nous fuſmes bien deſceus.

DV MAL DE TERRE, FORT CRVELLE MALA-
die. A quoy les hommes & femmes ſauuages paſſent le temps durant
l'yuer. Et tout ce qui ce paſſa en l'habitation pendant l'yuernement.

CHAP. VI.

COmme nous arriuaſmes à l'iſle S. Croix chacun acheuoit de ſe loger. L'yuer nous ſurprit pluſtoſt que n'eſperions, & nous empeſcha de faire beaucoup de choſes que nous nous eſtiós propoſees. Neátmoins le ſieur de Mós ne

laiſſa de faire faire des iardinages dans l'iſle.
Beaucoup commancerent à deffricher chacun le ſien; & moy. auſſi le mien, qui eſtoit aſſez
grand, où ie ſemay quantité de graines, comme
firent auſſi ceux qui en auoient, qui vindrent
aſſez bien. Mais comme l'iſle n'eſtoit que Sable-
tout y bruſloit preſque lors que le ſoleil y donnoit: & n'auions point d'eau pour les arrouſer,
ſinő de celle de pluye, qui n'eſtoit pas ſouuent.

   Le ſieur de Mons fit auſſi deffricher à la gráde
terre pour y faire des iardinages, & aux ſaults
il fit labourer à trois lieues de noſtre habitation, & y fit ſemer du bled qui y vint treſbeau
& à maturité. Autour de noſtre habitation il y
a de baſſe mer quantité de coquillages, comme
coques, moulles, ourcins & bregaux, qui fai-
ſoyent grand bien à chacun.

   Les neges commencerent le 6. du mois d'O-
ctobre. Le 3. de Decembre nous viſmes paſſer
des glaſſes qui venoyent de quelque riuiere
qui eſtoit gellee. Les froidures furent aſpres &
plus exceſſiues qu'en France, & beaucoup plus
de duree: & n'y pleuſt preſque point ceſt yuer.
Ie croy que cela prouient des vents du nord &
noroueſt, qui paſſent par deſſus de hautes mő-
taignes qui ſont touſiours couuertes de neges,
que nous euſmes de trois à quatre pieds de haut,
iuſques à la fin du mois d'Auril; & auſſi qu'elle

se concerue beaucoup plus qu'elle ne feroit si le païs estoit labouré.

Durant l'yuer il se mit vne certaine maladie entre plusieurs de nos gens, appelée mal de la terre, autrement Scurbut, à ce que i'ay ouy dire depuis à des hommes doctes. Il s'engendroit en la bouche de ceux qui l'auoient de gros morceaux de chair superflue & baueuse (qui causoit vne grande putrefaction) laquelle surmontoit tellement, qu'ils ne pouuoient presque prendre aucune chose, sinon que bien liquide. Les dents ne leur tenoient presque point, & les pouuoit on arracher auec les doits sans leur faire douleur. L'on leur coupoit souuent la superfluité de cette chair, qui leur faisoit ietter force sang par la bouche. Apres il leur prenoit vne grande douleur de bras & de iambes, lesquelles leur demeurerent grosses & fort dures, toutes tachetes come de morsures de puces, & ne peuuoient marcher à cause de la contraction des nerfs : de sorte qu'ils demeuroient presque sans force, & s'entoient des douleurs intolerables. Ils auoient aussi douleur de reins, d'estomach & de ventre, vne thoux fort mauuaise, & courte haleine: bref ils estoient en tel estat, que la pluspart des malades ne pouuoient se leuer n'y remuer, & mesme ne les pouuoit on tenir debout, qu'ils

ne tombaſſent en ſyncope: de façon que de 79.
que nous eſtions,il en mourent 35. & plus de
20. qui en furét bien prés: La plus part de ceux
qui reſterent ſairs, ſe plaignoient de quelques petites douleurs & courte haleine. Nous
ne puſmes trouuer aucun remede pour la cura-
tion de ces maladies. L'on en fit ouuerture de
pluſieurs pour recognoiſtre la cauſe de leur
maladie.

L'on trouua à beaucoup les parties interieures gaſtees, comme le poulmon, qui eſtoit tellement alteré, qu'il ne s'y pouuoit recognoiſtre aucune humeur radicalle:la ratte cereuſe
& enflee: le foye fort legueux & t'achetté,
n'ayant ſa couleur naturelle: la vaine caue, aſ-
cendante & deſcendáte remplye de gros ſang
agulé & noir:le fiel gaſté:Toutesfois il ſe trouua quantité d'arteres , tant dans le ventre
moyen qu'inferieur, d'aſſez bonne diſpoſition.
L'on dóna à quelques vns des coups de raſoüer
deſſus les cuiſſes à l'endroit des taches pour-
prees qu'ils auoiét, d'où ils ſortoit vn ſang cail-
le fort noir. C'eſt ce que l'on à peu recognoiſtre aux corps infectes de ceſte maladie.

Nos chirurgiens ne peurent ſi bien faire pour
eux meſmes qu'ils n'y ſoient demeurez comme les autres . Ceux qui y reſterent malades furent gueris au printemps; lequel com-

mence en ces pays là eſt en May. Cela nous fit
croire que le changement de ſaiſon leur rendit
pluſtoſt la ſanté que les remedes qu'on leur
auoit ordonnés.

Durant cet yuer nos boiſſons gelerent toutes, horſmis le vin d'Eſpagne. On donnoit le
cidre à la liure. La cauſe de ceſte parte fut
qu'il n'y auoit point de caues au magazin: &
que l'air qui entroit par des fentes y eſtoit
plus aſpre que celuy de dehors. Nous eſtions
cõtraints d'vſer de treſmauuaiſes eaux, & boire
de la nege fonduc, pour n'auoir n'y fontaines
n'y ruiſſeaux:car il n'eſtoit pas poſſible d'aller
en la grand terre, à cauſe des grãdes glaces que
le flus & reflus charioit, qui eſt de trois braſſes de baſſe & haute mer. Le trauail du moulin à bras eſtoit fort penible : d'autant que
la plus part eſtans mal couchez , auec l'incommodité du chauffage que nous ne pou-
uicns auoir à cauſe des glaces, n'auoient quaſi
point de force,& auſſi qu'on ne mangeoit que
chair ſalee& legumes durant l'yuer,qui engen-
drent de mauuais ſang : ce qui à mon opinion
cauſoit en partie ces facheuſes maladies. Tout
cela donna du meſcontentement au ſieur de
Mons & autres de l'habitation.

Il eſtoit mal-aiſé de recognoiſtre ce pays ſans
y auoir yuerné, car y arriuant en été tout y eſt

fort aggreable, à cause des bois, beaux pays
& bonnes pescheries de poisson de plusieurs
sortes que nous y trouuasmes. Il y a six mois
d'yuer en ce pays.

Les sauuages qui y habitent sont en petite
quátité. Durant l'yuer au fort de neges ils vont
chasser aux eslans & autres bestes : de quoy ils
viuent la pluspart du temps. Et si les neges ne
sont grandes ils ne font guerres bien leur proffit : d'autant qu'ils ne peuuent rien prendre
qu'auec vn grandissime trauail, qui est cause
qu'ils endurent & patissent fort. Lors qu'ils ne
vont à la chasse ils viuent d'vn coquillage qui
s'appelle coque. Ils se vestent l'yuer de bonnes
fourrures de castois & d'eslans. Les femmes
font tous les habits, mais non pas si propre-
mét qu'on ne leur voye la chair au dessous des
aisselles, pour n'auoir pas l'industrie de les
mieux accommoder . Quand ils vont à la
chasse ils prennent de certaines raquettes,
deux fois aussi grandes que celles de pardeça, qu'ils s'attachent soubs les pieds, & vont
ainsi sur la neige sans enfoncer , aussi bien
les femmes & enfans, que les hommes, lesquels
cherchent la piste des animaux ; puis l'ayant
trouuee ils la suiuent iusques à ce qu'ils aper-
coiuent la beste : & lors ils tirent dessus auec
leur arcs, où la tuent au coups d'espees emman-
chees

chees au bout d'vne demye pique, ce qui ce fait
fort aifement; d'autant que ces animaux ne
peuuent aller fur les neges fans enfoncer dedans: Et lors les femmes & enfans y viennent,
& là Cabannent & fe donnent curee: Apres
ils retournent voir s'ils en trouueront d'autres,
& paffent ainfi l'yuer. Au mois de Mars enfuiuant il vint quelques fauuages qui nous firent
part de leur chaffe en leur donnant du pain &
autres chofes en efchange. Voila la façon de
viure en yuer de ces gens là, qui me femble
eftre bien miferable.

Nous attendions nos vaiffeaux à la fin d'A-
uril lequel eftant paffé chacun commença à
auoir mauuaife opinion, craignant qu'il ne
leur fuft arriué quelque fortune, qui fut occafion que le 15. de May le fieur de Mons delibera de faire accommoder vne barque du port
de 15. tonneaux, & vn autre de 7. afin de nous
en aller à la fin du mois de Iuin à Gafpé,
chercher des vaiffeaux pour retourner en France, fi cependant les noftres ne venoient: mais
Dieu nous affifta mieux que nous n'efperions:
car le 15. de Iuin enfuiuant eftans en garde enuiron fur les onze heures du foir, le Pont Capitaine de l'vn des vaiffeaux du fieur de Mons
arriua dans vne chalouppe, lequel nous dit que
fon nauire eftoit ancré à fix lieux de noftre ha-

H

bitations, & fut le bien venu au contentement
d'vn chacun.

Le lédemain le vaiſſeau arriua, & vint mouiller l'ancre proche de noſtre habitatió. Le pont
nous fit entendre qu'il venoit aprés luy vn
vaiſſeau de S. Maſlo, appelé le S. Eſtienne, pour
nous apporter des viures & commoditez.

Le 17. du mois le ſieur de Mons ce delibera
d'aller chercher vn lieu plus propre pour habiter & de meilleure temperature que la noſtre:
Pour c'eſt effect il fit équiper la barque de
dans laquelle il auoit penſé aller à Gaſpé.

---

*DESCOVVERTVRES DE LA COSTE DES ALMOV-
chiquois iuſques au 42. degré de latitude : & des particularités de ce
voyage.*

C H A P. V I I.

LE 18. du mois de Iuin 1605. le ſieur de Mons
partit de l'iſle ſaincte Croix auec quelques
gentilshommes, vingt matelots & vn ſauua-
uage nommé Panounias & ſa femme, qu'il ne
voulut laiſſer, que menaſmes auec nous pour
nous guider au pays des Almouchiquois, en
eſperance de recognoiſtre & entendre plus
particuliarement par leur moyen ce qui en
eſtoit de ce pays : d'autant qu'elle en eſtoit
natiue.

Et rangeant la coſte entre Menane, qui eſt vne

isle à trois lieues de la grãde terre, nous vinsmes aux isles rangees par le dehors, où mouillasmes l'ancre en l'vne d'icelles, où il y auoit vne grãde multitude de corneilles, dõt nos gens prindrẽt en quantité; & l'auons nommee l'isle aux corneilles. De là fusmes à l'isle des Mõtsdeserts qui est à l'entree de la riuiere de Norembegue, comme i'ay dit cy dessus, & fismes cinq ou six lieues parmy plusieurs isles, où il vint à nous trois sauuages dans vn canon de la poincte de Bedabedec où estoit leur Capitaine ; & aprés leur auoir tenu quelques discours ils s'en retournerent le mesme iour.

Le vendredy premier de Iuillet nous partismes d'vne des isles qui est à l'amboucheure de la riuiere, où il y a vn port assez bon pour des vaisseaux de cent & cent cinquante tonneaux. Ce iour fismes quelque 25. lieues entre la pointe de Bedabedec & quãtité d'isles & rochers, que nous recogneusmes iusques à la riuiere de Quinibequy, où à l'ouuert d'icelle il y a vne isle assez haute, qu'auons nommée la tortue, & entre icelle & la grand terre quelques rochers esparts, qui couurent de pleine mer : neantmoins on ne laisse de voir briser la mer par dessus. L'Isle de la tortue & la riuiere sont su suest & nort norouest. Cõme l'on y entre, il y a deux moyenes isles, qui font l'en-

tree, l'vne d'vn cofté & l'autre de l'autre, & a
quelques 300. pas au dedans il y a deux rochers
où il n'y à point de bois, mais quelque peu
d'herbes. Nous mouillafmes l'ancre à 300. pas
de l'entree, à cinq & fix braffes d'eau. Eftans en
ce lieu nous fufmes furprins de brumes qui
nous firent refoudre d'entrer dedant pour voir
le haut de la riuiere & les fauuages qui y habitent; & partifmes pour cet effect le 5. du mois.
Ayans fait quelques lieues noftre barque pença fe perdre fur vn rocher que nous frayames
en paffant. Plus outre rencontrafmes deux canaux qui eftoiét venus à la chaffe aux oifeaux,
qui la plufpart muent en ce temps , & ne peuuent voler. Nous accoftames ces fauuages
par le moyen du noftre , qui les fut trouuer
auec fa femme, qui leur fit entendre le fubiect
de noftre venue. Nous fifmes amitié auec eux
& les fauuages d'icelle riuiere, qui nous feruirent de guide : Et allant plus auant pour veoir
leur Capitaine appelé Manthoumermer, comme nous eufmes fait 7. à 8. lieux nous paffames par quelques ifles , deftroits & ruiffeaux,
qui s'efpandent le long de la riuiere, où vifmes
de belles prairies : & coftoyant vne ifle qui à
quelque quatre lieux de long ils nous mene-
rent où eftoit leur chef, auec 25. ou 30. fauuages,
lequel auflitoft que nous eufmes mouillé l'an-

cre vint à nous dedans vn canau vn peu separé
de dix autres, où estoient ceux qui l'accom-
paignoient: Aprochant prés de nostre barque
il fit vne harangue, où il faisoit entendre l'aise
qu'il auoit de nous veoir, & qu'il desiroit auoir
nostre alliance, & faire paix auec leurs ennemis par nostre moyen, disant que le lendemain
il enuoyeroit à deux autres Capitaines sauuages qui estoient dedans les terres, l'vn appelé
Marchim, & l'autre Sazinou chef de la riuiere
de Quinibequy. Le sieur de Mons leur fit donner des gallettes & des poix, dont ils furent
fort contens. Le lendemain ils nous guiderent
en dessendant la riuiere par vn autre chemin
que n'estions venus, pour aller à vn lac: & passant par des isles, ils laisserét chacun vne fleche
proche d'vn cap par où tous les sauuages passent, & croyent que s'ils ne le faisoyent il leur
arriueroit du malheur, à ce que leur persuade
le Diable ; & viuent en ces superstitions,
comme ils font en beaucoup d'autres. Par de là
ce cap nous passames vn sault d'eau fort estroit,
mais ce ne fut pas sans grande difficulté, car
bien qu'eussions le vent bon & frais, & que le
fissions porter dans nos voilles le plus qu'il
nous fut possible, si ne le peusme nous passer
de la façon, & fusmes contraints d'attacher à
terre vne haussiere à des arbres, & y tirer tous

ainſi nous fiſmes tant à force de bras auec l'aide
du vent qui nous fauoriſoit que le paſſames.
Les ſauuages qui eſtoient auec nous porterent
leurs canaux par terre ne les pouuant paſſer à
la rame. Apres auoir franchi ce ſault nous viſmes de belles prairies. Ie m'eſtonnay ſi fort de
ce ſault, que deſcendant auec la maree nous l'a-
uions fort bonne, & eſtans au ſault nous la
trouuaſmes contraire, & aprés l'auoir paſſé
elle deſcendoit comme auparauant, qui nous
donna grand contentemēt Pourſuiuant
noſtre routte nous vinſmes au lac, qui à trois à
quatre lieues de long, où il y a quelques iſles,
& y deſcent deux riuieres, celle de Quinibequy qui vient du nort nordeſt, & l'autre du
noroueſt, par où deuoient venir Marchim &
Saſinou, qu'ayant attendu tout ce iour & voyāt
qu'ils ne venoiēt point, nous reſoluſmes d'employer le temps : Nous leuaſmes donc l'ancre,
& vint auec nous deux ſauuages de ce lac
pour nous guider, & ce iour vinſmes mouiller
l'ancre à l'amboucheure de la riuiere, où nous
peſchaſmes quātité de pluſieurs ſortes de bons
poiſſons : cependant nos ſauuages allerent à la
chaſſe, mais ils n'é reuindrēt point. Le chemin
par où nous deſcendiſmes ladicte riuiere eſt
beaucoup plus ſeur & meilleur que celuy par
où nous auiōs eſté. L'iſle de la tortue qui eſt de-

uant l'étree de lad. riuiere, eſt par la hauteur de
44. degrez de latitude & 19. degrez 12. minutes de declinaiſon de laguide-aymant. L'on va
par ceſte riuiere au trauers des terres iuſques
à Quebec quel que 50. lieues ſans paſſer qu'vn
trajet de terre de deux lieues: puis on entre dedans vne autre petite riuiere qui viẽt deſcẽdre
dedans le grãd fleuue S. Laurens. Ceſte riuiere
de Quinibequy eſt fort dãgereuſe pour les vaiſſeaux à demye lieue au dedans, pour le peu
d'eau, grandes marees, rochẽrs & baſſes qu'il y
a, tant dehors que dedans. Il n'y laiſſe pas d'y
auoir bon achenal s'il eſtoit bien recogneu. Si
peu de pays que i'ay veu le long des riuages eſt
fort mauuais : car ce ne ſont que rochers de
toutes parts. Il y a quantité de petits cheſnes, &
fort peu de terres labourables. Ce lieu eſt abõ-
dant en poiſſon, comme ſont les autres riuieres cy deſſus dictes. Les peuples viuent comme ceux de noſtre habitation , & nous dirent,
que les ſauuages qui ſemoient le bled d'Inde,
eſtoient fort auant dans les terres, & qu'ils
auoient delaiſſé d'en faire ſur les coſtes pour la
guerre quils auoient auec d'autres, qui leur venoient prendre. Voila ce que i'ay peu apren-
dre de ce lieu, lequel ie croy n'eſtre meilleur
que les autres.

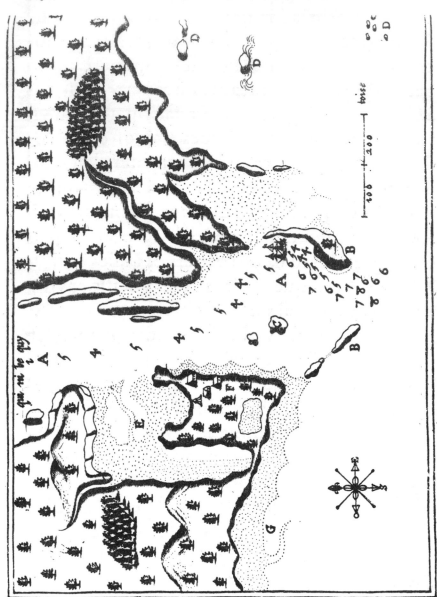

Les chifres montrent les brasses d'eau.

A Le cours de la riuiere.

B. 2. Isles qui sont à l'antré de la riuiere.

C Deux rochers qui sont dans la riuiere fort dangereux.

D Islets & rochers qui sont le long de la coste.

E Basses ou de plaine mer vaisseaux du port de 60. tonneaux peuuét eschouer.

F Le lieu ou les sauuages cabanét quant ils viennent à la pesche du poisson.

G Basses de sable qui sont le long de la coste.

H Vn estang d'eau douce.

I Vn ruisseau ou des chaloupes peuuent entrer a demy flot.

L Isles au nombre de 4. qui sont dans la riuiere comme l'on est entré dedans.

Le 8.

Le 8. du mois partifmes de l'emboucheure
d'icelle riuiere ce que ne peufmes faire pluftoft
à caufe des brumes que nous eufmes. Nous fifmes ce iour quelque quatre lieux, & paffames
par vne baye où il y a quantité d'ifles; & voit
on d'icelle de grandes montaignes à l'oueft, où
eft la demeure d'vn Capitaine fauuage appelé
Aneda, qui fe tient proche de la riuiere de
Quinibequy. Ie me parfuaday par ce nom que
c'eftoit vn de fa race qui auoit trouué l'herbe
appelée Aneda, que Iacques Quartier à dict
auoir tant de puiffance contre la maladie appelée Scurbut, dont nous auons defia parlé, qui
tourmenta fes gens auffi bien que les noftres,
lors qu'ils yuernerét en Canade. Les fauuages
ne cognoiffent point cefte herbe, ny ne fçauent que c'eft, bien que ledit fauuage en porte
le nó. Le lédemain fifmes huict lieux. Coftoyát
la cofte nous apperçeufmes deux fumees que
nous faifoiét des fauuages, vers lefquelles nous
fufmes mouiller l'ancre derriere vn petit iflet
proche de la grande terre, où nous vifmes
plus de quatre vingts fauuages qui accouroyét
le long de la cofte pour nous voir, danfant &
faifant figne de la refiouiffance qu'ils en a-
uoient. Le fieur de Mons enuoya deux hommes auec noftre fauuage pour les aller trouuer; & aprés qu'ils eurent parlé quelque temps

I

à eux, & les eurent affeurez de noftre amitié
nous leur laiffames vn de nos gés, & eux nous
baillerent vn de leurs compagnons en oftage:
Cepédát le fieur de Mós fut vifiter vne ifle, qui
eft fort belle de ce qu'elle contient, y ayant de
beaux chefnes & noyers, la terre deffrichee
& force vignes, qui aportent de beaux raifins
en leur faifon : c'eftoit les premiers qu'euffions veu en toutes ces coftes de puis le cap de
la Héue : Nous la nómafmes l'ifle de Bacchus.
Eftans de pleine mer nous leuafmes l'ancre, &
entrafmes dedans vne petite riuiere, où nous
ne peufmes pluftoft: d'autát que c'eft vn haure
de barre, n'y ayant de baffe mer que demie
braffe d'eau, de plaine mer braffe & demie, &
du grand de l'eau deux braffes; quand on eft
dedans il y en a trois, quatre, cinq & fix. Comme nous eufmes mouillé l'ancre il vint à nous
quantité de fauuages fur le bort de la riuiere,
qui commencerent à dancer : Leur Capitaine
pour lors n'eftoit auec eux, qu'ils appeloient
Honemechin: il arriua enuiron deux ou trois
heures apres auec deux canaux, puis s'en vint
tournoyant tout autour de noftre barque.
Noftre fauuage ne pouuoit entendre que
quelques mots, d'autant que la langue Al-
mouchiquoife, comme s'appelle cefte nation,
differe du tout de celle des Souriquois & Ete-

chemins. Ces peuples demonſtroient eſtre fort
contens: leur chef eſtoit de bonne façon, ieune
& bien diſpoſt: l'on enuoya quelque marchan-
diſe à terre pour traiĉter auec eux, mais ils n'a-
uoient rien que leurs robbes, qu'ils changerẽt,
car ils ne font aucune prouiſion de pelleterie
que pour ſe veſtir. Le ſieur de Mons fit donner
à leur chef quelques commoditez, dont il fut
fort ſatisfait, & vint pluſieurs fois à noſtre
bort pour nous veoir. Ces ſauuages ſe raſent le
poil de deſſus le craſne aſſez haut, & portent le reſte fort longs, qu'ils peignent & tor-
tillent par derriere en pluſieurs façons fort
proprement, auec des plumes qu'ils attachent
ſur leur teſte. Ils ſe peindent le viſage de noir
& rouge comme les autres ſauuages qu'auons
veus. Ce ſont gens diſpoſts bien formez de leur
corps: leurs armes ſont piques, maſſues, arcs
& fleches, au bout deſquelles aucuns mettent
la queue d'vn poiſſon appelé Signoc, d'autres y
accommodent des os, & d'autres en ont toutes
de bois. Ils labourent & cultiuent la terre, ce
que n'auions encores veu. Au lieu de charuës
ils ont vn inſtrument de bois fort dur, faiĉt
en façon d'vne beſche. Ceſte riuiere s'appelle
des habitans du pays Choüacoet.

Le lendemain le ſieur de Mons fut à terre
pour veoir leur labourage ſur le bort de la ri-

uiere, & moy auec luy, & vifmes leur bleds
qui font bleds d'Inde,qu'ils font en iardinages,
femant trois ou quatre grains en vn lieu, aprés
ils affemblent tout autour auec des efcailles du
fufdit fignoc quârité de terre: Puis à trois pieds
delà en fement encore autant ; & ainfi confe-
cutiuement.Parmy ce bled à chafque touffeau
ils plâtent 3. ou 4.febues du Brefil,qui vienêt de
diuerfes couleurs. Eftans grandes elles s'entre-
laffent au tour dud. bled,qui leue de la hauteur
de cinq à fix pieds : & tiennent le champ fort
net de mauuaifes herbes. Nous y vifmes force citrouilles, courges & petum,qu'ils cultiuêt
auffi . Le bled d'Inde que nous y vifmes pour
lors eftoit de deux pieds de haut ; il y en auoit
auffi de trois. Pour les febues elles côméçoiét à
entrer en fleur,côme faifoyét les courges & ci-
trouilles.Ils fement leur bled en May, & le re-
cueillent en Septembre.Nous y vifmes grande
quantité de noix,qui font petites, & ont plufieurs quartiers. Il n'y en auoit point encores
aux arbres, mais nous en trouuafmes affez deffoubs, qui eftoient de l'annee precedente.
Nous vifmes auffi force vignes, aufquelles y
auoit de fort beau grain, dont nous fifmes de
trefbon veriuft, ce que n'auions point encores veu qu'en l'ifle de Bacchus, diftante d'icelle riuiere prés de deux lieues. Leur demeu-

re arreftee, le labourage, & les beaux arbres,
nous firent iuger que l'air y eft plus temperé &
meilleur que celuy où nous yuernafmes, ny
que les autres lieux de la cofte: Mais que ie
croye qu'il n'y face vn peu de froit, bien que ce
foit par la hauteur de 43. degrez 3. quarts de lati-
titude, non. Les forefts dans les terres font fort
claires, mais pourtât répliesde chefnes, heftres
frefnes & ormeaux: Dans les lieux aquatiques
il y a quantité de faules. Les fauuages fe tiennent toufiours en ce lieu, & ont vne grande
Cabanne entouree de palliffades, faictes d'affez
gros arbres renges les vns contre les autres, où
ils fe retirent lors que leurs ennemis leur viennent faire la guerre. Ils couurét leurs cabannes
d'efcorce de chefnes. Ce lieu eft fort plaifant &
auffi aggreable que lieu que l'on puiffe voir.
La riuiere eft fort abondante en poiffon, enuironnee de prairies. A l'entree y a vn iflet capable d'y faire vne bonne forterefle, où l'on feroit
en feureté.

I iij

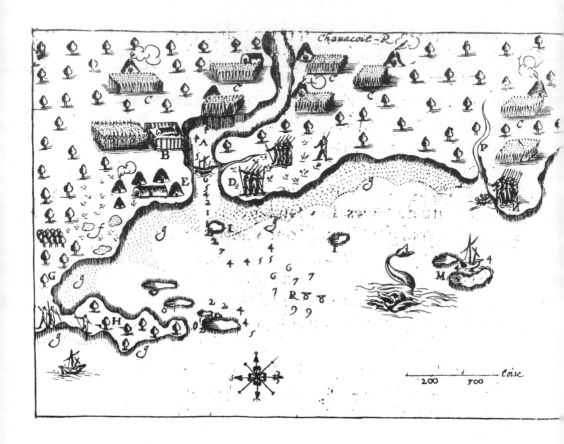

Les chifres montrent les brasses d'eau.

A La riuiere.

B Le lieu ou ils ont leur for-
tereſſe.

C Les cabannes qui ſont parmy les champs ou auprés
ils cultiuent la terre & ſement du bled d'Inde.

D Grāde compaigne ſablon-
neuſe, neantmoins templie
d'herbages.

E Autre lieu où ils ſont leurs
logemēs tous en gros ſans
eſtre ſeparez aprés la ſe-

mence de leur bleds eſtre
faite.

F Marais où il y a de bons pa-
ſturages.

G Source d'eau viue.

H Grande pointe de terre
toute deſfrichee hor'mis
quelques arbres fruitiers &
vignes ſauuages.

I Petit iſlet a l'entree de la
riuiere.

L Autre iſlet.

M Deux iſles où veſſeaux

peuuent mouiller l'ancre à
l'abry d'icelles auec bon
fons.

N Pointe de terre deſfrichee
où nous vint trouuer Mar-
chim.

O Quatre iſles.

P Petit ruiſſeau qui aſſeche
de baſſe mer.

Q Baſſes le long de la coſte.

R La rade où les vaiſſeaux
peuuent mouiller l'ancre
attendant le flot.

Le dimanche 12. du mois nous partiſmes de
la riuiere appelee Choüacoet, & rengeât la co-
coſte aprés auoir fait quelque 6. ou 7. lieues le
vent ſe leua contraire, qui nous fit mouiller
l'ancre & mettre pied à terre, où nous viſmes
deux prairies, chacune deſquelles contenoit
enuiron vne lieue de long, & demie de large.
Nous y aperceuſmes deux ſauuages que penſions à l'abbort eſtre de gros oiſeaux qui ſôt en
ce pays là, appelés outardes, qui nous ayans
aduiſés prindrent la fuite dans les bois, & ne
parurent plus. Depuis Choüacoet iuſques en
ce lieu où viſmes de petits oiſeaux, qui ont le
chant comme merles, noirs horſmis le bout
des aiſles, qui ſont orangés, il y a quantité de
vignes & noyers. Ceſte coſte eſt ſablóneuſe en
la pluſpart des endroits depuis Quinibequy.
Ce iour nous retournaſmes deux ou trois lieux
deuers Choüacoet iuſques à vn cap qu'auons
nommé le port aux iſles, bon pour des vaiſſeaux de cent tonneaux, qui eſt parmy trois
iſles. Mettant le cap au nordeſt quart du
nort proche de ce lieu, l'on entre en vn autre port où il n'y a aucun paſſage (bien que ce
ſoient iſles) que celluy par où on entre, où à
l'entree y a quelques briſans de rochers qui
ſont dangereux. En ces iſles y a tant de groiſelles rouges que l'on ne voit autre choſe en la

pluſpart,& vn nombre infini de tourtes, dont nous en priſmes bonne quantité. Ce port aux iſles eſt par la hauteur de 43. degrez 25. minutes de latitude.

Le 15. dudit mois fiſmes 12. lieues. Coſtoyans la coſte nous apperçeuſmes vne fumee ſur le riuage de la mer, dõt nous approchaſmes le plus qu'il nous fut poſſible, & ne viſmes aucun ſauuage, ce qui nous fit croire qu'ils s'en eſtoient fuys. Le ſoleil s'en alloit bas, & ne peuſmes trouuer lieu pour nous loger icelle nuict, à cauſe que la coſte eſtoit platte, & ſablonneuſe. Mettant le cap au ſu pour nous eſloigner, afin de mouiller l'ancre, ayant fait enuiron deux lieues nous apperçeuſmes vn cap à la grande terre au ſu quart du ſueſt de nous, où il pouuoit auoir quelque ſix lieues: à l'eſt deux lieues apperçeuſmes trois ou quatre iſles aſſez hautes,& à loueſt vn grand cu deſac. La coſte de ce cul deſac toute rengee iuſques au cap peut entrer dans les terres du lieu où nous eſtions enuiron quatre lieues: il en a deux de large nort & ſu, & trois en ſon entree: Et ne recognoiſſant aucun lieu propre pour nous loger, nous reſoluſmes d'aller au cap cy deſſus à petites voiles vne partie de la nuict,&en aprochaſmes à 16. braſſes d'eaue où nous mouillaſmes l'ancre attendant le poinct du iour.

Le

Le lendemain nous fufmes aũ fufd. cap, où
il y a trois ifles proches de la grãd terre, pleines
de bois de diferentes fortes, cõme àChouacoet
& par toute la cofte : & vne autre platte, où la
mer brife, qui iette vn peu plus à la mer que les
autres, où il n'y en a point. Nous nommafmes
ce lieu le cap aux ifles , proche duquel apperceufmes vn canau, où il y auoit 5. ou 6. fauuages, qui vindrent à nous, lefquels eftans prés
de noftre barque s'en allerent danfer fur le riuage. Le fieur de Mons m'enuoya à terre pour
les veoir , & leur donner à chacun vn coufteau & du bifcuit, ce qui fut caufe qu'ils
redanferent mieux qu'auparauant. Cela fait
ie leur fis entendre le mieux qu'il me fut
poffible, qu'ils me monftraffent comme alloit la cofte. Apres leur auoir depeint auec
vn charbon la baye & le cap aux ifles, où nous
eftions, ils me figurerent auec le mefme creon,
vne autre baye qu'ils reprefentoient fort grande, où ils mirent fix cailloux d'efgalle diftan-
ce, me donnant par là à entendre que chacune des marques eftoit autant de chefs &
peuplades : puis figurerent dedans lad. baye
vne riuiere que nous auions paffee, qui s'e-
ftent fort loing, & eft batturiere. Nous trouuafmes en cet endroit des vignes en quantité, dont le veriuft eftoit vn peu plus gros que

K

des poix;& force noyers,où les noix n'eſtoient
pas plus groſſes que des balles d'arquebuſe.
Ces ſauuages nous dirent, que tout ceux qui
habitoient en ce pays cultiuoient & enſemen-
ſoient la terre,comme les autres qu'auions veu
auparauant. Ce lieu eſt par la hauteur de 43.
degrez,& quelque minutes de latitude. Ayant
fait demie lieue nous apperçeuſmes pluſieurs
ſauuages ſur la pointe d'vn rocher, qui cou-
roient le long de la coſte,en danſant, vers leurs
compagnons,pour les aduertir de noſtre ve-
nue.Nous ayant móſtré le quartier de leur demeure,ils firét ſignal de fumees pour nous móſtrer l'endroit de leur habitation. Nous fuſmes
mouiller l'ancre proche d'vn petit iſlet , où
l'ó enuoya noſtre canau pour porter quelques
couſteaux & gallettes aüx ſauuages ; & apperçeuſmes à la quantité qu'ils eſtoiét que ces
lieux ſont plus habitez que les autres que nous
auiós veus. Aprés auoir arreſté quelques deux
heures pour cóſiderer ces peuples,qui ont leurs
canaux faiĉts deſcorce de boulleau,comme les
Canadiens, Souriquois & Etechemins, nous
leuaſmes l'ancre, & auec apparence de beau
temps nous nous miſmes à la voille.Pourſuiuát
noſtre routte à l'oueſt ſuroueſt, nous y viſmes
pluſieurs iſles à l'vn & l'autre bort. Ayant fait
7. a 8. lieues nous mouillaſmes l'ancre proche

d'vne ifle où apperçeufmes force fumees tout
le lõg de la cofte, & beaucoup de fauuages qui
accouroient pour nous voir. Le fieur de Mons
enuoya deux ou trois hommes vers eux dedans vn canau, aufquels il bailla des coufteaux
& patenoftres pour leur prefenter, dont ils furent fort aifes, & danferent plufieurs fois en
payement. Nous ne peufmes fçauoir le nom de
leur chef, à caufe que nous n'entendiós pas leur
langue. Tout le long du riuage y a quantité de
terre deffrichee, & femee de bled d'Inde. Le
pays eft fort plaifant & aggreable : neátmoins
il ne laiffe d'y auoir force beaux bois. Ceux qui
l'habitent ont leurs canaux faiçts tout d'vne
piece, fort fubiets à tourner , fi on n'eft bien
adroit à les gouuerner: & n'en auions point
encore veu de cefte façon. voicy comme ils les
font. Apres auoir eu beaucoup de peine, &
efté long temps à abbatre vn arbre le plus
gros & le plus haut qu'ils ont peu trouuer,
auec des haches de pierre(car ils n'en ont point
d'autres, fi ce n'eft que quelques vns d'eux en
recouurent par le moyen des fauuages de la
cofte d'Accadie, aufquels on en porte pour
traiçter de peleterie) ils oftent l'efcorce & l'ar-
rondiffent, horfmis d'vn cofte, où ils mettét du
feu peu a peu tout le long de la piece : & pren-
nét quelques fois des cailloux rouges & enflã-

mez, qu'ils poſent auſſi deſſus: & quand le feu
eſt trop aſpre, ils l'eſteignent auec vn peu d'eau,
non pas du tout, mais de peur que le bord du
canau ne bruſle. Eſtant aſſez creux à leur fan-
taſie, ils le raclent de toutes parts auec des
pierres, dont ils ſe ſeruent au lieu de couſteaux.
Les cailloux dequoy ils font leurs trenchans
ſont ſemblables à nos pierres à fuſil.

Le lendemain 17. dud. mois leuaſmes l'ancre
pour aller à vn cap, que nous aurions veu le iour
precedét, qui nous demeuroit cóme au ſu ſuroueſt. Ce iour ne peuſmes faire que 5. lieues,
& paſſames par quelques iſles remplies de bois.
Ie recognus en la baye tout ce que m'auoient
depeint les ſauuages au cap des iſles. Pourſuiuant noſtre route il en vint à nous grád nóbre
dans des canaux, qui ſortoient des iſles, & de la
terre ferme. Nous fuſmes ancrer à vne lieue du
cap. qu'auons nommé S. Lovs, où nous apperçeuſmes pluſieurs fumees : y voulant aller noſtre barque eſchoua ſur vne roche, où nous
fuſmes en grand danger : car ſi nous n'y euſſions promptement remedié, elle eut boul-
uerſé dans la mer, qui perdoit tout à l'entour,
où il y auoit 5. à 6. braſſes d'eau : mais Dieu
nous preſerua, & fuſmes mouiller l'ancre
proche du ſuſd. cap, où il vint quinze ou ſeize
canaux de ſauuages, & en tel y en auoit 15. ou

16. qui commencerét à monftrer grands fignes
de refiouiffance, & faifoient plufieurs fortes
de harãgues, que nous n'entendions nullemét.
Le fieur de Mons enuoya trois ou quatre hommes à terre dãs noftre canau, tant pour auoir de
l'eau, que pour voir leur chef nommé Hona-
betha, qui eut quelques coufteaux, & autres
ioliuetés, que le fieur de Mons luy donna, lequel nous vint voir iufques en noftre bort, auec
nombre de fes compagnons, qui eftoient tant
le long de la riue, que dans leurs canaux.
L'on receut le chef fort humainement, & luy
fit-on bonne chere : & y ayant efté quelque
efpace de temps, il s'en retourna. Ceux que
nous auions enuoyés deuers eux, nous apporterent de petites citrouilles de la groffeur
du poing, que nous mangeafmes en fallade
comme coucombres, qui font trefbonnes ; &
du pourpié, qui vient en quãtité parmy le bled
d'Inde, dont ils ne font non plus d'eftat que de
mauuaifes herbes. Nous vifmes en ce lieu grãde quãtité de petites maifónettes, qui font parmy les champs où ils fement leur bled d'Inde.
Plus y a en icelle baye vne riuiere qui eft fort
fpatieufe, laquelle auõs nommee la riuiere du
Gas, qui, à mon iugemét, va rédre vers les Yroquois, natió qui a guerre ouuerte auec les mõ-
taignars qui font en la grãde riuiere S. Lorans.

K iij

CONTINVATION DES DESCOVVERTVRES DE LA
coste des Almouchiquois, & de ce qu'y auons remarqué de particulier.

C H A P. V I I I.

LE lendemain doublaſmes le cap S. Louys, ainſi nommé par le ſieur de Mons, terre mediocrement baſſe, ſoubs la hauteur de 42. degrez 3. quarts de latitude; & fiſmes ce iour deux lieues de coſte ſablonneuſe; & paſſant le long d'icelle, nous y viſmes quãtité de cabannes & iardinages. Le vent nous eſtans contraire, nous entraſmes dedans vn petit cu de ſac, pour attendre le temps propre à faire noſtre routte. Il vint à nous 2. ou 3. canaux, qui venoient de la peſche de moruë, & autres poiſſons, qui ſont là en quãtité, qu'ils peſchét auec des aims faits d'vn morceau de bois, auquel ils fichent vn os qu'ils forment en façon de harpon, & lient fort proprement, de peur qu'il ne ſorte: le tout eſtant en forme d'vn petit crochet: la corde qui y eſt attachee eſt d'eſcorce d'arbre. Ils m'en donnerent vn, que ie prins par curioſité, où l'os eſtoit attaché de chanure, à mõ opiniõ, cõme celuy de France, & me dirét qu'ils en cueilloient l'herbe dans leur terre ſans la cultiuer, en nous monſtrant la hauteur cõme de 4. a 5. pieds. Led. canau s'en retourna à terre auertir ceux de ſon habitation, qui nous

firét des fumees,& apperçeufmes 18. ou 20.fau-
ges,qui vindrent fur le bort de la cofte,&fe mirent à danfer. Noftre canau fut à terre pour
leur dóner quelques bagatelles,dont ils fûrent
fort contens. Il en vint aucuns deuers nous qui
nous prierent d'aller en leur riuiere. Nous leuafmes l'ancre pour ce faire, mais nous n'y
peufmes entrer à caufe du peu d'eau que nous
y trouuafmes eftans de baffe mer, & fufmes
contrainéts de mouiller l'ancre à l'entree d'i-
celle. Ie defcendis à terre, où i'en vis quantité
d'autres qui nous reçeurent fort gratieufe-
ment: & fus recognoiftre la riuiere,où n'y vey
autre chofe qu'vn bras d'eau qui s'eftant quelque peu dans les terres,qui font en partie defer-
tees ; dedans lequel il n'y a qu'vn ruiffeau qui
ne peut porter bafteaux, finon de pleine mer.
Ce lieu peut auoirvne lieue de circuit.En l'vne
des entrees duquel y a vne maniere d'icelle
couuerte de bois,& principalemét de pins,qui
tiét d'vn cofté à des dunes de fable,qui sót affez
longues : l'autre cofté eft vne terre effez haute.
Il y a deux iflets dans lad. baye, qu'on ne voit
pöint fi l'on n'eft dedans, où autour la mer affeche prefque toute de baffe mer. Ce lieu eft
fort remarquable de la mer; d'autant que la
cofte eft fort baffe horfmis le cap de l'entree de
la baye,qu'auons nommé,le port du cap fainét

Louys, diſtant dud. cap deux lieues, & dix du
cap aux iſles. Il eſt enuiron par la hauteur du
cap S. Louys.

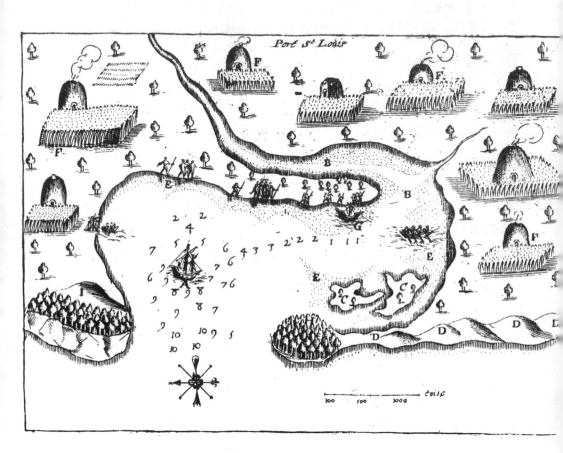

Les chiſres montrent les braſſes d'eau.

A Monſtre le lieu ou poſent
  les vaiſſeaux.
B L'achenal.
C Deux iſles.
D Dunes de ſable.
E Baſſes.

F Cabannes où les ſauuages
  labourent la terre.
G Le lieu où nous fuſmes
  eſchouer noſtre barque.
H vne maniere d'iſle tem-

plie de bois tenant aux dunes de ſable.
I Promontoire aſſez haut qui
paroiſt de 4. a 5. lieux à la
mer.

Le 19. du mois nous partifmes de ce lieu.
Rengeát la cofte comme au fu, nous fifmes 4. a
5. lieues, & paffames proche d'vn rocher qui eft
à fleur d'eau. Continuât noftre route nous apperçeufmes des terres que iugions eftre ifles,
mais en eftans plus prés nous recogneufmes
que c'eftoit terre ferme, qui nous demeuroit
au nort nordoueft, qui eftoit le cap d'vne gráde
baye contenát plus de 18. à 19. lieues de circuit,
où nous nous engouffrafmes tellement, qu'il
nous falut mettre à l'autre bort pour doubler
le cap qu'auions veu, lequel nous nommafmes
le cap blanc; pour ce que c'eftoient fables &
dunes, qui paroiffent ainfi. Le bon vent nous
feruit beaucoup en ce lieu: car autrement nous
euffions efté en danger d'eftre iettés à la cofte.
Cefte baye eft fort feine, pourueu qu'on n'ap-
proche la terre que d'vne bonne lieue, n'y ayát
aucunes ifles ny rochers que celuy dont i'ay
parlé, qui eft proche d'vne riuiere, qui entre
affez auant dans les terres, que nommafmes
faincte fuzanne du cap blanc, d'où iufques au
cap S. Louis y a dix lieues de trauerfe. Le cap
blanc eft vne pointe de fable qui va en tournoyant vers le fu quelque fix lieues. Cefte cofte
eft affez haute efleuee de fables, qui font fort
remarquables venant de la mer, où on trouue
la fonde à prés de 15. ou 18. lieues de la terre à

L

30. 40. 50. braſſes d'eau iuſques à ce qu'on vien-
ne à 10. braſſes en approchant de la terre, qui eſt
tres ſeine. Il y a vne grande eſtenduë de pays
deſcouuert ſur le bort de la coſte deuant que
d'entrer dás les bois, qui ſont fort aggreables &
plaiſás à voir. Nous mouillaſmes l'acre à la coſte, & viſmes quelques ſauuages, vers leſquels
furent quatre de nos gens, qui cheminant ſur
vne dune de ſable, aduiſerent comme vne
baye & des cabannes qui la bordoient tout à
l'entour. Eſtás enuiron vne lieue & demye de
nous, il vint à eux tout danſant (à ce qu'ils
nous ont raporté) vn ſauuage qui eſtoit deſ-
cendu de la haute coſte, lequel s'en retourna
peu aprés donner aduis de noſtre venuë à ceux
de ſon habitation.

Le lendemain 20. du mois fuſmes en ce lieu
que nos gens auoient aperçeu, que trouuaſmes
eſtre vn port fort dangereux, à cauſe des baſſes
& bancs, où nous voiyons briſer de toutes
parts. Il eſtoit preſque de baſſe mer lors que
nous y entraſmes, & n'y auoit que quatre pieds
d'eau par la paſſee du nort; de haute mer il y a
deux braſſes. Comme nous fuſmes dedás nous
viſmes ce lieu aſſez ſpatieux, pouuát cótenir 3.
à 4. lieues de circuit, tout entouré de maiſon-
nettes, à l'entour deſquelles chacun a autant de
terre qu'il luy eſt neceſſaire pour ſa nourritu-

re. Il y defcend vne petite riuiere, qui eft affez belle, où de baffe mer y a quelque trois pieds & demy d'eau. Il y a deux où trois ruiffeaux bordez de prairies. Ce lieu eft trefbeau, fi le haure eftoit bon. I'en prins la hauteur, & trouué 42. degrez de latitude & 18. degrez 40. minutes de declinaifon de la guide-aymát. Il vint à nous quantité de fauuages, tant hommes que femmes, qui accouroiēt de toutes parts en danfant. Nous auons nommé ce lieu le port de Mallebarre.

Le lendemain 21. du mois le fieur de Mons prit refolutió d'aller voir leur habitatió, & l'accópaignafmes neuf où dix auec nos armes : le refte demeura pour garder la barque. Nous fifmes enuiró vne lieue le lóg de la cofte. Deuant que d'arriuer à leurs cabannes, nous entrafmes dás vn cháp femé de bled d'Inde à la façon que nous auós dit cy deffus. Le bled eftoit en fleur de la hauteur de 5. pieds & demy. Il y en auoit d'autre moins auancé qu'ils fement plus tart. Nous vifmes force febues du Brefil, & force citrouilles de plufieurs groffeurs, bónes à manger, du petū & des racines, qu'ils cultiuent, lefquelles ont le gouft d'artichaut. Les bois fót réplis de chefnes, noyers & de trefbeaux cyprés, qui font rougeaftres, & ont fort bonne odeur. Il y auoit auffi plufieurs champs qui n'eftoient

point cultiuez ⸴d'autant qu'ils laiſſent repoſer
les terres. Quand ils y veulent ſemer, ils mettent le feu dans les herbes, & puis labourent
auec leurs beches de bois. Leurs cabannes ſont
rondes, couuertes de groſſes nattes, faictes de
roſeaux, & par enhaut il y a au milieu enuiron vn pied & demy de deſcouuert, par où
ſort la fumee du feu qu'ils y font. Nous leur demandaſmes s'ils auoient leur demeure arreſtee
en ce lieu, & s'il y negeoit beaucoup;ce que ne
peuſmes bien ſçauoir, pour ne pas entendre
leur langage, bien qu'ils s'y efforçaſſent par ſigne, en prenant du ſable en leur main, puis l'eſ-
pandant ſur la terre, & monſtrant eſtre de la
couleur de nos rabats, & qu'elle venoit ſur la
terre de la hauteur d'vn pied: & d'autres nous
monſtroient moins, nous donnant auſſi à
entendre que le port ne geloit iamais : mais
nous ne peuſmes ſçauoir ſi la nege eſtoit de
lógue duree. Ie tiens neātmoins que le pays eſt
temperé, & que l'yuer n'y eſt pas rude. Pendāt
le temps que nous y fuſmes, il fit vne tour-
méte de vent de nordeſt,qui dura 4.iours,auec
le téps ſi couuert que le ſoleil n'aparoiſſoit preſque point. Il y faiſoit fort froid: ce qui nous fit
prendre nos cappots,que nous auions delaiſſez
du tout : neantmoins ie croy que c'eſtoit par
accident, comme l'on void ſouuent arriuer en

d'autres lieux hors de faifon.

Le 23. dud. mois de Iuillet, quatre où cinq
mariniers eftans allés à terre auec quelques
chaudieres, pour querir de l'eau douce, qui
eftoit dedans des dunes de fable, vn peu efloignee de noftre barque, quelques fauuages de-
firans en auoir aucunes, efpierent l'heure que
nos gens y alloyent, & en prirent vne de force
entre les mains d'vn matelot, qui auoit puifé
le premier, lequel n'auoit nulles armes : Vn de
fes compagnons voulant courir aprés, s'en reuint tout court, pour ne l'auoir peu atteindre,
d'autant qu'il eftoit plus vifte à la cource que
luy. Les autres fauuages voyans que nos ma-
telos accouroient à noftre barque en nous
criant que nous tiraffions quelques coups de
moufquets fur eux, qui eftoient en grand nombre, ils fe mirét a fuir. Pour lors y en auoit quelques vns dans noftre barque, qui fe ietterent à
la mer, & n'en peufmes faifir qu'vn. Ceux en
terre qui s'en eftoiét fuis les apperceuát nager,
retournerent droit au matelot à qui ils auoient
ofté la chaudiere, & luy tirerét plufieurs coups
de fleches par derriere & l'abbatirent, ce que
voyant ils coururent auffitoft fur luy & l'ac-
cheuerent à coups de coufteau. Cependant
on fit diligence d'aller à terre, & tira on des
coups d'arquebufe de noftre barque, dont la
L iij

mienne creua entre mes mains & me pença
perdre. Les fauuages oyans cefte efcopete-
rie fe remirét à la fuite, qu'ils doublerent quád
ils virent que nous eftions à terre: d'autat qu'ils
auoiét peur nous voyás courir aprés eux. Il n'y
auoit point d'apparence de les attraper: car ils
font viftes cóme des cheuaux. L'on apporta le
mort qui fut enterré quelques heures aprés:
Cependát nous teniós toufiours le prifonnier
attaché par les pieds & par les mains au bort
de noftre barque, creignant qu'il ne s'enfuift.
Le fieur de Mons fe refolut de le laiffer aller, fe
perfuadant qu'il n'y auoit point de fa faute, &
qu'il ne fçauoit rien de ce qui s'eftoit paffé, ny
mefme ceux qui eftoient pour lors dedás & au
tour de noftre barque. Quelques heures aprés
il vint des fauuages vers nous, faifát des excufes
par fignes & demonftrations, que ce n'eftoit
pas eux qui auoient fait cefte mefchácete, mais
d'autres plus efloignez dans les terres. On ne
leur voulut point faire de mal, bien qu'il fut
en noftre puiffance de nous venger.

Tous ces fauuages depuis le cap des ifles ne
portent point de robbes, ny de fourrures, que
fort rarement, encore les robbes font faites
d'herbes & de chanure, qui à peine leur couurét le corps, & leur vont iufques aux iarrefts.
Ils ont feulement la nature cachee d'vne petite

peau,& les femmes auſſi,qui leur deſcédent vn
peu plus bas qu'aux hommes par derriere;tout
le reſte du corps eſt nud. Lors que les femmes
nous venoient voir, elles prenoient des robbes
ouuertes par le deuāt. Les hómes ſe coupent le
poil deſſus la teſte cóme ceux de la riuiere de
Chouacoet.Ie vey entre autres choſes vne fille
coiffee aſſez proprement, d'vne peau teinte de
couleur rouge, brodee par deſſus de petites patenoſtres de porceline: vne partie de ſes cheueux eſtoiét pendás par derriere, & le reſte en-
trelaſſé de diuerſes façons. Ces peuples ſe peindent le viſage de rouge, noir, & iaune. Ils
n ont preſque point de barbe,& ſe l'arrachent à
meſure qu'elle croiſt Ils ſont bien proportionnez de leurs corps. Ie ne ſçay qu'elle loy ils tié-
nent, & croy qu'en cela ils reſſemblent à leurs
voiſins, qui n'en ont point du tout. Ils ne ſça-
uentqu'adorer n'y prier. Ils ont bien quelques
ſuperſtitions comme les autres, que ic deſcri-
ray en leur lieu. Pour armes, ils n'ont que des
picques,maſſues,arcs & fleches. Il ſemble à les
voir qu'ils ſoient de bon naturel, & meilleurs
que ceux du nort: mais tous-à bien parler ne
vallent pas grande choſe. Si peu de frequenta-
tion que l'on ait auec eux, les fait incontinent
cognoiſtre. Ils ſont grands larrons ; & s'ils ne
peuuent attraper auec les mains, ils y taſchent

auec les pieds, comme nous l'auons efprouué
fouuentefois. I'eftime que s'ils auoient dequoy
efchanger auec nous, qu'ils ne s'adóneroiét au
larrecin. Ils nous trocquerét leurs arcs, fleches
& carquois, pour des efpingles & des boutós,
& s'ils euffent eu autre chofe de meilleur ils en
euffent fait autát. Il fe faut donner garde de ces
peuples, & viure en mefiance auec eux, toute-
fois fans leur faire apperçeuoir. Ils nous donnerent quantite de petum, qu'ils font fecher, &
puis le reduifent en poudre. Quand ils mangét
le bled d'Inde ils le font bouillir dedans des
pots de terre qu'ils font d'autre maniere que
nous. Ils le pilent auffi dans des mortiers de
bois & le reduifent en farine, puis en font des
gafteaux & galettes, comme les Indiens dû
Perou.

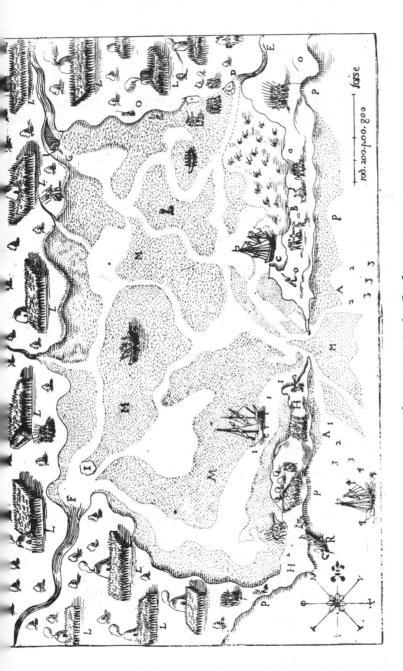

Les chiffres montrent les brasses d'eau.

A Les deux entrées du port.
B Dunes de sable ou les sauna-
ges tuerent vn Matelot de la
barque du sieur de Mons.
C les lieux ou fut la barque du
sieur de Mons andit port.
D fontaine sur le bois du port.

E Vne riuiere descendant audit
port.
F Ruisseau.
G petite riuiere ou on prend
contité de poison.
H Dunes de sable ou il y a vn
petit bois & force vignes.

I Isle à la pointe des dunes
L Les maisons & habitations des
sauuages qui cultiuent la terre
M Basses & bancs de sable tant
à l'entrée que dedans ledit port.
O Dunes de sable.

P La coste de la mer.
Q La barque du sieur de Pois-
uincourt quand il y fut deux
aus. prés le sieur de Mons.
R Descente des gens du sieur de
Poutaincourt,

pour la page 88.

En ce lieu, & en toute la coſte, depuis Quinibequi, il y a quantité de ſiguenocs, qui eſt vn
poiſſon portant vne eſcaille ſur le dos, comme
la tortue: mais diferente poúrtant; laquelle à
au milieu vne rangee de petits piquáts de couleur de fueille morte, ainſi que le reſte du poiſſon: Au bout de laquelle eſcaille il y en a vne
autre plus petite, qui eſt bordee d'eſguillons
fort piquans. La queue eſt longue ſelon qu'ils
ſont grands ou petits du bout de laquelle
ces peuples ferrent leurs fleches, ayant auſſi
vne rangee deſguillons cóme la gráde eſcaille
ſur laquelle ſont les yeux. Il à huiɛ̄t petits
pieds comme ceux d'vn cancre, & derriere
deux plus longs & plats, deſquels il ſe ſert à nager. Il en a auſſi deux autres fort petits deuant,
auec quoy il mange: quand il chemine ils ſont
tous cachez, excepté les deux de derriere
qui paroiſſent vn peu. Soubs la petite eſcaille
il y a des membranes qui s'enflent, & ont vn
battement comme la gorge des grenouilles,
& ſót les vnes ſur les autres en façon des tacet-
tes d'vn pourpoint. Le plus grád que i'aye veu,
a vn pied de large, & pied & demy de long.

  Nous viſmes auſſi vn oiſeau marin qui a le
bec noir, le haut vn peu aquilin, & lóg de quatre poulces, fait en forme de lácette, ſçauoir la
partie inferieure repreſentant le manche & la

superieure la lame qui est tenue, trenchante des deux costez & plus courte d'vn tiers que l'autre, qui donne de l'estonnement à beaucoup de personnes, qui ne peuuent comprendre comme il est possible que cet oiseau puisse manger auec vn tel bec. Il est de la grosseur d'vn pigeon, les aisles fort longues à proportió du corps, la queue courte & les iambes aussi, qui sót rouges, les pieds petits & plats. Le plumage par dessus est gris brun, & par dessous fort blanc. Il va tousiours en troupe sur le riuage de la mer, comme font les pigeons pardeça.

Les sauuages en toutes ces costes où nous auons esté, disent qu'il vient d'autres oiseaux quand leur bled est à maturité, qui sont fort gros; & nous cótrefaisoient leur chant semblable à celuy du cocq d'Inde. Ils nous en montrerent des plumes en plusieurs lieux, dequoy ils empannent leurs fleches & en mettent sur leurs testes pour parade; & aussi vne maniere de poil qu'ils ont soubs la gorge, comme ceux qu'auons en France: & disent qu'ils leur tumbe vne creste rouge sur le bec. Ils nous les figurerent aussi gros qu'vne outarde, qui est vne espece d'oye; ayant le col plus long & deux fois plus gros que celles de pardeça. Toutes ces demonstrations nous firent iuger que c'estoient cocqs d'Inde. Nous eussions bien

defiré voir de ces oifeaux, auffi bien que de la
plume, pour plus gráde certitude. Auparauant
que i'euffe veu les plumes & le petit boquet de
poil qu'ils ont foubs la gorge; & que i'euffe oy
côtrefaire leur chát, ie croiyois que ce fuffét de
certains oifeaux, quife trouuét en quelques endroits du Perou en forme de cocqs d'Inde, le
lóg du riuage de la mer, mágeás les charógnes
& autres chofes mortes, comme font les cor-
beaux: mais ils ne font pas fi gros, & n'ót pas la
barbe fi longue, ny le chát femblable aux vrais
coqs d'Inde, & ne font pas bons à máger cóme
font ceux que les fauuages difent qui viennent
en troupe en efté ; & au commencement de
l'yuer s'en vont aux pays plus chauts, où eft
leur demeure naturelle.

RETOVR DES DESÇOVVERTVRES DE LA COSTE
des Almouchiquois.

CHAP. IX.

AYant demeuré plus de cinq fepmaines à
efleuer trois degrez de latitude, nous ne
peufmes eftre plus de fix fepmaintes en noftre
voyage; car nous n'auions porté des viures que
pour ce téps là. Et auffi ne pouuás paffer à caufe des brumes & tempeftes que iufques à Mal-
leberre, où fufmes quelques iours attendans
le temps propre pour fortir , & nous voyans

preſſez par la neceſſité des viures, le ſieur de
Mons delibera de s'en retourner à l'iſle de ſaincte Croix, afin de trouuer autre lieu plus propre pour noſtre habitation : ce que ne peuſmes
faire en toutes les coſtes que nous deſcouuriſ-
mes en ce voyage.

Et partiſmes de ce port, pour voir ailleurs, le
25. du mois de Iuillet, où au ſortir couruſmes
riſque de nous pardre ſur la barre qui y eſt à l'é
tree, par la faute de nos pilottes appelez Cra-
molet & Chapdoré Maiſtres de la barque, qui
auoient mal ballize l'entree de l'achenal du coſté du ſu, par où nous deuions paſſer. Ayans
euité ce peril nous miſmes le cap au nordeſt ſix
lieues iuſques au cap blanc: & de là iuſques au
cap des iſles continuant 15. lieues au meſme
vent: puis miſme le cap à l'eſt nordeſt 16. lieues
iuſques à Chouacoet, où nous viſmes le Capitaine ſauuage Marchin, que nous auions eſpe-
ré voir au lac de Quinibequy, lequel auoit
la reputation d'eſtre l'vn des vaillans hommes
de ſon pays: auſſi auoit il la façon belle, où tous
ſes geſtes paroiſſoient graues, quelque ſauuage qu'il fut. Le ſieur de Mons luy fit preſent de beaucoup de choſes, dont il fut fort ſatisfait, & en recompenſe donna vn ieune garçon Etechemin, qu'il auoit prins en guerre,
que nous emmenaſines auec nous, & partiſ-

mes de ce lieu enſemblemét bons amis; & miſmes le cap au nordeſt quart de l'eſt 15. lieues,
iuſques à Quinibequy, où nous arriuaſmes le
29 .du mois,&où penſions trouuer vn ſauuage
appelé Saſinou, dont i'ay parlé cy deſſus, que
nous attendiſmes quelque temps , péſant qu'il
deuſt venir, afin de retirer de luy vn ieune
homme & vne ieune fille Etechemins , qu'il
tenoit priſoniers. En l'attédant il vint à nous
vn capitaine appelé Anaſſou pour nousvoir,le-
quel traicta quelque peu de pelleterie;&fiſmes
allience auec luy. Il nous dit qu'il y auoit vn
vaiſſeau à dix lieues du port, qui faiſoit peſche
de poiſſon,& que ceux de dedans auoient tué
cinq ſauuages d'icelle riuiere, ſoubs ombre
d'amitié : &ſelon la façon qu'il nous deſpei-
gnoit les gens du vaiſſeau, nous les iugeaſmes
eſtre Anglois, & nómaſmes l'iſle où ils eſtoient
la nef:pour ce quede loing elle en auoit le ſem-
blance.Voyát que led.Saſinou ne venoit point
nous miſmes le cap à l'eſt ſueſt 20. lieues iuſques à l'iſle haute où mouillaſmes l'ancre attendant le iour.

　　Le lendemain premier d'Aouſt nous le miſmes à l'eſt quelque 20. lieues iuſques au cap
Corneille où nous paſſames la nuit. Le 2. du
mois le mettant au nordeſt 7. lieues vinſmes à
l'étree de la riuiere S. Croix du coſté de l'oueſt.

Ayant mouillé l'âcre entre les deux premieres
iſles, le ſieur de Mõs s'embarqua dans vn canau
à ſix lieues de l'habitation S. Croix, où le lendemain nous arriuaſmes auec noſtre barque.
Nous y trouuaſmes le ſieur des Antõs de ſainct
Maſlo, qui eſtoit venu en l'vn des vaiſſeaux du
ſieur de Mõs, pour apporter des viures, & autres cõmoditez pour ceux qui deuoient yuerner en ce pays.

L'HABITATION QVI ESTOIT EN L'ISLE DE S.
Croix tranſportee au port Royal, & pourquoy.

CHAP. X.

LE ſieur de Mons ſe delibera de changer de
lieu & faire vne autre habitation pour
eſuiter aux froidures & mauuais yuer qu'auiõs
eu en l'iſle ſaincte Croix. N'ayant trouué aucun port qui nous fut propre pour lors, & le
peu de temps que nous auions à nous loger &
baſtir des maiſõs à ceſt effect, nous fit équipper
deux barques; que l'õ chargea de la charpéterie
des maiſons de ſaincte Croix, pour la porter au
port Royal, à 25. lieues de là, où l'on iugeoit y
eſtre la demeure beaucoup plus douce &
temperee. Le Pont & moy partiſmes pour
y aller; où eſtans arriuez cerchaſmes vn lieu
propre pour la ſituation de noſtre logement

& à labry du noroueſt, que nous redoutions
pour en auoir eſté fort tourmentez.

Apres auoir bien cerche d'vn coſté & d'autre, nous n'en trouuaſmes point de plus propre
& mieux ſcitué qu'en vn lieu qui eſt vn
peu eſleué, au tour duquel y a quelques mareſcages & bonnes ſources d'eau. Ce lieu eſt
deuant l'iſle qui eſt à l'entree de la riuiere de
la Guille : Et au nord de nous comme à vne
lieue, il y a vn coſtau de montagnes, qui du-
re prés de dix lieues nordeſt & ſuroueſt. Tout
le pays eſt rempli de foreſts treſ-eſpoiſles ainſi
que i'ay dit cy deſſus, horſmis vne pointe qui eſt
à vne lieue & demie dans la riuiere, où il y a
quelques cheſnes qui y ſont fort clairs, & quãtité de lãbruches, que l'on pourroit deſerter aiſement, & mettre en labourage, neantmoins
maigres & ſablõneuſes. Nous fuſmes preſque
en reſolution d'y baſtir : mais nous conſideraſmes qu'euſſions eſté trop engouffrez dans le
port & riuiere : ce qui nous fit changer d'aduis.

Ayant donc recogneu l'aſſieté de noſtre habitation eſtre bonne, on commença à deffricher le lieu, qui eſtoit plein d'arbres; & dreſſer
les maiſons au pluſtoſt qu'il fut poſſible : vn
chacun ſi employa. Apres que tout fut mis en
ordre, & la pluſpart des logemens faits, le ſieur
de Mons ſe delibera de retourner en France
　　　　　　　　　　　　　　　　　pour

pour faire vers fa Maiefté qu'il peuft auoir ce
qui feroit de befoin pour só entreprife.Et pour
commander audit lieu en fon abfence, il auoit
volonté d'y laiffer le fieur d'Oruille : mais la
maladie de terre,dont il eftoit atteint, ne luy
peut permettre de pouuoir fatisfaire au defir
dudit fieur de Mons:qui fut occafion d'en parler au Pont-graué,& luy dóner cefte charge;ce
qu'il eut pour aggreable : & fit paracheuer de
baftir ce peu qui reftoit en l'habitation.Et moy
en pareil temps ie pris refolution d'y demeurer
auffi,fur l'efperance que i'auois de faire de nou
uelles defcouuertures vers la Floride: ce que le
fieur de Mons trouua fort bon.

CE QVI CE PASSA DEPVIS LE PARTEMENT DV
fieur de Mons,iufqu'à ce que voyät qu'on n'auoit point nouuelles de ce qu'il
auoit promis, on partift du port Royal pour retourner en France.

CHAP. XI.

AVfli toft que ledit fieur de Mons fut party , de 40. ou 45. qui refterent, vne partie comméça à faire des iardins.I'en fis auffi vn
pour éuiter oifiueté, entouré de foffez plains
d'eau, efquels y auoit de fort belles truites que
i'y auois mifes, & où defcendoient trois ruiffeaux de fort belle eaue couráte,dót la plufpart
de noftre habitation fe fourniffoit. I'y fis vne
petite efclufe contre le bord de la mer, pour ef-

N

couler l'eau quand ie voulois. Ce lieu eſtoit tout enuironné des prairies, où i'accommoday vn cabinet auec de beaux arbres, pour y aller prendre de la fraiſcheur. I'y fis auſſi vn petit reſeruoir pour y mettre du poiſſon d'eau ſallee, que nous prenions quand nous en auions be- ſoin. I'y ſemay quelques graines, qui proffi- terent bien: & y prenois vn ſingulier plaiſir: mais auparauant il y auoit bien fallu trauailler. Nous y alions ſouuent paſſer le temps : & ſem- bloit que les petits oiſeaux d'alentour en euſ- ſent du contentement : car ils s'y amaſſoient en quâtité, & y faiſoient vn ramage & gaſouil- lis ſi aggreable, que ie ne penſe pas iamais en auoir ouy de ſemblable.

La plan de l'habitation eſtoit de 10. toiſes de long, & 8. de large, qui font trenteſix de cir- cuit. Du coſté de l'orient eſt vn magâzin de la largeur d'icelle, & vne fort belle caue de 5. a 6. pieds de haut. Du coſté du Nord eſt le logis du ſieur de Mons eſleue d'aſſez belle charpen- terie. Au tour de la baſſe court ſont les loge- mens des ouuriers. A vn coing du coſté de l'oc- cident y a vne platte forme, où on mit quatre pieces de canon, & à l'autre coing vers l'orient eſt vne paliſſade en façon de platte forme: comme on peut veoir par la figure ſuiuante.

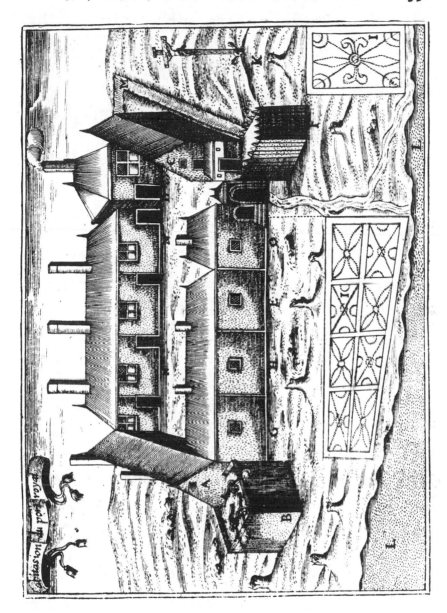

A Logemens des artifans.
B Plate forme où eftoit le canon.
C Le magafin.
D Logemét du fieur de Pont-graué & Champlain.
E La forge.

F Paliffade de pieux.
G Le four.
H La cuifine.
O Petite maifonnette où l'on retiroit les vtanfiles de nos barques;que de puis le fieur de Poitrincourt fit

rebaftir,& y logea le fieur Boulay quand le fieur du Pont s'en reuint en France.
P La porte de l'abitation.
Q Le cemetiere.
R La riuiere.

Quelques iours aprés que les baſtiments furent acheuez, ie fus à la riuiere S. Iean, pour chercher le ſauuage appellé Secondon, lequel auoit mené les gens de Preuerd à la mine de cuiure, que i'auois deſia eſté chercher auec le ſieur de Mons, quand nous fuſmes au port au mines, & y perdiſmes noſtre temps. L'ayant trouué, ie le priay d'y venir auec nous : ce qu'il m'accorda fort librement : & nous la vint monſtrer. Nous y trouuaſmes quelques petits morceaux de cuiure de l'eſpoiſſeur d'vn ſold ; & d'autres plus, enchaſſez dans des rochers griſaſtres & rouges. Le mineur qui eſtoit auec nous, appelle Maiſtre Iaques, natif d'Eſclauonie, homme bien entendu à la recherche des mineraux, fut tout au tour des coſtaux voir s'il trouueroit, de la gangue ; mais il n'en vid point : Bien trouua il à quelques pas d'où nous auions prins les morceaux de cuiure ſuſdit, vne maniere de mine qui en approchoit aucunemét. Il dit que par l'apparéce du terrouer, elle pourroit eſtre bonne ſi on y trauailloit, & qu'il n'eſtoit croyable que deſſus la terre il y eut du cuiure pur, ſans qu'au fonds il n'y en eut en quátité. La verité eſt, que ſi la mer ne couuroit deux fois le iour les mines, & qu'elles ne fuſſent en rochers ſi durs, on en eſpereroit quelque choſe.

Apres l'auoir recogneue, nous nous en retournafmes à noftre habitation, où nous trouuafmes de nos gens malades du mal de la terre, mais non fi griefuemét qu'en l'ifle S. Croix,
bien que de 45. que nous eftions il en mourut
12. dont le mineur fut du nombre, & cinq
malades, qui guerirent le printemps venant.
Noftre Chirurgien appelle des Champs, de
Honfleur, homme expert en fon art, fit ouuerture de quelques corps, pour veoir s'il reco-
gnoiftroit mieux la caufe des maladies, que
n'auoient fait ceux de l'annee precedente. Il
trouua les parties du corps offencees comme
ceux qui furent ouuerts en l'ifle S. Croix, & ne
peut on trouuer remede pour les guerir non
plus que les autres.

Le 20. Decembre il commença à neger: &
paffa quelques glaces par deuant noftre habitation. L'yuer ne fut fi afpre qu'il auoit efté
l'annee d'auparauant, n'y les neges fi grandes,
n'y de fi longue duree. Il fit entre autres chofes
vn fi grand coup de vent le 20. de Feurier 1605.
qu'il abbatit vne grande quantité d'arbres auec
leurs racines, & beaucoup qu'il brifa. C'eftoit
chofe eftrange à veoir. Les pluyes furent affez
ordinaires, qui fut occafion du peu d'yuer, au
regard du paffé, bien que du port Royal à S.
Croix, n'y ait que 25. lieues.

N iij

Le premier iour de Mars, Pont-graué fit accommoder vne barque du port de 17. a 18. tonneaux, qui fut preſte au 15. pour aller deſcouurir le long de la coſte de la Floride.

Pour cet effect nous partiſmes le 16. enſuiuát,
& fuſmes cótraints de relaſcher à vne iſle au ſu
de Menaſne, & ce iour fiſmes 18. lieues, &
mouillaſmes l'ancre dans vne ance de ſable, à
l'ouuert de la mer, où le vét de ſu dónoit, qui ſe
renforça la nuit d'vne telle impetuoſité que ne
peuſmes tenir à l'ancre, & fallut parforce aller
à la coſte, à la mercy deDieu & des ondes, qui
eſtoient ſi furieuſes & mauuaiſes, que comme
nous appareillions le bourcet ſur l'ancre, pour
aprés coupper le cable ſur l'eſcubier, il ne nous
en donna le loiſir car auſſitoſt il ſe rompit ſans
coup frapper. A la reſſaque le vét & la mer nous
ietterent ſur vn petit rocher, & n'attendions
que l'heure de voir briſer noſtre barque, pour
nous ſauuer ſur quelques eſclats d'icelle, ſi eu-
ſiós peu. En ce deſeſpoir il vint vn coup de mer
ſi grád & fauorable, aprés en auoir receu pluſieurs autres, qu'il nous fit franchir le rocher,
& nous ietta en vne petite playe de ſable, qui
nous guarentit pour ceſte fois de naufrage.

La barque eſtant eſchouee, l'on commença
promptement à deſcharger ce qu'il y auoit dedans, pour voir où elle eſtoit offencee, qui ne

fut pas tant que nous croyons. Elle fut racou-
ftree próptemét par la diligence de Chápdoré
Maiftre d'icelle. Eftant bien en eftat on la re-
chargea en attédant le beau téps, & que la fu-
reur de la mer s'apaifaft, qui ne fut qu'au bout
de quatre iours, fçauoir le 21. Mars, auquel for-
tifmes de ce malheureux lieu, & fufmes au
port aux Coquilles, à 7. ou 8. lieues de là, qui
eft à l'entree de la riuiere fainĉte Croix, où y
auoit grande quantité de neges. Nous y arre-
ftafmes iufques au 29. dudit mois, pour les brumes & véts cótraires, qui sót ordinaires en ces
faifons, que le Pont-graué print refolution de
relafcher au port Royal, pour voir en quel eftat
eftoient nos compagnons, que nous y auions
laiffez malades. Y eftans arriués le Pont fut atteint d'vn mal de cœur, qui nous fit retarder
iufques au 8. d'Auril.

Et le 9. du mefme mois il fembarqua, bien
qu'il fe trouuaft encores maldifpofé, pour le
defir qu'il auoit de voir la cofte de la Floride, &
croyant que le changemét d'air luy rendroit la
fanté. Ce iour fufmes mouiller l'ancre & paffer
la nuit à l'entree du port, diftant de noftre habi
tation deux lieues.

Le lendemain deuant le iour Champdoré
vint demander au Pont-graué s'il defiroit faire
leuer l'ancre, lequel luy refpondit que s'il iu-

geoit le temps propre, qu'il partiſt. Sur ce propos Champdoré fit à l'inſtant leuer l'ancre &
mettre le bourcet au vent, qui eſtoit nort nordeſt, ſelon ſon rapport. Le temps eſtoit fort ob-
ſcur, pluuieux & plain de brumes, auec plus
d'aparence de mauuais que de beau téps. Comme l'on vouloit ſortir de l'emboucheure du
port, nous fuſmes tout à vn coup tranſportez
par les marees hors du paſſage, & fuſmes pluſtoſt ſur les rochers du coſté de l'eſt noroueſt,
que nous ne les euſmes apperceus. Le Pont &
moy qui eſtions couchez, entendiſmes les matelots s'eſcriás & diſans, Nous ſommes perdus:
ce qui me fit bié toſt ietter ſur pieds, pour voir
ce que c'eſtoit. Du Pont eſtoit encores malade,
qui l'empeſcha de ſe leuer ſi promptemét qu'il
deſiroit. Ie ne fus pas ſitoſt ſur le tillac, que la
barque fut iettee à la coſté & le vent ſe trouua
nort, qui nous pouſſoit ſur vne pointe. Nous
deffrelaſmes la grande voille, que l'on mit au
vent, & la hauſſa l'on le plus qu'il fut poſſible
pour nous pouſſer touſiours ſur les rochers, de
peur que le reſſac de la maree, qui perdoit
de bonne fortune, ne nous attiraſt dedans,
d'où il euſt eſté impoſſible de nous ſauuer.
Du premier coup que noſtre barque dóna ſur
les rochers le gouuernail fut rompu; vne partie
de la quille, & trois ou quatre planches enfon-
cees,

cees, auec quelques membres brifez , qui nous
donna eftonnemét: car noftre barque femplit
incontinent; & ce que nous peufmes faire , fut
d'attendre que la mer fe retiraft de deffoubs,
pour mettre pied à terre : car autrement nous
courions rifque le la vie , à caufe de la houlle qui eftoit fort grande & furieufe au tour de
nous. La mer eftant donc retiree nous defcen-
difmes à terre par le téps qu'il faifoit, où promptement on defchargea la barque de ce qu'il y
auoit,& fauuafmes vne bonne partie des commoditez qui y eftoient, à l'aide du Capitaine
fauuage Secondon,& de fes compagnons,qui
vindrét à nous auec leurs canots, pour reporter en noftre habitation ce que nous auions
fauué de noftre barque,laquelle toute fracaffee
s'en alla au retour dela mer en plufieurs pieces:
& nous bien heureux d'auoir la vie fauue retournafmes en noftre habitation auec nos pauures fauuages , qui y demeurerent prefque
vne bonne partie de l'yuer , où nous louafmes
Dieu de nous auoir preferuez de ce naufrage,
dont n'efperions fortir à fi bon marché.

La perte de noftre barque nous fit vn grand
defplaifir , pour nous voir, à faute de vaiffeau,
hors d'efperáce de parfaire le voyage que nous
auiós entreprins, & de n'en pouuoir fabriquer
vn autre ; car le temps nous preffoit,bien qu'il

O

y euſt encore vne barque ſur les chantiers:mais elle eut eſté trop long temps à mettre en eſtat, & ne nous en euſſions peu ſeruir qu'au retour des vaiſſeaux de France , qü'attendions de iour en autre.

Ce fut vne grande diſgrace,& faute de preuoyance au Maiſtre, qui eſtoit opiniaſtre & peu entédu au fait de la marine, qui ne croioit que ſa teſte. Il eſtoit bon Charpentier, adroit à fabriquer des vaiſſeaux, & ſoigneux de les accommoder de choſes neceſſaires : mais il n'eſtoit nullement propre à les conduire.

Le Pont eſtant a l'habitation, fit informer à l'encontre de Champdoré , qui eſtoit accuſé d'auoir malicieuſement mis noſtre barque à la coſte;& ſur ſes informatiós fut empriſonné & emmenotté,d'autát qu'on le vouloit mener en France pour le mettre entre les mains du ſieur de Mons,& en requerir iuſtice.

Le 15. de Iuin le Pont voyant que les vaiſſeauxdeFrance ne reuenoiét point,fit deſémenotter Champdoré pour paracheuer la barque qui eſtoit ſurles chantiers, lequel s'aquitta fort bien de ſon deuoir.

Et le 16. Iuillet,qui eſtoit le temps que nous nous deuions retirer,au cas que les vaiſſeaux ne fuſſent reuenus, ainſi qu'il eſtoit porté par la commiſſion qu'auoit donnée le ſieur deMonts

au Pont, nous partiſmes de noſtre habitation
pour aller au cap Breton ou à Gaſpe, chercher
le moyé de retourner en France, puis que nous
n'en n'auions aucunes nouuelles.

Il y euſt deux de nos hommes qui demeure-
rēt de leur propre volóté pour prendre garde à
ce qui reſtoit des commoditez en l'habitation,
à chacun deſquels le Pont promit cinquante
eſcus en argent, & cinquáte autres qu'il deuoit
faire valoir leur practique, en les venant requerir l'annee ſuiuante.

Il y eut vn Capitaine des ſauuages appellé
Mabretou qui promit de les maintenir, &
qu'ils n'auroient non plus de deplaiſir que s'ils
eſtoiét ſes propres enfans. Nous l'auions recogneu pour bon ſauuage en tout le temps que
nous y fuſmes, bien qu'il euſt le renom d'eſtre
le plus meſchant & traiſtre qui fut entre ceux
de ſa nation.

PARTEMENT DV PORT ROYAL POVR RETOVR-
ner en France. Rencontre de Ralleau au cap de Sable, qui fit rebrouſſer
chemin.

CHAP. XII.

LE 17. du mois, ſuiuant la reſolution que
nous auions priſe, nous partiſmes de l'emboucheure du port Royal auec deux barques, l'vne du port de 18. tonneaux, & l'autre

de 7. à 8. pour parfaire la routte du cap Breton
ou de Capseau & vinsmes mouiller l'ancre au
destroit de l'isle Longue, où la nuit nostre cable
rompit & courusmes risque de nous perdre
par les grandes marees qui iettent sur plusieurs
pointes de rochers, qui sont dans & à la sortie
de ce lieu : Mais par la diligence d'vn chacun
on y remedia & fit on en sorte qu'on en sortit
pour ceste fois.

　Le 21. du mois il vint vn grand coup de vent
qui rompit les ferremens de nostre gouuernail
entre l'isle Longue & le cap fourchu , & nous
mit en telle peine, que nous ne sçauiós de quel
bois faire flesches: car d'aborder la terre, la fu-
rie de la mer ne le permettoit pas, par ce qu'el
brisoit haute comme des montaignes le long
le de la coste: de façó que nous resolusmes plustost mourir à la mer, que d'aborder la terre,
sur l'esperance que le vent & la tourmente
s'appaiseroit, pour puis apres ayant le vent en
pouppe aller eschouer en quelque playe de sable. Comme chacun pensoit à part soy à ce qui
seroit de faire pour nostre seureté, vn matelot dit, qu'vne quátité de cordages attachez au
derriere de la barque,& trainant en l'eau, nous
pourroit aucunement seruir pour gouuerner
nostre vaisseau, mais ce fut si peu que rien, &
vismes bien que si Dieu ne nous aidoit d'autres

moyens,celuy là ne nous euft guarétis du naufrage. Comme nous eftions penfifs à ce qu'on
pourroit faire pour noftre feureté, Châpdoré,
qu'on auoit de rechef emmenotté, dit à quelques vns de nous, que fi le Pont vouloit
qu'il trouueroit moyen de faire gouuerner noftre barque:ce que nous rapportafmes au Pont,
qui ne refufa pas cefte offre, & les autres encore moins.Il fut donc defemmenotté pour la feconde fois, & quant & quant prift vn cable
qu'il coupa, & en accommoda fort dextre-
ment le gouuernail & le fit auffi bien gouuerner que iamais il auoit fait: & parce moyen re-
pare les fautes qu'il auoit conmifes à la premiere barque qui fut perdue : & fut liberé
de ce dót il auoit efté accufé,par les prieres que
nous en fifmes au Pont-graué qui eut vn peu
de peine à s'y refoudre.

Ce iour mefme fufmes mouiller l'ancre prez
la baye courante,à deux lieues du cap fourchu,
& là fut racommodee la barque.

Le 23. du mois de Iuillet fufmes proche du
cap de Sable.

Le 24.dudit mois fur les deux heures du foir
nous apperçeufmes vne chalouppe, proche de
l'ifle aux cormorans, qui venoit du cap de Sable, qu'aucuns iugeoient eftre des fauuages
qui fe retiroient du cap Breton, ou de l'ifle de

O iij

Cápſeau: D'autres diſoiét que ſe pouuoit eſtre
des chalouppes qu'on enuoyoit de Campſeau
pour ſçauoir de nos nouuelles. Enfiñ approchant plus prez on vid que s'eſtoiét François,
ce qui nous reſiouit fort: Et cóme elle nous
euſt preſque ioints, nous recogneuſmes R al-
leau Secretaire du ſieur de Mós, ce qui nous re-
doubla le contentement. Il nous fit entendre
que le ſieur de Mons enuoyoit vn vaiſſeau de
ſix vingts tonneaux, & que le ſieur de Poitrincourt y cómmandoit, & eſtoit venu pour Lieutenant general, & demeurer au pays auec cinquante hommes: & qu'il auoit mis pied à terre
à Campſeau, d'ou ledit vaiſſeau auoit pris la
plaine mer, pour voir s'il ne nous deſcouuriroit
point, cependant que luy s'en venoit le long
de la coſte dans vne chalouppe pour nous rencontrer au cas qu'y fuſſions en chemin, croyás
que ſerions partis du port Royal, comme
il eſtoit bien vray: Et en cela firent fort ſagement. Toutes ces nouuelles nous firét rebrouſ-
ſer chemin; & arriuaſmes au port Royal le 25.
du mois, où nous trouuaſmes led. vaiſſeau, & le
ſieur de Poitrincourt, ce qui nous apporta
beaucoup de reſiouiſſance, pour voir renaiſtre
ce qui eſtoit hors d'eſperáce. Il nous dit que ce
qui auoit cauſé ſon retardement eſtoit vn accident qui eſtoit ſuruenu au vaiſſeau, au ſortir

de la chaine de la Rochelle, d'où il eſtoit party, & auoit eſté contrarié du mauuais temps ſur ſon voyage.

Le lendemain le ſieur de Poitrincourt commença à diſcourir de ce qu'il deuoit faire, & auec l'aduis d'vn chacun ſe reſolut de demeurer au port Royal pour ceſte annee, d'autant que l'on n'auoit deſcouuert aucune choſe depuis le ſieur de Mons, & que quatre mois qu'il y auoit iuſques à l'yuer n'eſtoit aſſez pour chercher & faire vne autre habitation: encore auec vn grand vaiſſeau, qui n'eſt pas comme vne barque, qui tire peu d'eau, furette par tout, & trouue des lieux à ſouhait pour faire des demeures: mais que durant ce temps on iroit ſeulement recognoiſtre quelque endroit plus commode pour nous loger.

Sur ceſte reſolution le ſieur de Poitrincourt enuoya auſſitoſt quelques gés de trauail au labourage de la terre, en vn lieu qu'il iugea propre, qui eſt dedans la riuiere, à vne lieue & demie de l'habitation du port Royal, où nous penſames faire noſtre demeure, & y fit ſemer du bled, ſeigle, chanure, & pluſieurs autres graines, pour voir ce qu'il en reüſſiroit.

Le 22. d'Aouſt, on aduiſa vne petite barque qui tiroit vers noſtre habitation. C'eſtoit des Autons de S. Maſlo, qui venoit de Campſeau,

où eſtoit ſon vaiſſeau, à la peſche du poiſſon,
pour nous donner aduis qu'il y auoit quelques
vaiſſeaux au tour du cap Bretõ qui traittoiét de
pelleterie, & que ſi on vouloit enuoyer noſtre
nauire, il les prendroit en s'en retournant en
France : ce qui fut reſolu aprés qu'il ſeroit
deſchargé des commodités qui eſtoient dedans.

Ce qu'eſtant fait, du Pont-graué s'enbarqua
dedans auec le reſte de ſes compagnons qui
auoient demeuré l'yuer auec luy au port
Royal, horſmis quelques vns, qui fut Champdoré & Foulgeré de Vitré. I'y demeuray auſſi
auec le ſieur de Poitrincourt, pour moyennant
l'ayde de Dieu, parfaire la carte des coſtes &
pays que i'auois commécé. Toutes choſes mi-
ſes en ordre en l'habitatió, le ſieur de Poitrincourt fit charger des viures pour noſtre voyage de la coſté de la Floride.

Et le 29. d'Aouſt partiſmes du port Royal
quant & Pont-graué, & des Antons qui alloient au cap Breton & à Campſeau pour ſe
ſaiſir des vaiſſeaux qui feſoient traitte de pelleterie, comme i'ay dit cy deſſus. Eſtans à la mer
nous fuſmes contraints de relaſcher au port
pour le mauuais vent qu'auions. Le grand vaiſſeau tint touſiours ſa route & bientoſt le perdiſmes de veuë.

LE

LE SIEVR DE POITRINCOVRT PART DV PORT
Royal pour faire des descouurtures. Tout ce que l'on y vid: & ce qui y arriua iusques à Male-barre.

CHAP. XIII.

LE 5. Septembre, nous partismes de rechef
du port Royal.

Le 7. nous fusmes à l'entree de la riuiere S.
Croix, où trouuasmes quantité de sauuages,
entre autres Secondon & Messamouet. Nous
nous y pensames perdre contre vn islet de rochers, par l'opiniastreté de Champdoré, à quoy
il estoit fort subiect.

Le lendemain fusmes dedãs vne chalouppe
à l'isle de S. Croix, où le sieur de Mons auoit
yuerné, voir si nous trouueriõs quelques espics
du bled, & autres graines qu'il y auoit fait semer. Nous trouuasmes du bled qui estoit tombé en terre, & estoit venu aussi beau qu'on eut
sceu desirer, & quantité d'herbes potageres
qui estoient venues belles & grãdes: cela nous
resiouit infinimént, pour voir que la terre y
estoit bonne & fertile.

Apres auoir visité l'isle, nous retournasmes
à nostre barque, qui estoit du port de 18. tonneaux, & en chemin prismes quantité de
maquereaux, qui y sont en abondance en ce
temps là; & se resolut on de continuer le voya-

P

ge le long de la coſte, ce qui ne fut pas trop bie
conſideré: d'autant que nous perdiſmes beaucoup de temps à repaſſer ſur les deſcouuertures que le ſieur de Mons auoit faites iuſques au
port de Malebarre , & eut eſté plus à propos,
ſelon mon opinion , de trauerſer du lieu où
nous eſtions iuſques aud. Malebarre, dont on
ſçauoit le chemin , & puis employer le temps
iuſques au 40. degré, ou plus ſu, & au retour
reuoir toute la coſte à ſon plaiſir.

   Aprés ceſte reſolution nous priſmes auec
nous Secondon & Meſſamouët, qui vindrent
iuſques à Chouacoet dedans vne chaiouppe, où
ils vouloient aller faire amitié auec ceux du
pays en leur faiſant quelques preſens.

   Le 12. de Septembre nous partiſmes de la riuiere ſainᶜte Croix.

   Le 21. arriuaſmes à Chouacoet, où nous viſmes Onemechin chef de la riuiere, & Marchin, leſquels auoient fait la cueillette de leur
bleds. Nous viſmes des raiſins à l'iſle de Bacchus qui eſtoiét meurs & aſſez bós : & d'autres
qui ne l'eſtoient pas, qui auoient le grain auſſi
beau que ceux de France , & m'aſſeure que
s'ils eſtoient cültiuez, on en feroit de bon vin.

   En ce lieu le ſieur de Poitrincourt retira vn
priſonnier qu'auoit Onemechin, auquel Meſ-
ſamouet fit des preſens de chaudieres, haches

cousteaux,& autres choses.Onemechin luy en
fit au reciproque, de bled d'Inde, cytrouilles,
febues du Bresil: ce qui ne contenta pas beaucoup ledit Messamouet, qui partit d'auec eux
fort malcontent, pour ne l'auoir pas bien recogneu, de ce qu'illeur auoit donné, en dessein
de leur faire la guerre en peu de temps : car
ces nations ne donnent qu'en donnant, si
ce n'est à personnes qui les ayent bien obli-
gez, comme de les auoir assistez en leurs guerres.

Continuant nostre routte, nous allasmes au
cap aux isles, où fusmes vn peu contrariez du
mauuais temps & des brumes ; & ne trouuasmes pas beaucoup d'apparence de passer la
nuit : d'autant que le lieu n'y estoit pas propre. Comme nous estions en ceste peine, il me
resouuint, que rengeât la coste auec le sieur de
Mós, i'auois, à vne lieue de là, remarqué en ma
carte vn lieu, qui auoit apparence d'estre bon
pour vaisseaux , où n'entrasmes point à cause
que nous auions le vent propre à faire nostre
routte, lors que nous y passames.Ce lieu estóit
derriere nous , qui fut occasion que ie dis au
sieur de Poitrincourt qu'il faloit relascher à
vne pointe que nous y voiyós, où estoit le lieu
dont il estoit question, lequel me sembloit
estre propre pour y passer la nuit.Nous fusmes

mouiller l'ancre à l'entreé, & le lendemain
entrafmes dedans.

Le fieur de Poitrincourt y mit pied à terre
auec huit ou dix de nos compagnons. Nous
vifmes de fort beaux raifins qui eftoiét à maturité, pois du Brefil, courges, cytrouilles, & des
racines qui font bónes, tirát fur le gouft de car-
des, que les fauuages cultiuét Il nous en firent
quelques prefens en contr'efchange d'autres
petites bagatelles qu'ó leur dóna. Ils auoiét defia fait leur moiffon. Nous vifmes 200 fauuages
en ce lieu, qui eft affez aggreable ; & y a quantité de noyers, cypres, fafafras, chefnes, frefnes
& heftres, qui fót trefbeaux. Le chef de ce lieu
s'appelle Quiouhamenec, qui nous vint voir
auec vn autre fien voifin nómé Cohoüepech,
à qui nous fifmes bonne chere. Onemechin
chef de Chouacoet nous y vint auffi voir, à qui
on dónavn habit qu'il ne garda pas lon temps,
& en fit prefent à vn autre, à caufe qu'eftant
gefné dedans il ne s'en pouuoit accommoder.
Nous vifmes auffi en ce lieu vn fauuage qui fo
bleffa tellemét au pied, & perdit tant de fang,
qu'ilen tóba en fyncope, autour duquel envint
nombre d'autres chantans vn efpace de temps
deuant que de luy toucher : aprés firent quelques geftes des pieds & des mains, & luy fe-
couerét la tefte, puis le foufflant il reuint à luy.

Noſtre chirurgien le penſa, & ne laiſſa aprés de s'en aller gayement.

Le lendemain comme on calteuſtroit noſtre chaloupe, le ſieur de Poitrincourt apperceut dans le bois quantité de ſauuages, qui venoyét en intention de nous faire quelque deſplaiſir, ſe réde à vn petit ruiſſeau qui eſt ſur le deſtroit d'vne chauſſee, qui va à la grande terre, où de nos gés blanchiſſoient du linge. Comme ie me pourmenois le long d'icelle chauſſee ces ſauuages m'apperçeurét, & pour faire bóne mine, à cauſe qu'ils virent bié que ie les auois deſcouuers en pareil temps, ils commancerent à ſeſcrier & ſe mettre à danſer: puis s'en vindrent à moy auec leurs arcs, fleſches, carquois & autres armes. Et d'autant qu'il y auoit vne prairie entre eux & moy, ie leur fis ſigne qu'ils redáſaſſent; ce qu'ils firent en rond, mettant toutes leurs armes au milieu d'eux. Ils ne faiſoient preſque que commécer, qu'ils aduiſerent le ſieur de Poitrincourt dedans le bois auec huit arquebuſiers, ce qui les eſtonna: toutesfois ne laiſſerent d'acheuer leur danſe, laquelle eſtant finie, ils ſe retirerent d'vn coſté & d'autre, auec apprehention qu'on ne leur fit quelque mauuais party: Nous ne leur diſmes pourtant rien, & ne leur fiſmes que toutes demonſtrations de reſiouiſſance; puis nous re-

uinſmes à noſtre chalouppe pour la mettre a
l'eaue,& nous en aller. Ils nous prierent de retarder vn iour, diſans qu'il viendroit plus de
deux mil hommes pour nous vóir: mais ne
pouuans perdre temps, nous ne voulufmes di-
ferer d'aüātage. Ie croy que ce qu'ils en feſoiét
eſtoit pour nous ſurprendre. Il y a quelques
terres desfrichees, & en desfrichoient tous les
iours. en voicy la façon. Ils couppét les arbres
à la hauteur de trois pieds de terre, puis font
bruſler les branchages ſur le tronc, & ſement
leur bled entre ces bois couppez:& par ſuccef-
ſion de temps oſtent les racines. Il y a auſſi de
belles prairies pour y nourrir nombre de
beſtail. Ce port eſt treſbeau & bon, où il y a
de l'eau aſſez pour les vaiſſeaux, & où on ſe
peut mettre à l'abry derriere des iſles. Il eſt par
la hauteur de 43. degrez de latitude; & l'auons
nommé le Beau-port.

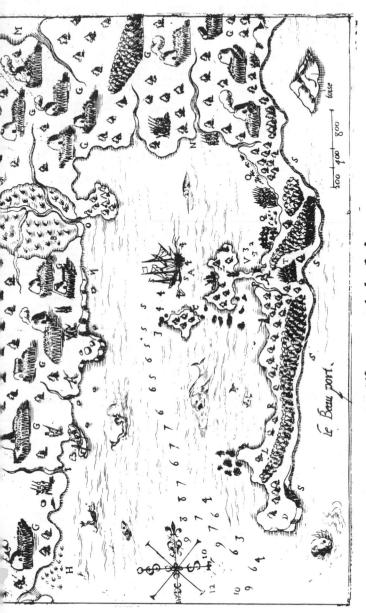

Les chiffres montrent les braffes d'eau.

Le Beau port.

A Le lieu où estoit nostre barque.
B Prairies.
C Petite iste.
D Cap de rocher.
E Le lieu où l'on faisoit calfeutrer nostre chalouppe.
F Petit islet de roches assez haut à la coste.

G Cabanes des sauvages, & où ils labourent la terre.
H Petite riviere où il y a des prairies.
I Ruiseau.
L Langue de terre plaine de bois où il y a quantité de safrans, noyers & vignes.

M La mer d'vn cul de sac en tournant le cap aux isles.
N Petite riviere.
O Petit ruisseau venant des prairies.
P Autre petit ruisseau où l'on blanchissoit le linge.
Q Troupe de sauvages venant

pour nous surprendre.
R Playe de fable.
S La coste de la mer.
T Le sieur de Poitrincourt en embuscade avec quelque 7 ou 8 arquebusiers.
V Le sieur de Champlain aperceuant les sauvages.

pour la page 119

Le dernier de Septembre nous partiſmes du beau port, & paſſames par le cap S. Louys, & fiſmes porter toute la nuit pour gaigner le cap blanc. Au matin vne heure deuát le iour nous nous trouuaſmes à vau le vent du cap blanc en la baye blanche à huiƈt pieds d'eau, eſloignez de la terre vne lieue, où nous mouillaſmes l'ancre, pour n'en approcher de plus prés, en attédant le iour; & voir comme nous eſtions de la maree. Cependant enuoyaſmes ſonder auec noſtre chaloupe, & ne trouua on plus de huit pieds d'eau : de façon qu'il fallut deliberer attendant le iour ce que nous pourrions faire. L'eau diminua iuſques à cinq pieds, & noſtre barque talonnoit quelquefois ſur le ſable: toutesfois ſans s'offencer n'y faire aucun dommage: Car la mer eſtoit belle, & neuſmes point moins de trois pieds d'eau ſoubs nous, lors que la mer communça à croiſtre, qui nous donna beaucoup d'eſperance.

Le iour eſtant venu nous apperceuſmes vne coſte de ſable fort baſſe, où nous eſtions le trauers plus à vau le vét, & d'où on enuoya la chaloupe pour ſóder vers vn terrouer, qui eſt aſſez haut, où on iugeoit y auoir beaucoup d'eau; & de fait on y en trouua ſept braſſes. Nous y fuſmes mouiller l'ancre, & auſſitoſt appareillaſmes la chaloupe auec neuf ou dix hómes,

pour

pour aller à terre voir vn lieu où iugiós y auoir
vn beau & bon port pour nous pouuoir sauuer
si le vent se fut esleué plus grand qu'il n'estoit.
Estant recogneu nous y entrasmes à 2. 3. & 4.
brasses d'eau. Quand nous fusmes dedans, nous
en trouuasmes 5. & 6. Il y auoit force huistres
qui estoient tresbonnes, ce que n'auions encores
apperceu, & le nommasmes le port aux
Huistres : & est par la hauteur de 42. degrez
de latitude. Il y vint à nous trois canots de sauu-
uages. Ce iour le vent nous vint fauorable, qui
fut cause que nous leuasmes l'ancre pour aller
au Cap blanc, distant de ce lieu de 5. lieues, au
Nord vn quart du Nordest, & le doublasmes.

Le lendemain 2. d'Octobre arriuasmes deuant Malebarre , où seiournasmes quelque
temps pour le mauuais vent qu'il faisoit, durant lequel, le sieur de Poitrincourt auec la
chalouppe accompagné de 12. a 15. hommes, fut
visiter le port , où il vint audeuant de luy quelque 150. sauuages, en chantant & dansant, selon leur coustume. Apres auoir veu ce lieu
nous nous en retournasmes en nostre vaisseau,
où le vent venant bon , fismes voille le long
de la coste courant au Su.

CONTINVATION DES SVSDITES DESCOVVER
tures: & ce qui y fut remarqué de singulier.

CHAP. XIV.

COmme nous fusmes à quelque six lieues
de Malebarre, nous mouillasmes l'ancre
proche de la coste, d'autant que n'auions bon
vent. Le long d'icelle nous aduisames des fumees que faisoient les sauuages: ce qui nous fit
deliberer de les aller voir: pour cet effect on
esquipa la chalouppe: Mais quãd nous fusmes
proches de la coste qui est areneuse, nous ne
peusmes l'aborder : car la houlle estoit trop
grande: ce que voyant les sauuages, ils mirent
vn canot à la mer, & vindrent à nous 8. ou 9.
en chantans, & faisans signes de la ioye qu'ils
auoient de nous voir, & nous monstrerent
que plus bas il y auoit vn port, où nous pourrions mettre nostre barque en seureté.

Ne pouuant mettre pied à terre, le chalouppe s'en reuint à la barque, & les sauuages retournerent à terre, qu'on auoit traicté humainement.

Le lendemain le vent estant fauorable nous
cõtinuasmes nostre routte au Nord 5. lieues,
& neusmes pas plustost fait ce chemin, que
nous trouuasmes 3. & 4. brasses. d'eau estans

esloignez vne lieue & demie de la coste: Et allans vn peu de l'auant , le fonds nous haussa
tout à coup à brasse & demye & deux brasses,
ce qui nous donna de l'apprehentiõ , voyant la
mer briser de toutes parts, sans voir aucun passage par lequel nous pussions retourner sur nostre chemin : car le vent y estoit , entierement
contraire.

De façon qu'estans engagez parmy des brisans & bancs de sable , il fallut passer au
hasart , selon que l'on pouuoit iuger y auoir
plus d'eau pour nostre barque, qui n'estoit que
quatre pieds au plus : & vinsmes parmy ces
brisans iusques à 4. pieds & demy : Enfin
nous fismes tant, auec la grace de Dieu , que
nous passames par dessus vne pointe de sable,
qui iette prés de trois lieues à la mer, au Su
Suest , lieu fort dangereux. Doublant ce cap
que nous nõmasmes le cap batturier , qui est à
12. au 13. lieues de Malebarre, nous mouillasmes
l'ancre à deux brasses & demye d'eau, d'autant
que nous nous voiyons entournez de toutes
parts de brisans & battures , reserué en quelques endroits où la mer ne fleurissoit pas beaucoup. On enuoya la chalouppe pour trouuer
vn achenal, à fin d'aller à vn lieu que iugions
estre celuy que les sauuages nous auoient donné à entendre : & creusmes aussi qu'il y auoit

Q ij

vne riuiere, où pourrions eſtre en ſeureté.

Noſtre chalouppe y eſtant, nos gens mirent
pied à terre, & confidererét le lieu, puis reuin-
rent auec vn ſauuage qu'ils amenerent, &
nous dirent que de plaine mer nous y pourrions entrer, ce qui fut reſolu; & auſſitoſt leuaſmes l'ancre, & fuſmes par la conduite du ſauuage, qui nous pilotta, mouiller l'ancre à vne
rade qui eſt deuant le port à ſix braſſes d'eau
& bon fonds: car nous ne peuſmes entrer dedans à cauſe que la nuit nous ſurprint.

Le lendemain on enuoya mettre des bali-
ſes ſur le bout d'vn banc de ſable qui eſt à l'em-
bouchure du port: puis la plaine mer venant y
entraſmes à deux braſſes d'eau. Comme nous
y fuſmes, nous louaſmes Dieu d'eſtre en lieu
de ſeureté. Noſtre gouuernail s'eſtoit rompu,
que l'on auoit accommodé auec des cordages,
& craignions que parmy ces baſſes & fortes
marees il ne rópiſt de rechef, qui eut eſté cauſe de noſtre perte. Dedás ce port il n'y a qu'vne
braſſe d'eau, & de plaine mer deux braſſes, à
l'Eſt y a vne baye qui refuit au Nort quelque
trois lieues, dans laquelle y a vne iſle & deux
autres petits culs de ſac, qui decorent le pays,
ou il y a beaucoup de terres defrichees, & force petits coſtaux, où ils font leur labourage
de bled & autres grains, dont ils viuent. Il y

a auſſi de treſbelles vignes, quantité de noyers, cheſnes, cyprés, & peu de pins. Tous les peuples de ce lieu ſont fort amateurs du labourage, & font prouiſió de bled d'Inde pour l'yuer, lequel ils conſeruent en la façon qui enſuit.

Ils font des foſſes ſur le penchant des coſtaux dans le ſable quelque cinq à ſix pieds plus ou moins, & prennent leurs bleds & autres grains qu'ils mettent dans de grands ſacs d'herbe, qu'ils iettent dedans leſdites foſſes, & les couurent de ſable trois ou quatre pieds par deſſus le ſuperfice de la terre, pour en prendre à leur beſoin, & ce conſerue auſſi bien qu'il ſçauroit faire en nos greniers.

Nous viſmes en ce lieu quelque cinq à ſix cens ſauuages, qui eſtoient tous nuds, horſmis leur nature, qu'ils couurent d'vne petite peau de faon, ou de loup marin. Les femmes le ſont auſſi, qui couurét la leur comme les hommes de peaux ou de fueillages. Ils ont les cheueux bien peignez & entrelaſſez en pluſieurs façons, tant hómes que femmes, à la maniere de ceux de Chouacoet ; & ſont bien proportionnez de leurs corps, ayás le teinct oliuaſtre. Ils ſe parent de plumes, de patenoſtres de porceline, & autres ioliuetés qu'ils accommodent fort proprement en façon de broderie. Ils ont pour armes des arcs, flesches & massues. Ils ne font pas si grands chasseurs comme bons pescheurs & laboureurs.

Pour ce qui est de leur police, gouuernement & creance, nous n'en auons peu iuger, & croy qu'ils n'en ont point d'autre que nos sauuages Souriquois, & Canadiens, lesquels n'adorent n'y la lune n'y le soleil, ny aucune chose,& ne prient non plus que les bestes:Bien ont ils parmy eux quelques gens qu'ils disent auoir intelligence auec le Diable,à qui ils ont grande croyance, lesquels leur disent tout ce qui leur doit aduenir,où ils mentent le plus souuent:Quelques fois ils peuuét bien rencontrer , & leur dire des choses semblables à celles qui leur arriuent; cest pourquoy ils ont croyance en eux,comme s'ils estoient Prophetes, & ce ne sont que canailles qui les eniaulét comme les Ægyptiens & Bohemiens font les bonnes gens de vilage. Ils ont des chefs à qui ils obeissent en ce qui est de la guerre,mais non autrement,lesquels trauaillent,& ne tiennent non plus de rang que leurs compagnons. Chacun n'a de terre que ce qui luy en faut pour sa nourriture.

Leurs logemens sont separez les vns des autres selon les terres que chacun d'eux peut occuper , & sont grands,faits en rond, couuerts

de natte faite de fenne ou fueille de bled
d'Inde, garnis feulement d'vn lict ou deux,
efleués vn pied de terre, faicts auec quantité de petits bois qui font preffez les vns contre les autres, deffus lefquels ils dreffent vn
eftaire à la façon d'Efpaigne(qui eft vn manie
re de natte efpoiffe de deux ou trois doits)fur
quoy ils fe couchent. Ils ont grand nombre
de pulces en efté, mefme parmy les champs:
Vn iour en nous allant pourmener nous en prifmes telle quátité, que nous fufmes contraints
de changer d'habits.

Tous les ports, bayes & coftes depuis
Chouacoet font remplis de toutes fortes de
poiffon, femblable à celuy que nous auons deuers nos habitations; & en telle abondáce, que
ie puis affeurer qu'il n'eftoit iour ne nuict que
nous ne viffions & entendiffions paffer aux
coftez de noftre barque, plus de mille marfou-
ins, qui chaffoient le menu poiffon. Il y a
auffi quantité de plufieurs efpeces de coquillages, & principalement d'huiftres. La chaffe
des oyfeaux y eft fort abondante.

Ce ferit vn lieu fort propre pour y baftir &
ietter les fondemens d'vne republique fi le
port eftoit vn peu plus profond & l'entree
plus feure qu'elle n'eft.

Deuant que fortir du port l'on accommo-

da noftre gouuernail, & fit on faire du pain de
farines qu'auions apportees pour viure, quand
noftre bifcuit nous manqueroit. Cependant
on enuoya la chalouppe auec çinq où fix hommes & vn fauuage, pour voir fi on pourroit
trouuer vn paffage plus propre pour fortir, que
celuy par ou nous eftions venus.

Ayant fait cinq ou fix lieues & abbordât la
terre, le fauuage s'en fuit, qui auoit eu crainte
que l'ô ne l'émenaft à d'autres fauuages plus au
midy, qui font leurs ennemis, à ce qu'il donna à entendre à ceux qui eftoient dans la
chalouppe, lefquels eftans de retour, nous
firent rapport que iufques où ils auoient efté
il y auoit au moins trois braffes d'eau, &
que plus outre il n'y auoit ny baffes ny battures.

On fit donc diligence d'accommoder noftre
barque & faire du pain pour quinze iours. Cependant le fieur de Poitrincourt accompagné
de dix ou douze arquebufiers vifita tout le
pays circonuoifin, d'où nous eftions lequel eft
fort beau, comme i'ay dit cy deffus, où nous vi-
mes quantité de maifonnettes ça & la.

Quelque 8. ou 9. iours aprés le fieur de
Poitrincourt s'allant pourmener, comme il
auoit fait auparauant, nous apperceufmes que
les fauuages abbatoient leurs cabannes &
embar-

eñuoyoient dans les bois leurs femmes, enfans & prouifions, & autres chofes qui leur
eſtoient neceſſaires pour leur vie, qui nous
donna ſoubçon de quelque mauuaiſe inten-
tió,& qu'ilsvouloyét entreprédre ſur nos gens
qui trauailloient à terre,& où ils demeuroient
toutes les nuits, pour conſeruer ce qui ne ſe
pouuoit embarquer le ſoir qu'auec beaucoup
de peine; ce qui eſtoit bié vray: car ils reſolurét
entre eux,qu'aprés que toutes leurs commodi-
ditez ſeroient en ſeureté, ils les viend roient
ſurprendre à terre à leur aduantage le mieux
qu'il leur ſeroit poſſible , & enleuer tout ce
qu'ils auoient. Que ſi d'auenture ils les trqu-
uoiét ſur leurs gardes, ils viendroient en ſigne
d'amitié comme ils ſouloiét faire, en quittant
leurs arcs & fleſches.

Or ſur ce que le ſieur de Poitrincourt auoit
veu, & l'ordre qu'on luy dit qu'ils tenoient
quand ils auoiét enuie de iouer quelque mauuais tour, nous paſſames par des cabannes, où
il y auoit quantité de femmes,à qui on auoit
donné des bracelets, & bagues pour les tenir
en paix, & ſans crainte; & à la plus part des
hommes apparens & antiens des haches,
couſteaux,& autres chofes, dont ils auoiét be-
ſoing:ce qui les contentoit fort,payant le tout
en danſes & gambades, auec des harangues

R

que nous n'entendiós point. Nous paſſames par
tout ſans qu'ils euſſent aſſeurance de nous rien
dire : ce qui nous reſiouiſt fort, les voyans ſi
ſimples en apparence, comme ils montroient.

Nous reuinmes tout doucement à noſtre
barque, accompagnez de quelques ſauuages.
Sur le chemin nous en rencótraſmes pluſieurs
petites trouppes qui s'amaſſoient peu à peu
auec leurs armes, & eſtoient fort eſtonnez de
nous voir ſi auant dans le pays; & ne penſoient pas que vinſſions de faire vne ronde de
prés de 4. à 5. lieües de circuit au tour de leur
terre, & paſſans prés de nous ils trembloiét de
crainte que on ne leur fiſt deſplaiſir, comme il
eſtoit en noſtre pouuoir; mais nous ne le fiſmes
pas, bien que cognuſſions leur mauuaiſe volonté. Eſtans arriuez où nos ouuriers trauailloient, le ſieur de Poitrincourt demanda ſi
toutes choſes eſtoient en eſtat pour s'oppoſer
aux deſſeins de ces canailles.

Il commanda de faire embarquer tout ce
qui eſtoit à terre : ce qui fut fait, horſmis celuy
qui faiſoit le pain qui demeura pour acheuer
vne fournee, qui reſtoit, & deux autres hommes auec luy. On leur dit que les ſauuages
auoient quelque mauuaiſe intention & qu'ils
fiſſent diligence, afin de s'embarquer le ſoir
enſuiuant, ſçachans qu'ils ne mettoient en ex

ecution leur volonté que la nuit, ou au point
du iour, qui eſt l'heure de leur ſurprinſe en la
pluſpart de leurs deſſeins.

Le ſoir eſtant venu, le ſieur de Poitrincourt
commanda qu'on enuoyaſt la chalouppe à terre pour querir les hommes qui reſtoient : ce
qui fut fait auſſitoſt, que la maree le peut permettre, & dit on à ceux qui eſtoient à terre,
qu'ils euſſent à s'embarquer pour le ſubiect
dont l'on les auoit aduertis, ce qu'ils refuſerét,
quelques remonſtráces qu'on leur peuſt faire,
& des riſques où ils ſe mettoient, & de la deſo-
beiſſance qu'ils portoient à leur chef. Ils n'en
feirét aucũ eſtat, horſmis vn ſeruiteur du ſieur
dePoitrincourt, qui s'embarqua, mais deux autres ſe deſembarquerent de la chalouppe qui
furent trouuer les trois autres, qui eſtoient à
terre, leſquels eſtoient demeurez pour manger des galettes qu'ils prindrent ſur le pain,
que l'on auoit fait. Ne voulans donc faire ce
qu'on leur diſoit, la chalouppe s'en reuint à
bort ſans le dire au ſieur de Poitrincourt qui
repoſoit & penſoit qu'ils fuſſent tous dedans
le vaiſſeau.

Le lendemain au matin 15. d'Octobre les
ſauuages ne faillirét de venir voir en quel eſtat
eſtoient nos gens, qu'ils trouuerent endormis,
horſmis vn qui eſtoit auprés du feu. Les voyás

en cet estat ils vindrent doucement par dessus
vn petit costau au nombre de 400. & leur firent vne telle salue de flesches, qu'ils ne leur
donnerent pas le loisir de se releuer, sans
estre frappez à mort : & se sauuant le mieux
qu'ils pouuoient vers nostre barque, crians,
à l'ayde on nous tuë, vne partie tomba morte
en l'eau : les autres estoient tout lardez de coups
de flesches, dont l'vn mourut quelque temps
aprés. Ces sauuages menoient vn bruit de-
sesperé, auec des hurlemens tels que c'estoit
chose espouuantable à ouir.

Sur ce bruit, & celuy de nos gens, la sentinelle qui estoit en nostre vaisseau, s'escria, aux
armes l'on tue nos gens : Ce qui fit que chacun se saisit promptemét des siennes, & quant
& quant nous nous embarquasmes en la chalouppe quelque 15. ou 16. pour aller à terre :
Mais ne pouuans l'abborder à cause d'vn banc
de sable qu'il y auoit entre la terre & nous,
nous nous iettasmes en l'eau & passames à gay
de ce banc à la grád terre la portee d'vn mousquet. Aussitost que nous y fusmes, ces sauuages
nous voyans à vn trait d'arc, prirent la fuitte
dans les terres : De les poursuiure c'estoit en
vain, car ils sont merueilleusement vistes. Tout
ce que nous peusmes faire, fut de retirer les
corps morts & les enterrer aupres d'vne croix

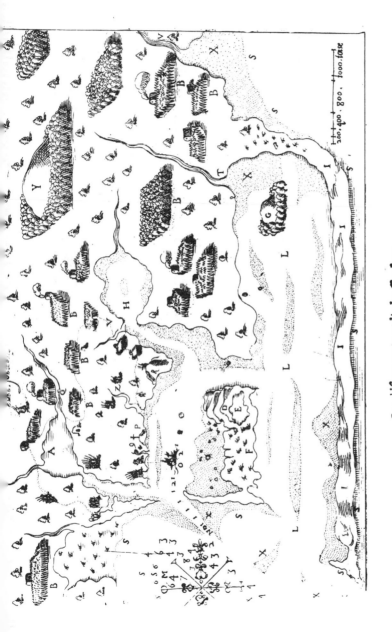

Les chifres montrent les brasses d'eau.

A Estang d'eau sallée.
B Les cabannes des sauuages & leurs terres où ils labourent.
C Prairies où il y a 2. petis ruisseaux.
C Prairies à l'isle qui couurent à toutes les marées.
D Petis costaux de montaignes en l'isle réplis de bois, vignes, & pruniers.

E Estang d'eau douce, où il y a quantité de gibier.
F Manieres de prairies en l'isle.
G Isle remplie de bois dedans vn grand cul de sac.
H Maniere d'estang d'eau salée & où il y a force coquillages, entre autres quantité d'huitres.

I Dunes de sable sur vne lenguette de terre.
L Cul de sac.
M Rade ou mouillasmes l'ancre deuant le port.
N Entrée du port.
O Le por & lieu où estoit nostre barque.
P La croix qu'on planta.

Q petis ruisseau.
R Montaigns qui descouure de fort loin.
S La coste de la mer.
T Petite riuiere.
V Chemin que nous fismes en leur pais autour de leurs logemens, il est pointé de petits

X Bans & baze.
Y Petite montagne qui paroit dans les terres.
Z Petis ruisseaux.
9 L'endroit où nos gens furent tués par les sauuages prés la Croix.

points.

pour la page 132.

qu'on auoit plantee le iour d'auparauant, puis
d'aller d'vn cofté & d'autre voir fi nous n'é ver-
rions point quelques vns, mais nous perdifmes
noftre temps: Quoy voyans, nous nous en retournafmes. Trois heures aprés ils reuindrent
à nous fur le bord de la mer. Nous leur tirafmes
plufieurs coups de petits efpoirs de fonte verte: & côme ils entendoient le bruit ils fe tapif-
foient en terre pour éuiter le coup. En derifion
de nous ils abbatirent la croix, & defenterre-
rent les corps: ce qui nous donna vn grand
defplaifir, & fit que nous fufmes a eux pour la
feconde fois : mais ils s'en fuirent comme
ils auoient fait auparauant. Nous redreffa-
fmes la croix & renterrafmes les morts qu'ils
auoient iettés ça & la parmy des bruieres, où
ils mirent le feu pour les brufler, & nous en re-
uinfmes fans auoir rien fait côtre eux non plus
que l'autre fois, voyans bien qu'il n'y auoit
gueres d'apparéce de s'en véger pour ce coup,
& qu'il failloit remettre la partie quand il plai-
roit à Dieu.

Le 16. du mois nous partifmes du port Fortuné qu'auions nommé de ce nom pour le
malheur qui nous y arriua. Ce lieu eft par la
haulteur de 41. degré & vn tiers de latitude, &
à quelque 12. ou 13. lieues de Malebarre.

R iii

L'INCOMMODITE DV TEMPS NE NOVS PERMET-
tant, pour lors, de faire d'auantage de defcouuertures, nous fit refoudre de
retourner en l'habitation. Et ce qui nous arriua iufques en icelle.

CHAP. XV.

COmme nous eufmes fait quelques fix ou
fept lieues nous eufmes cognoiffance
d'vne ifle que nous nommafmes la foupcon-
neufe, pour auoir eu plufieurs fois croyance de
loing que fe fut autre chofe qu'vne ifle, puis le
vent nous vint contraire, qui nous fit relafcher
au lieu d'où nous eftions partis, auquel nous
fufmes deux ou trois iours fans que durant ce
temps il vint aucũ fauuage fe prefenter à nous.

Le 20. partifmes de rechef, & rengeant la
cofte au Suroueft prés de 12. lieues, où paffames
proche d'vne riuiere qui eft petite & de difficile abord, a caufe des baffes & rochers qui
font à l'entree, que i'ay nommée de mon
nom. Ce que nous vifmes de ces coftes, font
terres baffes & fablonneufes. Le vent nous
vint de rechef contraire, & fort impetueux,
qui nous fit mettre vers l'eàu, ne pouuans gaigner ny d'vn cofté ny d'autre, lequel enfin
s'apaifa vn peu, & nous fut fauorable : mais ce
ne fut que pour relafcher encore au portFortu-
né, dont la cofte, bien qu'elle foit baffe, ne laiffe
d'eftre belle & bonne, toutesfois de difficile

abbord, n'ayant aucunes retraictes, les lieux
fort batturiers, & peu d'eau à prés de deux
lieues de terre. Le plus que nous en trouuasmes,
ce fut en quelques fosses 7. à 8. brasses encore,
cela ne duroit que la longueur du cable, aussi
tost l'on reuenoit à 2. ou 3. brasses, & ne s'y fie
qui voudra qu'il ne l'aye bien recogneuë la
sonde à la main.

Estant relaschez au port, quelques heures
aprés le fils de Pontgraué appelé Robert, perdit vne main en tirant vn mousquet qui se creua en plusieurs pieces sans offencer aucun de
ceux qui estoient auprés de luy.

Or voyant tousiours le vent contraire & ne
nous pouuans mettre en la mer. Nous resolu-
mes cependant d'auoir quelques sauuages de
ce lieu pour les emmener en nostre habitation
& leur faire moudre du bled à vn moulin
abras, pour punition de l'assacinat qu'ils auoiét
commis en la personne de cinq ou six de nos
gens: mais que cela ce peust faire les armes en
la main, il estoit fort malaysé, d'autát que quád
on alloit à eux en deliberátion de se battre,
ils prenoient la fuite, & s'en alloient dans les
bois, où on ne les pouuoit attraper. Il fallut
donc auoir recours aux finesses: & voicy comme nous aduisames, Qu'il failloit lors qu'ils
viendroiét pour rechercher amitié auec nous

les amadouer en leur montrant des patinoſtres & autres bagatelles, & les aſſeurer pluſieurs fois: puis prendre la chalouppe bien ar-
mee, & des plus robuſtes & forts hommes
qu'euſſiós, auec chacun vne chaine de patinoſtres & vne braſſe de meche au bras, & les mener à terre, où eſtans, & en faiſant ſemblant de
petuner auec eux (chacun ayant vn bout de ſa
meche allumé, pour ne leur donner ſoupçon,
eſtãt l'ordinaire de porter du feu au bout d'vne
corde pour allumer le petum) les amadoue-
roient par douces paroles pour les attirer dans
la chalouppe; & que s'ils n'y vouloient entrer,
que s'en aprochãt chacun choiſiroit ſon homme, & en luy mettant les patinoſtres au col,
luy mettroit auſſi en meſme temps la corde
pour les y tirer par force : Que s'ils tempe-
ſtoient trop, & qu'on n'en peuſt venir à bout,
tenant bien la corde on les poignarderoit: Et
que ſi d'auanture il en eſchapoit quelques vns,
il y auroit des hommes à terre pour charger
à coups d'eſpee ſur ceux : Cependant en noſtre barque on tiendroit preſtes les petites pieces pour tirer ſur leurs compagnons, au cas
qu'il en vint les ſecourir; à la faueur deſquelles
la chalouppe ſe pourroit retirer en aſſeurance.
Ce qui fut fort bien executé ainſi qu'on l'auoit
propoſé.

Quel.

A Le lieu ou eſtoiét les François faiſans le pain.

B Les ſauuages ſurprenans
les François en tirant ſur
eux à coups de fleſches.

C François bruſlez par les
ſauuages.

D François s'enfuians à la
barque tout lardés de fleſches.

E Trouppes de ſauuages faiſans bruſler les François

F Montaigne ſur le port.

G Cabannes des ſauuages.

H François à terre chargeans
les ſauuages.

I Sauuages desfaicts par les
François.

L Chaloupe où eſtoient les
François.

M Sauuages autour de la
chaloupe qui furent ſur-
pris par nos gens.

qu'ils auoient tués.

N Barque du ſieur de Poi-
trincourt.

O Le port.

P Petit ruiſeau.

Q François tombez morts
dans l'eau penſans ſe ſauuer
à la barque.

R Ruiſeau venant de certins
mareſcages.

S Bois par où les ſauuages
venoient à couuert.

Quelques iours aprés que ces choſes furent
paſſees, il vint des ſauuages trois à trois, quatre
à quatre ſur le bort de la mer, faiſans ſigne que
nous allaſſions à eux: mais nous voiyons bien
leur gros qui eſtoit en embuſcade au deſſoubs
d'vn coſtau derriere des buiſſons, & croy
qu'ils ne deſiroient que de nous attraper en la
chaloupe pour deſcocher vn nombre de fleſches ſur nous, & puis s'en fuir: toutesfois le
ſieur de Poitrincourt ne laiſſa pas d'y aller auec
dix de nous autres, bié equipez & en reſolutió
de les cóbatre ſi l'occaſió ſe preſentoit. Nous fuſmes deſſendre par vn endroit que iugiós eſtre
hors de leur ébuſcade, où ils ne nous pouuoiét
ſurprédre. Nous y miſmes trois ou quatre pied
à terre auec le ſieur de Poitrincourt: le reſte ne
bougea de la chaloupe pour la cóſeruer & tenir preſte à vn beſoin. Nous fuſmes ſur vne but-
te & autour des bois pour voir ſi nous deſcou-
uririons plus à plain ladite embuſcade. Comme
ils nous virent aller ſi librement à eux ils leue-

S

rent le siege & furent en autres lieux, que ne
peusmes descouurir, & des quatre sauuages
n'en vismes plus que deux, qui s'en alloient
tout doucement. En se retirant ils nous faisoient signe qu'eussions à mener nostre chalouppe en autre lieu, iugeant qu'elle n'estoit
pas à propos pour leur dessein. Et nous voyans
aussi qu'ils n'auoient pas enuie de venir à nous,
nous nous rébarquasmes & allasmes où ils nous
monstroient, qui estoit la seconde embuscade
qu'ils auoient faite, taschant de nous attirer en
signe d'amité à eux, sans armes: ce qui pour
lors ne nous estoit permis: neantmoins nous
fusmes assez proches d'eux sans voir ceste embuscade, qui n'en estoit pas esloignee, à nostre
iugement. Comme nostre chalouppe approc-
cha de terre, ils se mirent en fuitte, & ceux de
l'embuscade aussi, aprés qui nous tirasmes
quelques coups de mousquets, voyant que leur
intention ne tendoit qu'à nous deceuoir par
caresses, en quoy ils se trompoient: car nous
recognoissions bien qu'elle estoit leur volonté,
qui ne tendoit qu'à mauuais fin. Nous nous
retirasmes à nostre barque aprés auoir fait ce
qu'il nous fut possible.

Ce iour le sieur de Poitrincourt resolut de
s'en retourner à nostre habitation pour le subiect de 4. ou 5. mallades & blessez, à qui les

playes empiroient à faute d'onguens; car noſtre Chirurgien n'en auoit aporté que bié peu,
qui fut gráde faute à luy, & deſplaiſir aux malades &à nous auſſi:d'autant que l'infection de
leurs bleſſeures eſtoit ſi gráde en vn petit vaiſſeau comme le noſtre, qu'on ne pouuoit preſque durer : & craignions qu'ils engendraſſent
des maladies:& auſſi que n'auiós plus de viures
que pour faire 8. ou 10. iournees de l'aduant,
quelque retranchemét que l'on fiſt, & ne ſçachans pas ſi le retour pourroit eſtre auſſi long
que l'aller,qui fut prés de deux mois.

Pour le moins noſtre deliberation eſtant
prinſe,nous ne nous retiraſmes qu'auec le contentement que Dieu n'auoit laiſſé impuny le
mesfait de ces barbares. Nous ne fuſmes que
iuſques au 41. degré & demy; qui ne fut que
demy degré plus que n'auoit fait le ſieur de
Mons à ſa deſcouuerture.Nous partiſmes donc
de ce port.

Et le lendemain vinſmes mouiller l'ancre
proche de Malebarre, où nous fuſmes iuſques
au 28. du mois que nous miſmes à la voile. Ce
iour l'air eſtoit aſſez froid,& fit vn peu de neige.
Nous priſmes la trauerſe pour aller à Noram-
begue, ou à l'iſle Haute. Mettant le cap à l'Eſt
N ordeſt fuſmes deux iours ſur la mer ſans voir
terre, contrariez du mauuais temps. La nuict

enfuiuant eufmes cognoiſſance des iſles qui
ſont entre Quinibequi & Narembegue. Le
vent eſtoit ſi grand que fuſmes contrainſts de
nous mettre à la mer pour attendre le iour,
où nous nous eſloignaſmes ſi bien de la terre, quelque peu de voiles qu'euſſiós, que ne la
peuſmes reuoir que iuſques au lendemain, que
nous viſmes le trauers de l'iſle Haute.

Ce iour dernier d'Octobre, entre l'iſle des
Montsdeſerts, & le cap de Corneille, noſtre
gouuernail ſe rompit en pluſieurs pieces, ſans
ſçauoir le ſubiect. Chacũ en diſoit ſon opinion.
La nuit venant auec beau frais, nous eſtions
parmy quantité d'iſles & rochers, où le vent
nous iettoit, & reſolumes de nous ſauuer, s'il
eſtoit poſſible, à la premiere terre que ren-
contrerions.

Nous fuſmes quelque temps au gré du vent
& de la mer, auec ſeulemét le bourcet de deuát:
mais le pis fut que la nuit eſtoit obſcure & ne
ſçauions où nous allions: car noſtre barque ne
gouuernoit nullemét, bien que l'on fit ce qu'ŏ
pouuoit, tenant les eſcouttes du bourcet à la
main, qui quelquefois la faiſoiét vn peu gouuerner. Touſiours on ſondoit ſi l'on pourroit
trouuer fonds pour mouiller l'ancre & ſe preparer à ce qui pourroit ſubuenir. Nous n'en
trouuaſmes point; enfin allant plus viſte que ne

defirions, l'on aduifa de mettre vn auiron
par derriere auec dés hommes pour faire
gouuerner à vne ifle que nous apperceufmes,
afin de nous mettre à l'abry du vent. On
mit auffi deux autres auirons fur les coftés
au derriere de la barque, pour ayder à ceux qui
gouuernoient, à fin de faire arriuer le vaiffeau
d'vn cofté & d'autre. Cefte inuétió nous feruit
fi bié que mettiós le cap ou defirions, & fufmes
derriere la pointe de l'ifle qu'auiós apperceuë,
mouiller l'ancre à 21. braffe d'eau, attendant le
iour, pour nous recognoiftre & aller chercher
vn endroit pour faire vn autre gouuernail. Le
vét s'appaifa. Le iour eftát venu nous nous trouuafmes proches des ifles Rágees, tout enuirónés
de brifans; & louafmes Dieu de nous auoir con-
ferués fi miraculeufemét parmy tant de perils.

Le premier de Nouembre nous allafmes en
vn lieu que nous iugeafmes propre pour
efchouer noftre vaiffeau & refaire noftre ti-
mon. Ce iour ie fus à terre, & y vey de la glace
efpoiffe de deux poulces, & pouuoit y auoir
huit ou dix iours qu'il y auoit gelé, & vy bien
que la temperature du lieu differoit de beaucoup à celle de Malebarre & port Fortuné: car
les fueilles des arbres n'eftoient pas encores
mortes ny du tout tombees quand nous en
partifmes, & en ce lieu elles eftoient tou-

tes tombee, & y faiſoit beaucoup plus de froid
qu'au port Fortuné.

　　Le lendemain comme on alloit eſchouer la
barque, il vint vn canot où y auoit des ſauuages Etechemins qui dirent à celuy que nous
auions en noſtre barque, qui eſtoit Secondon,
que Iouaniſcou auec ſes compagnons auoit
tué quelques autres ſauuages & emmené des
femmes priſonnieres, & que proche des iſles
des Montsdeſerts ils auoiēt fait leur execuƟ́o.

　　Le neufieſme du mois nous partiſmes d'auprés du cap de Corneille & le meſme iour
vinſmes mouiller l'ancre au petit paſſage de la
riuiere ſaincte Croix.

　　Le lendemain au matin miſmes noſtre ſauuage à terre auec quelques commoditez qu'on
luy dóna, qui fut tres-aiſe & ſatisfait d'auoir fait
ce voyage auec nous, & emporta quelques te-
ſtes des ſauuages qui auoient eſté tuez au port
Fortuné. Led. iour allaſmes mouiller l'ancre en
vne fort belle ance au Su de l'iſle de Menaſne.

　　Le 12. du mois fiſmes voile, & en chemin la
chalouppe que nous traiſnions derriere noſtre
barque y donna vn ſi grand & ſi rude coup
qu'elle fit ouuerture & briſſa tout le haut de la
barque : & de rechef au reſac rompit les ferremens de noſtre gouuernail, & croiyons du
commencement qu'au premier coup qu'elle

auoit donné, qu'elle eut enfoncé quelques plâ-
ches d'embas, qui nous eut fait submerger: car
le vent estoit si esleué, que ce que pouuiós faire
estoit de porter nostre misanne : Mais aprés
auoir veu le dommage qui estoit petit, & qu'il
n'y auoit aucun peril, on fit en sorte qu'auec
des cordages on accommoda le gouuernail le
mieux qu'on peut, pour paracheuer de nous
conduire, qui ne fut que iusques au 14. de Nouembre, où à l'entree du port Royal pensames
nous perdre sur vne pointe : mais Dieu nous
deliura tant de ce peril que de beaucoup d'autres qu'auions courus.

RETOVR DES SVSDITES DESCOVVERTVRES ET
ce qui ce passa durant l'hyuernement.

CHAP. XVI.

A Nostre arriuee l'Escarbot qui estoit demeuré en l'habitation nous fit quelques
gaillardises auec les gens qui y estoient restez
pour nous resiouir.

Estans à terre, & ayans repris halaine chacun
commença à faire de petits iardins, & moy
d'entretenir le mien, attendant le printemps,
pour y semer plusieurs sortes de graines, qu'on
auoit apportees de France, qui vindrent fort
bien en tous les iardins.

Le fieur de Poitrincourt, d'autre part fit faire vn moulin à eau à prés d'vne lieue & demie de noftre habitation, proche de la pointe où on auoit femé du bled. Le moulin eftoit bafty auprés d'vn faut d'eau, qui vient d'vne petite riuiere qui n'eft point nauigable pour la quantité de rochers qui y font, laquelle fe va rendre dans vn petit lac. En ce lieu il y a vne telle abbondance de harens en fa faifon, qu'on pourroit en charger des chalouppes, fi on vouloit en prendre la peine, & y apporter l'inuention qui y feroit requife. Auffi les fauuages de ces pays y viennent quelquesfois faire la pefche. On fit auffi quantité de charbon pour la forge. Et l'yuer pour ne demeurer oififs i'entreprins de faire vn chemin fur le bort du bois pour aller à vne petite riuiere qui eft comme vn ruiffeau, que nómafmes la truittiere, à caufe qu'il y en auoit beaucoup. Ie demanday deux ou trois hommes au fieur de Poitrincourt, qu'il me dóna pour m'ayder à y faire vne allee. Ie fis fi bié qu'en peu de temps ie la rendy nette. Elle va iufques à la truittiere, & contient prés de deux mille pas, laquelle feruoit pour nous pourmener à l'ombre des arbres, que i'auois laiffé d'vn cofté & d'autre. Cela fit prendre refolutió au fieur de Poitrincourt d'en faire vne autre au trauers des bois, pour trauerfer droit

à l'em-

à l'emboucheure du port Royal, où il y a prés
de trois lieues & demie par terre de noftre habitation, & la fit commencer de la truittiere
enuiron demie lieue, mais il ne l'afcheua pas
pour eftre trop penible, & s'occupa à d'autres
chofes plus neceffaires pour lors. Quelque
temps aprés noftre arriuee, nous apperceufmes
vne chalouppe, où il y auoit des fauuages, qui
nous dirent que du lieu d'où ils venoient, qui
eftoit Norembegue, on auoit tué vn fauuage
qui eftoit de nos amis, en vengeáce de ce que
Iouanifcou auffi fauuage, & les fiens auoiét tué
de ceux de Norembegue, & dé Quinibequi,
cóme i'ay dit cy deffus; & que des Etechemins
l'auoient dit au fauuage Secondon qui eftoit
pour lors auec nous.

Celuy qui commandoit en la chalouppe
eftoit le fauuage appellé Ouagimou, qui auoit
familiarité auec Beffabes chef de la riuiere
de Norébegue, à qui il demáda le corps de Panounia qui auoit efté tué: ce qu'il luy octroya,
le priant de dire à fes amis qu'il eftoit bien
fafché de fa mort, luy affeurant que c'eftoit
fans fon fçeu qu'il auoit efté tué, & que n'y
ayant de fa faute, il le prioit de leur dire qu'il
defiroit qu'ils demeuraffent amis comme auparauant : ce que Ouagimou, luy promit faire quand il feroit de retour. Il nous dit qu'il luy

T

ennuya fort qu'il n'eſtoit hors de leur compagnie, quelque amitié qu'on luy môſtraſt, comme eſtans ſubiects au changement, craignant
qu'ils ne luy en fiſſent autant comme au deffunct: auſſi n'y arreſta il pas beaucoup aprés
ſa deſpeche. Il emmena le corps en ſa chalouppe depuis Norembegue iuſques à noſtre habitation, d'où il y a 50. lieues.

Auſſi toſt que le corps fut à terre ſes parens
& amis commencerent à crier au prés de
luy, s'eſtans peints tout le viſage de noir,
qui eſt la façon de leur dueil. Aprés auoir bien
pleuré, ils prindrent quantité de petum, &
deux ou trois chiens, & autres choſes qui
eſtoient au deffunct, qu'ils firent bruſler à quelque mille pas de noſtre habitation ſur le bort
de la mer. Leurs cris continuerent iuſques à ce
qu'ils fuſſent de retour en leur cabanne.

Le lendemain ils prindrent le corps du deffunct, & l'enuelopperent dedans vne catalou-
gue rouge, que Mabretou chef de ſes lieux
m'inportuna fort de luy dôner, d'autant qu'elle eſtoit belle & grâde, laquelle il donna aux
parés dud. deffunct, qui m'en remercierét bien
fort. Aprés dôc auoir emmaillotté le corps, ils
le parerét de pluſieurs ſortes de *matachiats*, qui
ſont patinoſtres & bracelets de diuerſes couleurs, luy peinrent le viſage, & ſur la teſte luy

mirent plufieus plumes & autres chofes qu'ils
auoient de plus beau, puis mirent le corps à
genoux au milieu de deux baftons, & vn autre qui le fouftenoit foubs les bras: & au tour
du corps y auoit fa mere, fa femme & autres de
fes parens & amis, tant femmes que filles, qui
hurloient comme chiens.

Cependant que les femmes & filles crioient
le fauuage appelé Mabretou, faifoit vne harangue à fes compagnós fur la mort du deffunct,
en incitant vn chacun d'auoir vengeance de la
meschanceté & trahifon commife par les fubiects de Beffabes, & leur faire la guerre le
plus promptement que faire fe pourroit. Tous
luy accorderent de la faire au printemps.

La harange faitte & les cris ceffez, ils em-
portérét le corps du deffunct en vne autre cabanne. Aprés auoir petuné, le renueloperent
dás vne peau d'Eflan, & le lierent fort bien, &
le conferuerent iufques à ce qu'il y euft plus
grande compagnie de fauuages, de chacun
defquels le frere du defunct efperoit auoir des
prefens, comme c'eft leur couftume d'en donner à ceux qui ont perdu leurs peres, meres,
femmes, freres, ou fœurs.

La nuit du 26. Decembre il fift vn vent de
Sureft, qui abbatit plufieurs arbres.

Le dernier Decembre il commença à neger,

T ij

& cela dura iufqu'au lendemain matin.

Le 16. Ianuier enfuiuant 1607. le fieur de Poitrincourt voulant aller au haut de la riuiere de l'Equille la trouua feelee de glaces à quelque deux lieues de noftre habitation, qui le fit retourner pour ne pouuoir paffer.

Le 8. Feurier il commença à defcendre quelques glaces du haut de la riuiere dans le port qui ne gele que le long de la cofte.

Le 10. de May enfuyuant, il negea toute la nuiĉt, & fur la fin du mois faifoit de fortes gelees blanches, qui durerent iufques au 10. & 12. de Iuin, que tous les arbres eftoiét couuerts de fuilles, horfmis les chefnes qui ne iettent les leur que vers le 15.

• L'yuer ne fut fi grand que les annees precedentes, ny les neges auffi ne furent fi long téps fur la terre. Il pleuft affez fouuent, qui fut occafion que les fauuages eurent vne grande famine, pour y auoir peu de neges. Le fieur de Poitrincourt nourrift vne partie de ceux qui eftoient auec nous, fçauoir Mabretou, fa femme & fes enfans, & quelques autres.

Nous paffames ceft yuer fort ioyeufement, & fifmes bonne chere, par le moyen de l'ordre de bontéps que i'y eftablis, qu'vn chacũ trouua vtile pour la fante, & plus profitable que toutes fortes de medicines, dont on euft peu vſer. Ceſte ordre eſtoit vne chaine que nous mettions auec quelques petites ceremonies au col d'vn de nos gens, luy donnant la charge pour ce iour d'aller chaſſer: le lendemain on la bailloit à vn autre, & ainſi conſecutiuement: tous leſquels s'efforçoient à l'enuy à qui feroit le mieux & aporteroit la plus belle chaſſe: Nous ne nous en trouuaſmes pas mal, ny les ſauuages qui eſtoient auec nous.

Il y eut de la maladie de la terre parmy nos gens, mais non ſi aſpre qu'elle auoit eſté aux annees precedétes: Neantmoins il ne laiſſa d'en mourir ſept; & vn autre d'vn coup de fleſche qu'il auoit receu des ſauuages au port Fortuné.

Noſtre chirurgien appelé maiſtre Eſtienne, fit ouuerture de quelques corps, & trouua preſque toutes les parties de dedans offencees, comme on auoit fait aux autres les annees precedentes. Il y en eut 8. ou 10. de malades qui guerirent au printemps.

Au commencement de Mars & d'Auril, chacun ſe mit à preparer les iardins pour y ſemer des graines en May, qui eſt le vray téps, leſquelles vindrét auſſi bien qu'elles euſſent peu faire en Fráce, mais quelque peu plus tardiues: & trouue que la France eſt au plus vn mois & demy plus aduancee: & comme i'ay dit, le temps eſt de ſemer en May, bien qu'on peut ſe-

T iij

mer quelquefois en Auril, mais ces semences
n'aduancét pas plus que celles qui sont semees
en May, & lors qu'il n'y a plus de froidures qui
puisse offencer les herbes, sinon celles qui sont
fort tendres, comme il y en a beaucoup qui ne
peuuent resister aux gelees blanches, si ce n'est
auec vn grand soin & trauail.

Le 24. de May apperceusmes vne petite barque du port de 6. a 7. tonneaux qu'on enuoya
recognoistre, & trouua on que c'estoit vn ieune homme de sainct Maslo appelé Cheualier
qui apporta lettres du sieur deMons au sieur de
Poitrincourt, par lesquelles il luy mandoit de
ramener ses compagnons en France, & nous
dit la naissance de Monseigneur le Duc d'Or-
leás, qui nous apporta de la resiouissance, & en
fismes les feu de ioye, & châtasmes le *Te deum.*

Depuis le commencement de Iuin iusqu'au
20. du mois, s'assemblerent en ce lieu quelque
30. ou 40. sauuages, pour s'en aller faire la guerre aux Almouchiquois, & venger la mort de
Panouuia, qui fut enterré par les sauuages selon leur coustume, lesquels donnerét en aprés
quantité de pelleterie à vn sien frere. Les presens faicts, ils partirent tous de ce lieu le 29. de
Iuin pour aller à la guerre à Chouacoet, qui est
le pays des Almouchiquois.

Quelques iours aprés l'arriuee dudict Cheua-

lier, le ſieur de Poitrincourt l'enuoya à la riuiere S. Iean & ſaincte Croix pour traicter quelque pelleterie: mais il ne le laiſſa pas aller ſans
gés pour ramener la barque, d'autát que quelques vns auoient raporté qu'il deſiroit s'en retourner en Fráce auec le vaiſſeau où il eſtoit venu, & nous laiſſer en noſtre habitatió. L'Eſcar-
bot eſtoit de ceux qui l'accompagnerét, lequel
n'auoit encores ſorty du port Royal : c'eſt le
plus loin qu'il ayt eſté, qui ſont ſeulement 14. à
15. lieues plus auant que ledit port Royal.

Attendant le retour dudit Cheualier, le ſieur
de Poitrincourt fut au fonds de la baye Françoiſe dans vne chalouppe auec 7. à 8. hommes.
Sortant du port & mettant le cap au Nordeſt
quart de l'Eſt le long de la coſte quelque 25.
lieues, fuſmes à vn cap, où le ſieur de Poitrincourt voulut monter ſur vn rocher de plus de
30. thoiſes de haut, où il courut fortune de ſa
vie : d'autant qu'eſtant ſur le rocher, qui eſt
fort eſtroit, où il auoit monté auec aſſez de difficulté, le ſommet trembloit ſoubs luy : le ſubiect eſtoit que par ſucceſſion de temps il s'y
eſtoit amaſſé de la mouſſe de 4. à 5. pieds deſpois
laquelle n'eſtant ſolide, trembloit quand
on eſtoit deſſus, & bien ſouuent quand on
mettoit le pied ſur vne pierre il en tomboit 3. ou
4. autres : de ſorte que s'il y monta auec peine,

il defcendit auec plus grande difficulté, encore que quelques matelots, qui font gens affez adroits à grimper, luy euffét porté vne hauffiere (qui eft vne corde de moyenne groffeur) par le moyen de laquelle il defcendit. Ce lieu fut nommé le cap de Poitrincourt, qui eft par la hauteur de 45. degrez deux tiers de latitude.

Nous fufmes au fonds d'icelle baye, & ne vifmes autre chofe que certaines pierres blanches à faire de la chaux : Mais en petite quâtité, & force mauues, qui font oifeaux, qui eftoient dâs des ifles : Nous en prifmes à noftre volôté, & fifmes le tour de la baye pour aller au port aux mines, où i'auois efté auparauant, & y menay le fieur de Poitrincourt, qui y print quelques petits morceaux de cuiure, qu'il eut auec bien grand peine. Toute cefte baye peut contenir quelque 20. lieues de circuit, où il y a au fonds vne petite riuiere, qui eft fort platte & peu d'eau. Il y a quantité d'autres petits ruiffeaux & quelques endroits, où il y a de bons ports, mais c'eft de plaine mer, où l'eau môte de cinq braffes. En l'vn de ces ports 3. a 4. lieues au Nort du cap de Poitrincourt trouuafmes vne Croix qui eftoit fort vieille, toute couuerte de mouffe & prefque toute pourrie, qui môftroit vn figne euident qu'autrefois il y auoit efté des Chreftiens. Toutes ces terres font forefts trefefpoiffes, espoiſſes, où le pays n'eſt pas trop aggreable, ſinon en quelques endroits.

Eſtant au port aux mines nous retournaſmes à noſtre habitation. Dedãs icelle baye y a de grands tranſports de maree qui portent au Suroueſt.

Le 12. de Iuillet arriua Ralleau ſecretaire du ſieur de Mons, luy quatrieſme dedans vne chalouppe, qui venoit d'vn lieu appelé Niganis, diſtant du port Royal de quelque 160. ou 170. lieues, qui confirma au ſieur de Poitrincourt ce que Cheualier luy auoit raporté.

Le 3. Iuillet on fit equiper trois barques pour enuoyer les hómes & cómoditez qui eſtoient à noſtre habitation pour aller à Campſeau, diſtant de 115. lieues de noſtre habitation, & à 45. degrez & vn tiers de latitude, où eſtoit le vaiſſeau qui faiſoit peſché de poiſſon, qui nous deuoit repaſſer en France.

Le ſieur de Poitrincourt renuoya tous ſes compagnons, & demeura luy neufieme en l'habitatió pour emporter en France quelques bleds qui n'eſtoient pas bien à maturité.

Le 10. d'Aouſt arriua de la guerre Mabretou, lequel nous dit auoir eſté à Chouacoet, & auoir tué 20. ſauuages & 10 ou 12. de beſſez; & que Onemechin chef de ce lieu, Marchin, & vn autre auoient eſté tués par Saſinou

V

chef de la riuiere de Quinibequi, lequel depuis fut tué par les compagnons d'Onemechin & Marchin. Toute ceste guerre ne fut que pour le subiect de Panounia sauuage de nos amis, lequel, cóme i'ay dict cy dessus auoit esté tué à Narembegue par les gens dudit Onemechin & Marchin.

Les chefs qui sont pour le iourd'huy en la place d'Onemechin, Marchin, & Sasinou, sont leurs fils, sçauoir pour Sasinou, Pememen: Abriou pour Marchin son pere: & pour Onemechin Queconsicq. Les deux derniers furent blessez par les gens de Mabretou, qui les attraperét soubs apparéce d'amitié, comme est leur coustume, de quoy on se doit donner garde, tant des vns que des autres.

HABITATION ABANDONNEE. RETOVR EN France du sieur de Poitrincour & de tous ces gens.

CHAP. XVII.

L'Onsieme du mois d'Aoust partismes de nostre habitation dans vne chalouppe, & rengeasmes la coste iusques au cap Fourchu, où i'auois esté auparauant.

Continuant nostre routte le long de la coste iusques au cap de la Héue (où fut le premier abort auec le sieur de Mons, le 8. de May. 1604.)

nous recogneufmes la cofte depuis ce lieu
iufques à Câpfeau, d'où il y a prés de 60.lieues:
ce que n'auois encor fait, & la vis lors fort particulieremét,& en fis la carte comme du refte.

Partant du cap de la Héue iufques à Sefambre, qui eft vne ifle ainfi appelée par quelques
Mallouins, diftante de la Héue de 15. lieues.En
ce chemin y a quantité d'ifles qu'auions nommees les Martyres pour y auoir eu des françois
autresfois tués par les fauuages. Ces ifles sôt en
plufieurs culs defac & bayes:Envne defquelles
y a vne riuiere appelee faincte Marguerite di-
ftáte de Sefambre de 7.lieues,qui eft par la hauteur de 44. degrez & 25. minuttes, de latitude.
Les ifles & coftes font remplies de quantité
de pins,fapins,boulleaux, & autres mefchants
bois. La pefche du poiffon y eft abbondante,
comme aufli la chaffe des oifeaux.

De Sefambre paffames vne baye fort faine
contenant fept à huit lieues,où il n'y a aucunes
ifles fur le chemin horfmis au fonds, qui eft à
l'entree d'vne petite riuiere de peu d'eau, &
fufmes à vn port diftát de Sefambre de 8. lieues
mettant le cap au Nordeft quart d'Eft, qui eft
affez bon pour des vaiffeaux du port de cent à
fix vingts tonneaux. En fon entree y a vne ifle
de laquelle on peut de baffe mener aller à la
grande terre. Nous auons nommé ce lieu, le

port faincte Helaine, qui est par la hauteur de
44. degrez 40. minuttes peu plus ou moins de
latitude.

De ce lieu fusmes à vne baye appelee la baye
de toutes isles, qui peut contenir quelques 14.
à 15. lieues : lieux qui sont dangereux à cause
des bâcs, basses & battures qu'il y a. Le pays est
tresmauuais à voir, rempli de mesmes bois que
i'ay dict cy dessus. En ce lieu fusmes contrariez
de mauuais temps.

De là passames proche d'vne riuiere qui en
est distante de six lieues qui s'appelle la riuiere
de l'isle verte, pour y en auoir vne en son entree. Ce peu de chemin que nous fismes est
remply de quantité de rochers qui iettent prés
d'vne lieue à la mer, où elle brise fort, & est par
la hauteur de 45. degrez vn quart de latitude.

De là fusmes à vn lieu où il y a vn cul de sac,
& deux ou trois isles, & vn assez beau port, distant de l'isle verte trois lieux. Nous passames
aussi par plusieurs isles qui sont rágees les vnes
proches des autres, & les nommasmes les isles
rangees, distantes de l'isle verte de 6. à 7. lieues.
En aprés passames par vne autre baye, où il a
plusieurs isles, & fusmes iusque à vn lieu où
trouuasmes vn vaisseau qui faisoit pesche de
poisson entre des isles qui sont vn peu esloi-
gnees de la terre, distantes des isles rangees qua-

tre lieues ; & nommafmes ce lieu le port de
Saualette, qui eftoit le maiftre du vaiffeau qui
faifoit pefche qui eftoit Bafque, lequel nous
fit bonne chere, & fut tref-aife de nous voir:
d'autant qu'il y auoit des fauuages qui luy
vouloient faire quelque defplaifir:ce que nous
empefchafmes.

Partant de ce lieu arriuafmes à Campfeau le
27. du mois, diftant du port de Saualette fix
lieues,où paffames par quantité d'ifles iufques
audit Campfeau, où trouuafmes les trois barques arriuees à port de falut. Chápdoré & l'E-
fcarbot vindrent audeuant de nous pour nous
receuoir : auffi trouuafmes le vaiffeau preft à
faire voile qui auoit fait fa pefche, & n'attendoit plus que le temps pour s'en retourner:ce-
pendant nous nous donnafmes du plaifir parmy ces ifles, où il y auoit telle quantité de
framboifes qu'il ne fe peut dire plus.

Toutes les coftes que nous rengeafmes
depuis le cap de Sable iufques en ce lieu font
terres mediocrement hautes, & coftes de rochers, en la plufpart des endroits bordees de
nombres d'ifles & brifans qui iettent à la mer
par endroits prés de deux lieues, qui font fort
mauuais pour l'abort des vaiffeaux: Neantmoins il ne laiffe d'y auoir de bós ports & rad-
des le long des coftes & ifles, s'ils eftoient def-

couuerts.Pour ce qui eſt de la terre elle eſt plus mauuaiſe & mal aggreable, qu'en autres lieux qu'euſſiós veus; ſi ce ne ſont en quelques riuieres ou ruiſſeaux, où le pays eſt aſſez plaiſant:& ne faut doubter qu'en ces lieux l'yuer n'y ſoit froid, y durant prés de ſix à ſept mois.

Ce port de Campſeau eſt vn lieu entre des iſles qui eſt de fort mauuais abord,ſi ce n'eſt de beautéps, pour les rochers & briſans qui ſont au tour. Il s'y fait peſche de poiſſon vert & ſec.

De ce lieu iuſques à l'iſle du cap Breton qui eſt par la hauteur de 45. degrez trois quars de latitude & 14. degrez,50.minuttes de declinaiſon de l'aimant y a huit lieues;& iuſques au cap Breton 25. où entre les deux y a vne grande baye qui entre quelque 9. ou 10. lieues dans les terres,& fait paſſage entre l'iſle du cap Breton & la grand terre qui va rédre en la grand baye ſainct Laurens, par où on va à Gaſpé & iſle parcee, où ſe fait peſche de poiſſon. Ce paſſage de l'iſle du capBretó eſt fort eſtroit:Les grands vaiſſeaux n'y paſſent point, bien qu'il y aye de l'eau aſſez, à cauſe des grands courás & tranſports de marees qui y ſont: & auons nommée ce lieu le paſſage courant,qui eſt par la hauteur de 45. degrez trois quarts de latitude.

Ceſte iſle du cap Breton eſt en forme triangulaire, qui à quelque 80. lieues de circuit.&

eft la plufpart terre montagneufe:Neantmoins
en quelques endroits fort aggreable. Au milieu
d'icelle y a vne maniere de lac, où la mer entre
par le cofté du Nord quart du Nordoueft,& du
Su quart du Sueft : & y a quantité d'ifles remplies de grand nombre de gibier, & coquillages de plufieurs fortes:entre autres des huiftres
qui ne font de grande faueur. En ce lieu y a
deux ports, où l'on fait pefche de poiffon: fçauoir le port aux Anglois,diftant du cap Breton
quelque 2. à 3. lieues: & l'autre, Niganis, 18.ou
20. lieues au Nord quart du Nordoueft. Les
Portuguais autrefois voulurent habiter cefte
ifle,& y pafferent vn yuer: mais la rigueur du
temps & les froidures leur firent abandonner
leur habitation.

Le 3. Septembre partifmes de Campfeau.

Le 4. eftions le trauers de lifle de Sable.

Le 6. Arriuafmes fur le grand banc, où fe
fait la pefche du poiffon vert, par la hauteur de
45. degrez & demy de latitude.

Le 26. entrafmes fur le Sonde proche des
coftes de Bretagne & Angleterre, à 65. braffes
d'eau,& par la hauteur de 49. degrez & demy
de latitude.

Et le 28. relachafmes à Rofcou en baffe Bretagne,ou fufmes contrariés du mauuais temps
iufqu'au dernier de Septembre,que le vent ve-

nant fauorable nous nous mifmes à la mer
pour paracheuer noftre routte iufques à fainct
Maflo, qui fut la fin de ces voyages, où Dieu
nous conduit fans naufrage n'y peril.

Fin des voyages depuis l'an 1604. iufques en 1608.

LES

LES VOYAGES
FAITS AV GRAND FLEVVE
SAINCT LAVRENS PAR LE
ſieur de Champlain Capitaine ordinaire
pour le Roy en la marine, depuis
l'annee 1608. iuſques en 1612.

LIVRE SECOND.

RESOLVTION DV SIEVR DE MONS POVR FAI-
re les deſcouuertures par dedans les terres; ſa commiſſion, & enfrainte d'i-
celle par des Baſques qui deſarmerent le vaiſſeau de Pont-graué; & l'ac-
cort qu'ils firent aprés entre eux.

CHAP. I.

Stant de retour en France aprés
auoir ſeiourné trois ans au pays
de la nouuelle Frāce, ie fus trouuer le ſieur de Mons, auquel ie
recitay les choſes les plus ſingu-
lieres que i'y euſſe veues depuis ſon partemēt,
& luy donnay la carte & plan des coſtes &
ports les plus remarquables qui y ſoient.

Quelque temps aprés ledit ſieur de Mons ſe
delibera de continuer ſes deſſins, & paracheuer de deſcouurir dans les terres par le grand
fleuue S. Laurens, où i'auois eſté par le commandement du feu Roy HENRY LE

X

GRAND en l'an 1603. quelque 180. lieues,
commençant par la hauteur de 48. degrez
deux tiers de latitude, qui est Gaspé entrec dudit fleuue iusques au grand saut , qui est sur la
hauteur de 45. degrez , & quelques minuttes
de latitude, où finist nostre descouuerture , &
où les batteaux ne pouuoiét passer à nostre iugement pour lors: d'autât que nous ne l'auions
pas bien recogneu comme depuis nous auons
fait.

Or aprés que par plusieurs fois le sieur de
Mons m'eust discouru de son intention touchant les descouuertures, print resolution de
continuer vne si genereuse, & vertueuse entreprinse, quelques peines & trauaux qu'il y eust
eu par le passé. Il m'honora de sa lieutenance
pour le voyage: & pour cest effect fit equipper
deux vaisseaux , où en l'vn commandoit du
Pont-graué, qui estoit deputé pour les nego-
tiations, auec les sauuages du pays, & ramener
auec luy les vaisseaux : & moy pour yuerner
audict pays.

Le sieur de Mons pour en supporter la despence obtint lettres de sa Maiesté pour vn an,
où il estoit interdict à toutes personnes de ne
trafficquer de pelleterie auec les sauuages , sur
les peines portes par la commission qui ensuit.

HENRY PAR LA GRACE DE DIEV ROY DE
FRANCE ET DE NAVARRE, *A nos amez & feaux
Conseillers, les officiers de nostre Admirauté de Normandie, Bretaigne &
Guienne, Baillifs, Seneschaux, Preuosts, Iuges ou leurs Lieutenans, & à
chacun d'eux endroict soy, en l'estenduë de leurs ressorts, Iurisdictions & de-
stroits, Salut : Sur l'aduis qui nous a esté donné par ceux qui sont venus de la
nouuelle France, de la bonté, & fertilité des terres dudit pays, & que les peuples d'iceluy sont disposez à receuoir la cognoissance de Dieu, Nous auons re-
solu de faire continuer l'habitation qui auoit esté cy deuant commencée audit
pays, à fin que nos subjects y puissent aller librement trafficquer. Et sur l'offre
que le sieur de Monts Gentil-homme ordinaire de nostre chambre, & nostre
Lieutenant General audit pays, nous auroit proposee de faire ladite habitation, en luy donnant quelque moyen & commodité d'en supporter la despence:
Nous auons eu aggreable de luy promettre & asseurer qu'il ne seroit permis à
aucuns de nos subjects qu'à luy de trafficquer de pelleteries & autres marchandises, durant le temps d'vn an seulement, és terres, pays, ports, riuieres
& aduenuës de l'estenduë de sa charge: Ce que voulons auoir lieu. Nous pour
ces causes & autres considerations, à ce nous mouuans, vous mandons &
ordonnons que vous ayez chacun de vous en l'estendé de vos pouuoirs, iurisdictions & destroicts, à faire de nostre part, comme nous faisons tres-expres-
sement inhibitions & deffenses à tous marchands, maistres & Capitaines de
nauires, matelots, & autres nos subjects, de quelque qualité & condition
qu'ils soient, d'equipper aucuns vaisseaux, & en iceux aller ou enuoyer faire
traffic, ou trocque de Pelleteries, & autres choses, auec les Sauuages de la
nouuelle France, frequenter, negotier, & communiquer durant ledit temps
d'vn an en l'estenduë du pouuoir dudit sieur de Monts, à peine de desobeyssance,
de confiscation entiere de leurs vaisseaux, viures, armes, & marchandises, au
proffit dudit sieur de Monts & pour asseurancé de la punition de leur desobeis-
sance: Vous permettrez, comme nous auons permis & permettons audict sieur
de Monts ou ses lieutenans, de saisir, apprehender, & arrester tous les con-
contreuenans à nostre presente deffence & ordonnance, & leurs vaisseaux,
marchandises, armes, viures, & vituailles, pour les amener & remettre és
mains de la Iustice, & estre procedé, tant contre les personnes que contre les
biens des desobeyssans, ainsi qu'il appartiendra. Ce que nous voulons, & vous
mandons faire incontinent lire & publier par tous les lieux & endroicts pu-
blics de vosdits pouuoirs & iurisdictions, où vous iugerez besoin estre, par le
premier nostre Huissier ou Sergent sur ce requis, en vertu de ces presentes, ou*

X ij

Carte geographique de la Nouelle franse en son vray meridien

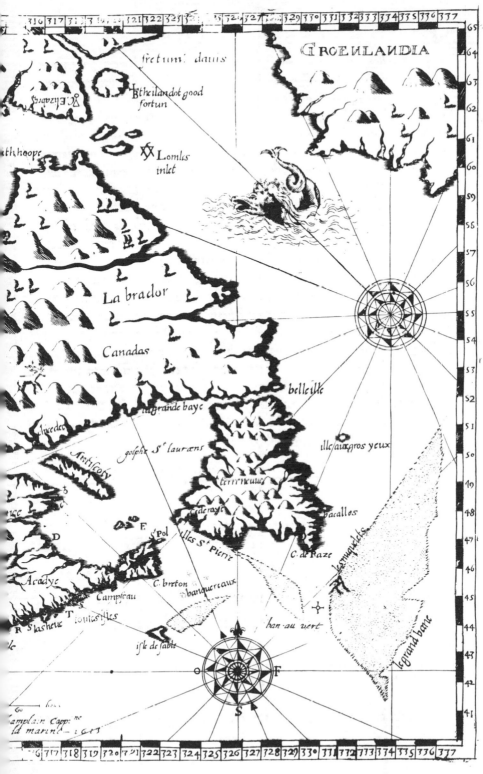

GROENLANDIA

fretum dauis

Etheilandot good fortun

Lomles inlet

La brador

Canadas

belle ifle

lagrande baye

golphe St laurens

ille aux gros yeux

Anticoty

terre neufue

bacallos

cede raye

E

D

S Pol

illes St Pierre

C. de Raze

Acadye

C. briton

banquereaux

Campfeau

toutas illes

R Slacheue

ifle de fable

han au vert

le grand banc

les muquelets

coppie d'icelles , deuëment collationnees pour vne fois seulement, par l'vn de
nos amez & feaux Conseillers, Notaires & Secretaires , ausquelles voulons
foy estre-adioustee comme au present original, afin qu'aucuns de nosdits subiects
n'en pretendent cause d'ignorance, ains que chacun obeysse & se conforme sur ce
à nostre volonté. Mandons en outre à tous Capitaines de nauires , maistres
d'iceux, contre-maistres, matelots, & autres estans dans vaisseaux ou nauires
aux ports & haures dudit pays, de permettre, comme nous auons permis audit sieur de Monts , & autres ayant pouuoir & charge de luy. de visiter dans
leursdits vaisseaux qui auront traicté de laditte Pelleterie , aprés que les presentes deffences leur auront esté signifiees. Nous voulons qu'à la requeste dudit sieur de Monts, ses lieutenans , & autres ayans charge, vous procediez
contre les desobeyssans, & contreuenans ainsi qu'il appartiendra : De ce faire
vous donnons pouuoir, authorité, commission, & mandement special, nonobstant l'Arrest de nostre Conseil du 17. iour de Iuillet dernier, clameur de haro,
chartre normande, prise à-partie, oppositions, ou appellations quelsconques:
Pour lesquelles, & sans preiudice d'icelles , ne voulons estre differé, & dont si
aucune interuiennent, nous en auons retenu & reserué à nous & à nostre Conseil la cognoissance, priuatiuement à tous autres Iuges, & icelle interdite &
deffenduë à toutes nos Cours & Iuges: Car tel est nostre plaisir. Donné à Paris
le septiesme iour de Ianuier , l'an de grace , mil six cents huict. Et de nostre
regne le dix-neufiesme. Signé, HENRY.   Et plus bas, Par le Roy, Delo-
menie.   Et seellé sur simple queuë du grandsceel de cire jaulne.

Collationné à l'original par moy Conseiller,
Notaire & Secretaire du Roy.

Ie fus à Honnefleur pour m'enbarquer, où
ie trouuay le vaisseau de Pontgraué prest, qui
partit du port, le 5. d'Auril; & moy le 13. & arriuay sur le grand banc le 15. de May, par la hauteur de 45. degrez & vn quart de latitude, & le
26. eusmes cognoissance du cap saincte Marie,
qui est par la hauteur de 46. degrez, trois quarts
de latitude, tenant à l'isle de terreneufue. Le 27.
du mois eusmes la veue du cap sainct Laurens

tenant à la terre du cap Breton & isle de sainct
Paul, distante du cap de saincte Marie 83. lieues.
Le 30. du mois eusmes cognoissance de l'isle
percee, & de Gaspé, qui est soubs la hauteur de
48. degrez deux tiers de latitude, distant du
cap de sainct Laurens, 70. à 75. lieues.

Le 3. de Iuin arriuasmes deuant Tadoussac,
distant de Gaspé 80. ou 90. lieues, & mouillasmes l'ancre à la radde du port, de Tadoussac,
qui est à vne lieue du port, lequel est cóme vne
ance à l'entree de la riuiere du Saguenay, où
il y a vne maree fort estráge pour sa vistesse, où
quelquesfois il vient des vents impetueux qui
ameinent de grandes froidures. L'on tient que
ceste riuiere à quelque 45. ou 50. lieues du port
de Tadoussac iusques au premier saut, qui vient
du Nort Norouest. Ce port est petit, & n'y
pourroit que quelque 20. vaisseaux : Il y a de
l'eau assez, & est à l'abry de la riuiere de Saguenay & d'vne petite isle de rochers qui est presque coupee de la mer. Le reste sót mótaignes
hautes esleues, où il y a peu de terre, sinon rochers & sables réplis de bois, cóme sappins &
bouleaux. Il y a vn petit estanc proche du port
réfermé de mótagnes couuertes de bois A l'é-
tree y a deux pointes l'vne du costé du Surou-
est, contenant prés d'vne lieue en la mer, qui
s'appelle la pointe sainct Matthieu, ou autre-

ment aux Allouettes , & l'autre du cofté du
Nordoueft contenât demy quart de lieue, qui
s'appele la pointe de tous les Diables , pour le
grand danger qu'il y a. Les vents du Su Sueft
frappét dans le port, qui ne font point à crain‑
dre : mais bien celuy du Saguenay. Les deux
pointes cy deffus nommees affechent de baffe
mer : noftre vaiffeau ne peuft entrer dás le port
pour n'auoir le vent & maree propre. Ie fis
auffitoft mettre noftre bafteau hors du vaiffeau
pour aller au port voir fi Pont‑graué eftoit ar‑
riué. Cóme i'eftois en chemin, ie récontray vne
chalouppe & le pilotte de Pont‑graué & vn
Bafque, qui me venoit aduertir de ce qui leur
eftoit furuenu pour auoir voulu faire quelques
deffences aux vaiffeaux Bafques de ne traicter
fuiuant la cómiffion que le fieur de Mons auoit
obtenuë de fa maiefté, Qu'aucuns vaiffeaux ne
pourroient traicter fans la permiffion du fieur
de Monts , comme il eftoit porté par icelle :

Et que nonobftant les fignifications que
peuft faire Pont‑graué de la part de fa Maiefté,
ils ne laiffoiét de traicter la force en la main; &
qu'ils s'eftoiét mis en armes & fe maintenoiét
fi bié dans leur vaiffeau, que faifant iouer touts
leurs canons fur celuy de Pont‑graué & ti‑
rât force coups de moufquets, il fut fort bleffé,
& trois des fiens, dont il y en euft vn qui en

mourut, fans que le Pont fit aucune refiftance : Car dés la premiere falue de moufquets
qu'ils tirerent ils fut abbatu par terre. Les Bafques vindrent à bort du vaiffeau & enleuerent
tout le canon & les armes qui eftoient dedans, difans qu'ils traicteroient nonobftant les
deffences du Roy, & que quand ils feroient
prés de partir pour aller en France ils luy ren-
droient fon canon & fon amonition, & que
ce qu'ils en faifoient eftoit pour eftre en feureté. Entendant toutes ces nouuelles, cela me faf-
cha fort, pour le commencement d'vne affaire,
dont nous nous fuffions bien paffez.

Or aprés auoir ouy du pilotte toutes ces
chofes ie luy demanday qu'eftoit venu faire le Bafque au bort de noftre vaiffeau, il me dit
qu'il venoit à moy de la part de leur maiftre
appelé Darache, & de fes côpagnôs, pour tirer
affeurance de moy, Que ie ne leur ferois aucun
defplaifir, lors que noftre vaiffeau feroit dans
le port.

Ie fis refponce que ie ne le pouuois faire, que
premier ie n'euffe veu le Pont. Le Bafque dit
que fi i'auois affaire de tout ce qui defpendoit
de leur puiffance qu'ils m'en affifteroient. Ce
qui leur faifoit tenir ce langage, n'eftoit que la
cognoiffance qu'ils auoient d'auoir failly, côme
ils confeffoient, & la crainte qu'on ne leur laif-

faſt faire la peſche de balene.

Aprés auoir aſſez parlé ie fus à terre voir le Pont pour prendre deliberation de ce qu'aurions affaire,& le trouuay fort mal. Il me conta particulierement tout ce qui c'eſtoit paſſé. Nous conſideraſmes que ne pouuions entrer audit port que par force,&que l'habitation ne fut pardue pour ceſte annee, de ſorte que nous aduiſaſmes pour le mieux , (afin d'vne iuſte cauſe n'en faire vne mauuaiſe &ainſi ſe ruiner) qu'il failloit leur donner aſſeurance de ma part tant que ie ſerois là, & que le Pont n'entreprédroit aucune choſe contre eux , mais qu'en France la iuſtice ſe feroit & vuideroit le different qu'ils auoient entr eux.

Darache maiſtre du vaiſſeau me pria d'aller à ſon bort, où il me fit bonne reception. Aprés pluſieurs diſcours ie fis l'accord entre le Pont & luy, & luy fis promettre qu'il n'entreprendroit aucune choſe ſur Pont-graué ny au preiudice du Roy & du ſieur de Mons. Que s'ils faiſoiét le contraire ie tiédrois ma parole pour nulle: Ce qui fut accordé & ſigné d'vn chacun.

En ce lieu y auoit nombre de ſauuages qui y eſtoient venus pour la traicte de pelleterie, pluſieurs deſquels vindrent à noſtre vaiſſeau auec leurs canots, qui ſont de 8. ou 9. pas de long, & enuiron vn pas,où pas & demy de large par

ge par le milieu, & vont en diminuant par les
deux bouts. Ils font fort fubiects à tourner fi on
ne les fcay bien gouuerner, & font faicts d'efcorce de boulleau, renforcez par le dedans de
petits cercles de cedre blanc, bien proprement
aragez: & font fi legers qu'vn homme en porte ayfement vn. Chacun peut porter la pefan-
teur d'vne pipe. Quand ils veulent trauerfer la
terre pour aller en quelque riuiere où ils ont
affaire, ils les portent auec eux. Depuis Chouacoet le long de la cofte iufques au port de Tadouffac ils font tous femblables.

DE LA RIVIERE DV SAGVENAY, ET DES SAV-
uages qui nous y vindrent abborder. De l'ifle d'Orleans; & de tout ce
que nous y auons remarqué de fingulier.

CHAP. II.

APrés cest accord fait, ie fin mettre des
charpentiers à accommoder vne petite
barque du port de 12. à 14. tonneaux pour porter tout ce qui nous feroit neceffaire pour noftre habitation, & ne peut eftre pluftoft prefte
qu'au dernier de Iuin.

　Cependant i'eu moyen de vifiter quelques
endroits de la riuiere du Saguenay, qui eft vne
belle riuiere, & d'vne profondeur incroyable,
comme 150. & 200. braffes. A quelque cinquan-
Y

te lieues de l'entree du port, comme dit eſt, y a
vn grand ſaut d'eau, qui deſcend d'vn fort haut
lieu & de grande impetuoſité. Il y a quelques
iſles dedás icelle riuiere qui ſont fort deſertes,
n'eſtás que rochers, couuertes de petits ſapins
& bruieres. Elle contient de large demie lieue
en des endroits, & vn quart en ſon entree, où il
y a vn courant ſi grand qu'il eſt trois quarts de
maree couru dedás la riuiere, qu'elle porte encore hors. Toute la terre que i'y ay veuë ne ſont
que montaignes & promontoires de rochers,
la pluſpart couuerts de ſapins & boulleaux,
terre fort mal plaiſante, tant d'vn coſté que
d'autre : enfin ce ſont de vrays deſerts inhabi-
tés d'animaux & oyſeaux: car allant chaſſer par
les lieux qui me ſembloient les plus plaiſans, ie
n'y trouuois que de petits oiſelets, comme
arondelles, & quelques oyſeaux de riuiere, qui
y viennent en eſté; autrement il n'y en a point,
pour l'exceſſiue froidure qu'il y fait. Ceſte riuiere vient du Noroueſt.

Les ſauuages m'ont fait rapport qu'ayant
paſſé le premier ſaut ils en paſſent huit autres,
puis vont vne iurnee ſans en trouuer, & de rechef en paſſent dix autres, & vont dans vn lac,
où ils font trois iournees , & en chacune ils
peuuent faire à leur aiſe dix lieues en montát:
Au bout du lac y a des peuples qui viuent er-

rans; & trois riuieres qui se deschargent dans
ce lac, l'vne venant du Nord, fort proche de la
mer , qu'ils tiennent estre beaucoup plus
froide que leur pays; & les autres deux d'autres costes par dedans les terres, où il y a des
peuples sauuages errans qui ne viuét aussi que
de la chasse, & est le lieu où nos sauuages vont
porter les marchandises que nous leur donnons pour traicter les fourrures qu'ils ont,
côme castors, martres, loups seruiers, & l'ou-
tres, qui y sont en quantité, & puis nous les ap-
portent à nos vaisseaux. Ces peuples septen-
trionaux disent aux nostres qu'ils voient la
mer salee; & si cela est, comme ie le tiens pour
certain, ce ne doit estre qu'vn gouffre qui entre dans les terres par les partie du Nort. Les
sauuages disent qu'il peut y auoir de la mer du
Nort au port de Tadoussac 40. à 50. iournees
à cause de la difficulté des chemins, riuieres &
pays qui est fort montueux, où la plus grande
partie de l'anne y a des neges. Voyla au certain ce que i'ay apris de ce fleuue. l'ay desiré
souuent faire ceste descouuerture, mais ie n'ay
peu sans les sauuages, qu' n ont voulu que i'al-
lasses auec eux n'y aucuns de nos gens: Toutesfois ils me l'ont promis. Ceste descouuerture
ne seroit point mauuaise, pour oster beaucoup
de personnes qui sót en doubte de ceste mer du

Y ij

Nort, par où l'on tient que les Anglois ont esté
en ces dernieres annees pour trouuer le chemin de la Chine.

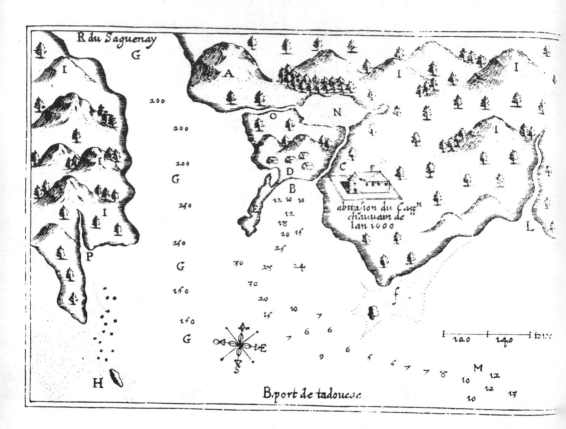

Les chifres montrent les braſſes d'eau.

A Vne montaigne ronde ſur
le bort de la riuiere du Saguenay.
H Le port de Tadouſſac.
C Petit ruiſſeau d'eau douce.
D Le lieu ou cabannent les
ſauuages quand ils vien-
nent pour la traicte.
E Maniere d'iſle qui cloſt
vne partie du port de la ri-

uiere du Saguenay.
F La pointe de tous les Diables
G La riuiere du Saguenay.
H La pointe aux alouettes.
I Montaignes fort mauuaiſes,
remplies de ſapins & boul-
leaux.
L Le moulin Bode.
M La rade ou les vaiſſeaux

mouillent l'ancre attendant
le vent & la maree.
N Petit eſtág proche du port.
O Petit ruiſſeau ſortant de
l'eſtàg, qui deſcharge dans
le Saguenay.
P Place ſur la pointe ſans
arbres, où il y a quantité
d'herbages.

Ie party de Tadouſſac le dernier du mois
pour aller à Quebecq, & paſſames prés d'vne
iſle qui s'apelle l'iſle aux lieures, diſtante de ſix
lieues dud. port, & eſt à deux lieues de la terre
du Nort, & à prés de 4. lieues de la terre du Su.
De l'iſle aux lieures, nous fuſmes à vne petite
riuiere, qui aſſeche de baſſe mer, où à quelque
700. à 800. pas dedás y a deux ſauts d'eau: Nous
la nómaſmes la riuiere aux Saulmons, à cauſe
que nous y en priſmes. Coſtoyant la coſte du
Nort nous fuſmes à vne pointe qui aduance à
la mer, qu'auons nommé le cap Dauphin, diſtant de la riuiere aux Saulmons 3. lieues. De
là fuſmes à vn autre cap que nómaſmes la cap
à l'Aigle, diſtant du cap Daulphin 8. lieues:
entre les deux y a vne grande ance, ou au fonds
y a vne petite riuiere qui aſſeche de baſſe mer.
Du cap à l'Aigle fuſmes à l'iſle aux couldres
qui en eſt diſtante vne bonne lieue, & peut tenir enuiron lieue & demie de long. Elle eſt
quelque peu vnie venant en diminuant par les
deux bouts: A celuy de l'Oueſt y a des prairies
& pointes de rochers, qui aduancent quelque
peu dans la riuiere: & du coſté duSuroueſt elle
eſt fort batturiere; toutesfois aſſez aggreable,
à cauſe des bois qui l'enuironnent, diſtante de
la terre du Nort d'enuiró demie lieue, où il y a
vne petite riuiere qui entre aſſez auant dedans

Y iij

les terres,& l'auõs nommee la riuiere du gouffre, d'autant que le trauers d'icelle la maree y
court merueilleufement, & bien qu'il face calme, elle eft toufiours fort efmeuë, y ayãt grande profondeur : mais ce qui eft de la riuiere
eft plat & y a force rochers en fon entree &
autour d'icelle. De l'ifle aux Couldres coftoyás
la cofte fufmes à vn cap, que nous auons
nommé le cap de tourmente, qui en eft à cinq
lieues, & l'auons ainfi nommé, d'autant que
pour peu qu'il face devét la mer y efleue cóme
fi elle eftoit plaine. En ce lieu l'eau commence
à eftre douce. De la fufmes à l'ifle d'Orleans,
où il y a deux lieues,en laquelle du cofté du Su
y a nombre d'ifles, qui font baffes, couuertes
d'arbres, & fort aggreables, remplies de grandes prayries, & force gibier, contenant à ce
que i'ay peu iuger les vnes deux lieux, & les
autres peu plus ou moins. Autour d'icelles y a
force rochers &baffes fort dangereufes à paf-
fes, qui font efloignés de quelques deux lieues
de la grãd terre du Su. Toute cefte cofte,tãt du
Nord que du Su, depuis Tadouffac iufques à
l'ifle d'Orleans, eft terre montueufe & fort
mauuaife, où il n'y a que des pins, fappins, &
boulleaux, & des rochers trefmauuais, où on
ne fçauroit aller en la plus part des endroits.
　Or nous rangeafmes l'ifle d'Orleans du cofte

du Su, diſtante de la grand terre vne lieue
& demie: & du coſté du Nort demie lieue, cô-
tenât de long 6.lieues,& de large vne lieue,ou
lieue & demie,par endroits. Du coſté du Nort
elle eſt fort plaiſante pour la quantité des bois
&prayries qu'il y a:mais il y fait fort dâgereux
paſſer pour la quantité de pointes & rochers
qui ſont entre la grand terre & l'iſle, où il y a
quantité de beaux cheſnes, & des noyers en
quelques endroits; & à l'ébucheure des vignes
& autres bois côme nous auons en France. Ce
lieu eſt le commencement du beau& bon pays
de la grande riuiere, où il y a de ſon entree
120. Au bout de l'iſle y a vn torét d'eau du coſté du Nort, qui vient d'vn lac qui eſt quelque
dix lieues dedâs les terres, & déſcend de deſſus
vne coſte qui a prés de 25. thoiſes de haut, au
deſſus de laquelle la terre eſt vnie & plaiſante à
voir, bien que dans le pays on voye de hautes
montaignes, qui paroiſſent de 15. à 20. lieues.

*ARRIVEE A QVEBECQ, OV NOVS FISMES NOS
logemens, ſa ſituation. Conſpiration contre le ſeruice du Roy,& ma vie, par
aucuns de nos gens. La punition qui en fut faite, & tout ce qui ce paſſa en
cet affaire.*

CHAP. III

DE l'iſle d'Orleans iuſques à Quebecq, y a
vne lieue,& y arriuay le 3. Iuillet:où eſtât,
ie cherchay lieu propre pour noſtre habitatió,

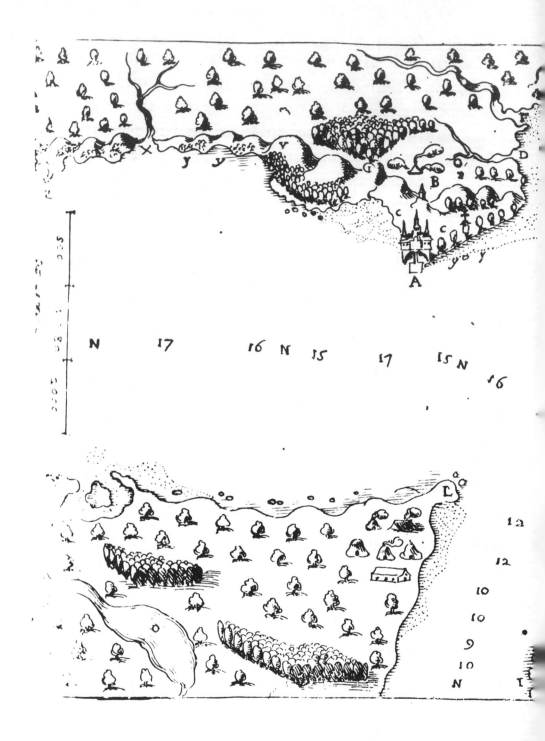

mais ie n'en peu trouuer de plus commode, n'y mieux situé que la pointe de Quebecq, ainsi appellé des sauuages, laquelle estoit remplie de noyers. Aussitost i'employay vne partie de nos ouuriers à les abbatre pour y faire nostre habitation, l'autre à scier des aix, l'autre fouiller la caue & faire des fossez : & l'autre à aller querir nos commoditez à Tadoussac auec la barque. La premiere chose que nous fismes fut le magazin pour mettre nos viures à couuert, qui fut promptemét fait par la diligence d'vn chacun, & le soin que i'en eu.

Les chifres montrent les brasses d'eau.

A Le lieu ou l'habitation est bastie.

B Terre deffrichee où l'on seme du bled & autres grains

C Les iardinages.

D Petit ruisseau qui vient de dedans des marescages.

E Riuiere ou hyuerna Iaques Quattier, qui de son téps la nomma saincte Croix, que l'on a transferé à 15. lieues audessus de Quebec.

F Ruisseau des marais.

G Le lieu ou l'on amassoit les herbages pour le bestail que l'on y auoit mené.

H Le grand saut de Montmorency qui descent de plus de 25. brasses de haut dans la riuiere.

I Bout de l'isle d'Or'ans.

L Pointe fort estroite du costé de l'orient de Quebecq.

M Riuiere bruyante, qui va aux Etechemains

N La gráde riuiere S Laurens

O Lac de la riuiere bruyante.

P Montaignes qui sont dans les terres, baye que i'ay nómé la nouuelle Bisquaye.

Q Lac du grád saut de Montmorency.

R Ruisseau de Iours.

S Ruisseau du Gendre.

T Prairie qui sont inondees des eaux a toutes les marees

V Mont du Gas fort haut, sur le bort de la riuiere.

X Ruisseau courant, propre à faire toutes sortes de moulins.

Y Coste de grauier, où il se trouue quantité de diamants vn peu mellieurs que ceux d'Alanson.

Z La pointe aux diamants

9 Lieux où souuent cabanent les sauuages.

Quel-

Quelques iours aprés que ie fus audit Quebecq, il y eut vn ferrurier qui confpira contre
le feruice du Roy; qui eſtoit m'ayant fait
mourir, & s'eſtant rendu maiſtre de noſtre
fort, le mettre entre les mains des Baſques
ou Eſpagnols, qui eſtoient pour lors à Tadouſ-
fac, où vaiſſeaux ne peuuent paſſer plus outre
pour n'auoir la cognoiſſance du paſſage ny des
bancs & rochers qu'il y a en chemin.

Pour executer ſon mal'heureux deſſin, ſur
l'eſperance d'ainſi faire ſa fortune, il ſuborna
quatre de ceux qu'il croyoit eſtre des plus
mauuais garçons, leur faiſant entendre mille
faulcetez & eſperances d'acquerir du bien.

Aprés que ces quatre hommes furent gai-
gnez, ils promirét chacun de faire en ſorte que
d'attirer le reſte à leur deuotió;& que pour lors
ie n'auois perſonne auec moy en qui i'euſſe fiá-
ce: ce qui leur dónoit encore plus d'eſperance
de faire reuſſir leur deſſin : d'autant que quatre ou cinq de mes compagnons, en qui ils ſçauoient que ie me fiois, eſtoient dedans les barques pour auoir eſgard à conſeruer les viures
& commoditez qui nous eſtoient neceſſaires
pour noſtre habitation.

Enfin ils ſceurét ſi bié faire leurs menees auec
ceux qui reſtoient, qu'ils deuoient les attirer
tous à leur deuotion, & meſme mon laquay,

Z

leur promettant beaucoup de chofes qu'ils n'euſſent ſceu accomplir.

Eſtant donc tous d'accord, ils eſtoient de iour en autre en diuerſes reſolutions comment ils me feroient mourir, pour n'en pouuoir eſtre accuſez, ce qu'ils tenoient difficile: mais le Diable leur bandant à tous les yeux: & leur oſtant la raiſon & toute la difficulté qu'ils pouuoient auoir, ils arreſterent de me prendre à deſpourueu d'armes, & m'eſtouffer, ou donner la nuit vne fauce alarme, & comme ie ſortirois tirer ſur moy, & que par ce moyen ils auroient pluſtoſt fait qu'autrement : tous promirent les vns aux autres de ne ſe deſcouurir, ſur peine que le premier qui en ouuriroit la bouche, ſeroit poignardé : & dás quatre iours ils deuoiét executer leur entrepriſe, deuant que nos barques fuſſent arriuees : car autrement ils n'euſſent peu venir à bout de leur deſſin.

Ce meſme iour arriua l'vne de nos barques, où eſtoit noſtre pilotte appelé le Capitaine Teſtu, homme fort diſcret. Aprés que la barque fut deſchargés & preſte à s'en retourner à Tadouſſac, il vint à luy vn ſerrurier appelé Natel, compagnon de Iean du Val chef de la traiſon, qui luy dit, qu'il auoit promis aux autres de faire tout ainſi qu'eux : mais qu'en effect il n'en deſiroit l'executiõ, & qu'il n'oſoit

s'en declarer, & ce qui l'en auoit empesché,
estoit la crainte qu'il auoit qu'ils ne le poignar-
dassent.

Aprés qu'Antoine Natel eust fait promettre audit pilotte de ne rien declarer de ce
qu'il diroit, d'autant que si ses compagnons le
descouuroiët, ils le feroient mourir. Le pilotte
l'asseura de toutes choses, & qu'il luy declarast
le fait de l'entreprinse qu'ils desiroient faire: ce
que Natel fit tout au long: lequel pilotte luy
dist, Mon amy vous auez bié fait de descouurir
vn dessin si pernicieux, & montrez que vous
estes homme de bien, & conduit du S. Esprit.
mais ces choses ne peuuent passer sans que le
sieur de Champlain le scache pour y remedier,
& vous promets de faire tant enuers luy,
qu'il vous pardonnera & à d'autres: & de ce
pas, dit le pilotte, ie le vays trouuer sans faire
semblant de rien, & vous, allez faire vostre
besoigne, & entendez tousiours ce qu'ils di-
ront, & ne vous souciez du reste.

Aussitost le pilotte me vint trouuer en vn
iardin que ie faisois accommoder, & me dit
qu'il desiroit parler à moy en lieu secret, où il
n'y eust que nous deux. Ie luy dis que ie le voulois bien. Nous allasmes dans le bois, où il me
conta toute l'affaire. Ie luy demanday qui luy
auoit dit. Il me pria de pardonner à celuy qui

Z ij

luy auoit declaré: ce que ie luy accorday bien
qu'il deuoit s'adreſſer à moy; Il craignoit, dit il,
qu'euſſiez entré en cholere, & que l'euſſiez of-
fencé. Ie luy dis que ie ſçauois mieux me gouuerner que cela en telles affaires , & qu'il le fit
venir, pour l'oyr parler. Il y fut , & l'amena
tout tremblant de crainte qu'il auoit que luy
fiſſe quelque deſplaiſir. Ie l'aſſeuray, & luy dy
qu'il n'euſt point de peur, & qu'il eſtoit en lieu
de ſeureté, & que ie luy pardonnois tout ce
qu'il auoit fait auec les autres, pourueu qu'il
diſt entierement la verité de toutes choſes, &
le ſubiet qui les y auoit meuz, Rié, dit il, ſinon
que ils s'eſtoient imaginez que rendât la place
entre les mains des Baſques ou Eſpaignols, ils
ſeroient tous riches, & qu'ils ne deſiroient plus
aller en France ; & me conta le ſurplus de leur
entreprinſe.

Aprés l'auoir entendu & interrogé, ie luy
dis qu'il s'en allaſt à ſes affaires: Cependant ie
commanday au pilotte qu'il fiſt approcher ſa
chalouppe: ce qu'il fit ; & aprés donnay deux
bouteilles de vin àvn ieune hôme, & qu'il dit à
ces quatre galants principaux de l'entreprinſe, que c'eſtoit du vin de preſent que ſes amis
de Tadouſſac luy auoient dôné, & qu'il leur en
vouloit faire part: ce qu'ils ne refuſerent, & furent ſur le ſoir en la Barque , où il leur de-

uoit donner la collation:ie ne tarday pas beaucoup aprés à y aller, & les fis prendre & arrester
attendant le lendemain.

Voyla donc mes galants bien estonnez.
Aussitost ie fis leuer vn chacun (car c'estoit sur
les dix heures du soir) & leur pardónay à tous,
pourueu qu'ils me disent la verité de tout ce
qui c'estoit passé, ce qu'ils firent, & aprés les fis
retirer.

Le lendemain ie prins toutes leurs deposi-
tions les vnes aprés les autres deuant le pilotte
& les mariniers du vaisseau, lesquelles ie fis
coucher par escript, & furent fort aises à ce
qu'ils dirent, d'autant qu'ils ne viuoient qu'en
crainte, pour la peur qu'ils auoient les vns des
autres, & principalemét de ces quatre coquins
qui les auoient ceduits; & depuis vesquirent en
en paix, se contentans du traictement qu'ils
auoient receu, comme ils deposerent.

Ce iour fis faire six paires de menottes pour
les autheurs de la ceditió, vne pour nostre Chirurgien appelé Bonnerme, vne pour vn autre
appelé la Taille que les quatre ceditieux auoiét
chargez, ce qui se trouua neantmoins faux, qui
fut occasion de leur donner liberté.

Ces choses estans faites, i'emmenay mes galants à Tadoussac, & priay le Pót de me faire ce
bien de les garder, d'autant que ie n'auois en-

Z iij

cores lieu de feureté pour les mettre,& qu'e-
ftiós empefchez à edifier nos logemés,& auffi
pour prendre refolution de luy & d'autres du
vaiffeau,de ce qu'aurions àfaire là deffus.Nous
aduifames qu'aprés qu'il auroit fait fes affaires
à Tadouffac , il s'en viendroit à Quebecq auec
les prifonniers,où les ferions confronter deuát
leurs tefmoins : & aprés les auoir ouis,ordon-
ner que la iuftice en fut faite feló le delictqu'ils
auroient commis.

Ie m'en retournay le lendemain à Quebecq
pour faire diligence de paracheuer noftre magazin,pour retirer nos viures qui auoient efté
abandonnez de tous ces beliftres, qui n'efpar-
gnoiét rien, fans cófiderer où ils en pourroiét
trouuer d'autres quand ceux là manqueroiét:
car ie n'y pouuois donner remede que le magazin ne fut fait & fermé.

Le Pont-graué arriua quelque temps aprés
moy, auec les prifonniers, ce qui apporta du
mefcontentement aux ouuriers qui reftoient,
craignant que ie leur euffe pardonné, & qu'ils
n'vfaffent de vengeance enuers eux, pour
auoir declaré leur mauuais deffin.

Nous les fifmes confronter les vns aux autres, où ils leur maintindrent tout ce qu'ils
auoient declaré dans leurs depofitions, fans
que les prifonniers leur deniaffent le contrai-

re , s'accufans d'auoir mefchament fait, & merité punitió,fi on n'vfoit de mifericorde en-uers eux, en maudiffant Iean duVal, comme le premier qui les auoit induits à telle trahifon, dés qu'ils partirent de France. Ledit du Val ne fceut que dire,finó qu'il meritoit la mort,& que tout le contenu és informations eftoit veritable, & qu'on euft pitié de luy, & des au-tres qui auoient adheré à fes pernicieufes vol-lontez.

Aprés que le Pont & moy, auec le Capitaine du vaiffeau, le Chirurgié,maiftre, contre mai-ftre, & autres mariniers eufmes ouy leurs de-pofitions & confrontations, Nous aduifames que fe feroit affez de faire mourir ledit du Val, comme le motif de l'entreprinfe, & auffi pour feruir d'exemple à ceux qui reftoient,de fe có-porter fagement à l'aduenir en leur deuoir, & afin que les Efpagnols & Bafques qui eftoient en quantité au pays n'en fiffent trophee:& les trois autres condamnez d'eftre pendus, & ce-pendant les rémener en Fráce entre les mains du fieur de Mons,pour leur eftre fait plus am-ple iuftice,felon qu'il aduiferoit,auec toutes les informations , & la fentence, tant dudict Iean du Val qui fut pendu & eftranglé audit Quebecq,& fa tefte mife au bout d'vne pique pour eftre plantee au lieu le plus eminent de noſtre fort & les autres trois renuoyez en France.

RETOVR DV PONT-GRAVE EN FRANCE. DE-
ſcriptiõ de noſtre logemẽt & du lieu où ſeiourna Iaques Quartier en l'an 1535.

CHAP. IV.

APrés que toutes ces choſes furent paſſees le Pont partit de Quebecq le 18. Septembre pour s'en retourner enFrance auec les trois priſonniers. Depuis qu'ils furent hors tout le reſte ſe comporta ſagement en ſon deuoir.

Ie fis continuer noſtre logement, qui eſtoit de trois corps de logis à deux eſtages. Chacun contenoit trois thoiſes de long & deux & demie de large. Le magazin ſix & trois de large, auec vne belle caue de ſix pieds de haut. Tout autour de nos logemens ie fis faire vne galerie par dehors au ſecõd eſtage, qui eſtoit fort commode, auec des foſſés de 15. pieds de large & ſix de profond: & au dehors des foſſés, ie fis pluſieurs pointes d'eſperons qui enfermoient vne partie du logement, là où nous miſmes nos pieces de canon: & deuant le baſtiment y a vne place de quatre thoiſes de large, & ſix ou ſept de lõg, qui dõne ſur le bort de la riuiere. Autour du logement y a des iardins qui ſont tres-bons, & vne place du coſté de Septemptrion qui a quelque cent ou ſix vingts pas de long, 50. ou

60. de

60. de large. Plus proche dudit Quebecq, y
a vne petite riuiere qui vient dedans les terres
d'vn lac diftant de noftre habitation de fix à
fept lieues. Ie tiens que dans cefte riuiere qui
eft au Nort & vn quart du Noroueft de noftre
habitation, ce fut le lieu où Iaques Quartier
yuerna, d'autant qu'il y a encores à vne lieue
dans la riuiere des veftiges côme d'vne chemi-
nee, dont on à trouué le fondement, & apparence d'y auoir eu des foffez autour de leur logement, qui eftoit petit. Nous trouuafmes
auffi de grâdes piecesde boisefcarrees, vermou-
lues, & quelques 3. ou 4. balles de canon. Toutes ces chofes monftrent euidemment que c'à
efté vne habitation, laquelle a efté fondee par
des Chreftiens: & ce qui me fait dire & croire
que c'eft Iaques Quartier, c'eft qu'il ne fe trouue point qu'aucun aye yuerné ny bafty en ces
lieux que ledit IaquesQuartier au temps de fes
defcouuertures, & failloit, à mon iugemét, que
ce lieu s'appelaft fainte Croix, comme il l'auoit
nommé, que l'on a transferé depuis à vn autre
lieu qui eft 15. lieues de noftre habitatió à l'Oueft, & n'y a pas d'apparence qu'il euft yuerné
en ce lieu que maintenant on appelle fainéte
Croix, n'y en d'autres: d'autant qu'en ce chemin il n'y a riuiere ny autres lieux capables
de tenir vaiffeaux, fi ce n'eft la grande riuiere

A a

ou celle dont i'ay parlé cy deſſus, où de baſſe
mer y a demie braſſe d'eau, force rochers &
vn bauc à ſon entree:Car de tenir des vaiſſeaux
dans la grande riuiere, où il y a de grands cou-
rans, marees & glaces qui charient en hyuer,
ils courroient riſque de ſe perdre, auſſi qu'il y a
vne pointe de ſable qui aduance ſur la riuiere,
qui eſt remplie de rochers, parmy leſquels
nous auons trouuué depuis trois ansvn paſſage
qui n'auoit point encore eſté deſcouuert : mais
pour le paſſer il faut bien prendre ſon temps, à
cauſe des pointes& dangers qui y ſont. Ce lieu
eſt à deſcouuert des vét,deNoroueſt&, la riuiere y court cóme ſi c'eſtoitvn ſaut d'eau,&y pert
de deux braſſes & demye. Il ne s'y voit aucune
apparence de baſtimens, n'y qu'vn homme de
iugement vouluſt s'eſtablir en c'eſt endroit, y
en ayant beaucoup d'autres meilleurs quand
on ſeroit forcé de demeurer. I'ay bien voulu
traiĉter de cecy, d'autant qu'il y en a beaucoup
qui croyent que ce lieu fuſt la reſidence dudit
Iaques Quartier: ce que ie ne croy pas pour les
raiſós cy deſſus: car ledit Quartier en euſt auſſi
bien fait le diſcours pour le laiſſer à la poſterité
comme il l'a fait de tout ce qu'il a veu & deſcouuert : & ſouſtiens que mon dire eſt veritable : ce qui ce peut prouuer par l'hiſtoire
qu'il en a eſcrite.

A Le magazin.

B Colombier.

C Corps de logis où font nos armes, & pour loger les ouuriers.

D Autre corps de logis pour les ouuriers.

E Cadran.

F Autre corps de logis où est la forge, & artisans logés

G Galleries tout au tour des logemens.

H Logis du sieur de Champlain.

I La porte de l'habitation, où il y a Pont-leuis

L Promenoir autour de l'habitation contenant 10. pieds de large iusques sur le bort du fossé.

M Fossés tout autour de l'habitation.

N Plattes formes, en façon de tenailles pour mettre le canon.

O Iardin du sieur de Champlain.

P La cuisine.

Q Place deuant l'habitation sur le bort de la riuiere.

R La grande riuiere de sainct Lorens.

Et pour môſtrer encore que ce lieu que main-
tenât on appelle ſaincte Croix n'eſt le lieu où
yuerna Iaques Quartier, côme la pluſpart eſti-
ment, voicy ce qu'il en dit en ſes deſcouuertures, extrait deſon hiſtoire, aſſauoir, Qu'il arriua
à l'iſle aux Coudres le 5. Decembre en l'an 1535.
qu'il appella de ce nom pour y en auoir, auquel
lieu y a grand courant de maree, & dit qu'elle
contient 3. lieues de long, mais quand on con-
tera lieue & demie c'eſt beaucoup.

Et le 7. du mois iour de noſtre dame, il partit
d'icelle pour aller à mont le fleuue, où il vit 14.
iſles diſtantes de l'iſle aux Coudres de 7. a 8.
lieues du Su. En ce côpte il s'eſgare vn peu, car
il n'y en a pas plus de trois: & dit que le lieu où
ſont les iſles ſuſd. eſt le commencement de la
terre ou prouince de Canada, & qu'il arriua
à vne iſle de 10. lieues de long & cinq de large,
où il ſe fait grande peſcherie de poiſſon, com-
mede fait elle eſt fort abondante, principalement en Eſturgeon : mais de ce qui eſt de ſa
longueur elle n'a pas plus de ſix lieues & deux
de large, choſe maintenant aſſez cogneue. Il dit
auſſi qu'il mouilla l'ancre entre icelle iſle & la
terre du Nort, qui eſt le plus petit paſſage & dã-
gereux, & là mit deux ſauuages à terre qu'il
auoit amenez en Frãce, & qu'aprés auoir arreſté en ce lieu quelque tẽps auec les peuples du

pays il fit admener ſes barques,& paſſa outre à
môt led.fleuue auec le flot pour cercher haure
& lieu de ſeureté pour mettre les nauires, &
qu'ils furét outre le fleuue coſtoyant ladite iſle
contenât 10. lieues, côme il met, où au bout ils
trouuerent vn affour d'eau fort beau & plaiſant, auquel y a vne petite riuiere & haure
de barre, qu'ils trouuerent fort propre pour
mettre leurs vaiſſeaux à couuert, & le nom-
merent ſainᶜte Croix, pour y eſtre arriuez ce
iour là lequel lieu s'appeloit au téps,& voyage
dudit Quartier Stadaca, que maintenant nous
appelons Quebecq , & qu'aprés qu'il euſt
recogneu ce lieu, il retourna querir ſes vaiſſeaux pour y yuerner.

Or eſt il donc à iuger que de l'iſle aux Coudres iuſques à l'iſle d'Orleans , il n'y a que 5.
lieues, au bout de laquelle vers l'Occidant la
riuiere eſt fort ſpacieuſe, & n'y a audit affour,
comme l'appelle Quartier, aucune riuiere que
celle qu'il nomma ſainᶜte Croix, diſtante de
l'iſle d'Orleans d'vne bonne lieue, où de baſſe
mer n'y a que demie braſſe d'eau,& eſt fort dá-
gereuſe en ſon entree pour vaiſſeaux, y ayant
quantité d'eſprons , qui ſont rochers eſpars par
cy par la, & faut balliſſer pour entrer dedás, où
de plaine mer, comme i'ay dict, il y a 3. braſſes
d'eau,& aux grandes marees 4.braſſes, & 4. &

A a iij

demie ordinairement à plain flot, & n'eſt qu'a
1500.pas de noſtre habitatió,qui eſt plusà mont
dás ladite riuiere, & n'y a autre riuiere,comme
i'ay dit, depuis le lieu que maintenant on
appelle ſainĉte Croix, où on puiſſe mettre aucuns vaiſſeaux : Ce ne ſont que de petits ruiſſeaux. Les coſtes ſont plattes & dangereuſes,
dont Quartier ne fait aucune mentió que iuſques à ce qu'il partit du lieu de ſainĉte Croix
appelé maintenant Quebecq, où il laiſſa ſes
vaiſſeaux,&y fit edifier ſon habitation comme
on peut voir ainſi qu'il s'enſuit.

Le 19. Septembre il partit de ſainĉte Croix
où eſtoient ſes vaiſſeaux,& fit voile pour aller
auec la maree à mont ledit fleuue qu'ils trou-
uerét fort aggreable, tant pour les bois, vignes
&habitatiós qu'il y auoit de ſon téps,qu'autres
choſes : & furét poſer l'âcre à vingt cinq lieues
de l'entree de la terre deCanada,qui eſtau bout
de l'iſle d'Orleans du coſté de l'oriant ainſi
appelee par ledit Quartier. Ce qu'on appelé
auiourd'huyS.Croix s'appeloit lors Achelacy,
deſtroit de la riuiere,fort courát & dangereux,
tát pour les rochers qu'autres choſes, & ou on
ne peut paſſer que de flot,diſtát deQuebecq &
de la riuiere ou yuerna led. Quartier 15. lieues.

Or en toute ceſte riuiere n'y à deſtroit depuis
Quebecq iuſques au grand ſaut, qu'en ce lieu

que maintenant on appelle fainɕte Croix, où
on a transferé ce nom d'vn lieu à vn autre qui
eſt fort dangereux, comme i'ay deſcript:& ap-
pert fort clairement par ſon diſcours, que ce
n'eſt point le lieu de ſon habitation,comme dit
eſt,& que ce fut proche deQuebecq, & qu'aucun n'auoit encore recerché ceſte particulari-
té, ſinon ce que i'ay fait en mes voyages : Car
dés la premiere fois qu'on me dit qu'il auoit
habité en ce lieu,cela m'eſtonna fort,ne voyãt
apparence de riuiere pour mettre vaiſſeaux,
comme il deſcrit . Ce fut ce qui m'en fit faire
exaɕte recerche pour en leuer le ſoubçon &
doubte à beaucoup.

Pendant que les Charpentiers, ſcieurs d'aix
& autres ouuriers trauailloient à noſtre logement,ie fis mettre tout le reſte à deffricher au
tour de l'habitatiõ, afin de faire des iardinages
pour y ſemer des grains & grennes pour voir
comme le tout ſuccederoit, d'autant que la
terre parroiſſoit fort bonne.

Cependant quantité des ſauuages eſtoient
cabannés proche de nous, qui faiſoient peſche
d'anguilles qui cõmencent à venir comme au
15. de Septembre, & finit au 15. Oɕtobre. En ce
temps tous les ſauuages ſe nouriſſent de ceſte
manne,& en font ſecher pour l'yuer iuſques au
mois de Feurier, que les neiges ſont grandes

comme de 2. pieds & demy, & 3. pieds pour
le plus, qui eſt le temps que quád leurs anguilles & autres choſes qu'ils font checher, ſont ac-
cómodees, ils vót chaſſer aux Caſtors, où ils sót
iuſques au cómencemét de Ianuier. Cóme ils y
furent, ils nous laiſſerent en garde toutes leurs
anguilles &autres choſes iuſques à leur retour,
qui fut au 15. Decembre, & ne firent pas grand
chaſſe de Caſtors pour les eaux eſtre trop grádes, & les riuieres deſbordees, ainſi qu'ils nous
dirent. Ie leur rendis toutes leurs vituailles
qui ne leur durerent que iuſques au 20. de
Ianuier. Quand leurs anguilles leur faillent ils
ont recours à chaſſer aux Eſlás & autres beſtes
ſauuages, qu'ils peuuent trouuer en attendant
le printéps, où i'eu moyen de les entretenir de
pluſieurs choſes. Ie conſideray fort particulierement leur couſtumes.

　　Tous ces peuples patiſſent tant, que quelquesfois ils ſont contrain⓬s de viure de certains coquillages, & manger leur chiens &
peaux dequoy ils ſe couurent contre le froid.
Ie tiens que qui leur móſtreroit à viure & leur
enſeigneroit, le labourage des terres & autres
choſes, ils apprendroient fort bien : car il s'en
trouue aſſez qui ont bon iugement & reſpon-
dent à propos ſur ce qu'on leur demande. Ils
ont vne meſchanceté en eux, qui eſt d'vſer de
ven-

végeance, & d'eftre gráds menteurs, gens aufquels il ne fe faut par trop affeurer, finon auec
raifon,& la force en la main. Ils promettent affez, mais ils tiennent peu. Ce font gens dont la
plufpart n'ont point de loy, felon que i'ay peu
voir, auec tout plain d'autres fauces croyances.
Ie leur demanday de quelle forte de ceremonies ils vfoient à prier leur Dieu , ils me dirent qu'ils n'en vfoient point d'autres, finon
qu'vn chacun le prioit en fon cœur, comme il
vouloit. Voila pourquoy il n'y a aucune loy
parmy eux, & ne fçauent que c'eft d'adorer &
prier Dieu, viuás cóme beftes bruttes & croy,
que bien toft ils feroient reduits bons Chreftiens fi on habitoit leur terre , ce qu'ils de-
firent la plufpart. Ils ont parmy eux quelques
fauuages qu'ils appelét Pillotois, qu'ils croient
parler au Diable vifiblement , leur difant ce
qu'il faut qu'ils facent, tant pour la guerre que
pour autres chofes , & s'ils leur commandoit qu'ils allaffent mettre en execution quelque entreprinfe, ils obeiroient auffitoft à fon
commandemét: Comme auffi ils croyent que
tous les fonges qu'ils font , font veritables : &
de fait, il y en a beaucoup qui difent auoir veu
& fongé chofes qui aduiennent ou aduien-
dront. Mais pour en parler auec verité, ce font
vifiós Diabolique qui les trópe & feduit. Voi-

la tout ce que i'ay peu apprendre de leur croyance beſtialle. Tous ces peuples ſont gens
bien proportionnez de leurs corps, ſans diffor-
mité, & ſont diſpos. Les femmes ſont auſſi bié
formees, potelees & de couleur bazannee, à
cauſe de certaines peintures dont elles ſe
frotét, qui les fait demeurer oliuaſtres. Ils ſont
habillez de peaux: vne partie de leur corps eſt
couuerte & l'autre partie deſcouuerte: mais
l'yuer ils remedient à tout: car ils ſont habillez
de bonnes fourrures, comme de peaux d'Eſlan,
L'ouſtres, Caſtors, Ours, Loups marins , Cerfs
& Biches qu'ils ont en quátité. L'yuer quand
les neges ſont grádes ils font vne maniere de
raquettes qui ſont grandes deux ou trois fois
plus que celles de Fráce, qu'ils attachent à leurs
pieds; & vont ainſi dans les neges , ſans enfoncer: car autrement ils ne pourroient chaſſer n'y
aller en beaucoup de lieux. Ils ont auſſi vne façon de mariage, qui eſt, Que quand vne fille eſt
en l'aage de 14. ou 15. ans, & qu'elle a pluſieurs
ſeruiteurs elle a cópagnie auec tous ceux que
bon luy ſemble : puis au bout de 5. ou 6. ans
elle prend lequel il luy plaiſt pour ſon mary,
& viuent enſemble iuſques à la fin de leur vie:
ſinon qu'apés auoir demeure quelque téps enſemble, & elles n'ont point enfans, l'homme ſe
peut deſmarier & prédre vne autre féme, diſát

que la ſiéne ne vaut rien: Par ainſi les filles ſont
plus libres que les femmes.

Depuis qu'elles ſont mariés , elles ſont
chaſtes, & leurs maris ſont la pluſpart ialoux,
leſquels donnent des preſens aux peres ou parens des filles qu'ils ont eſpouſez. Voila les ceremonies & façós dont ils vſent en leursmaria-
ges. Pour ce qui eſt de leurs enterremés: Quád
vn homme,ou vne femme meurt, ils font vne
foſſe, où ils mettent tout le bien qu'ils ont ,
comme chaudieres fourrures , haches, arcs,
fleches, robbes & autres choſes: puis ils mettent le corps dans la foſſe & le couurent de
terre, & mettent quantité de groſſes pieces
de bois deſſus, & vne autre debout, qu'ils peindent de rouge par enhaut. Ils croyent l'immortalité des ames, & diſent qu'ils vont ſe
reiouir en d'autres pays , auec leurs parens
& amis qui ſont morts. Si ce ſont Capitaines
ou autres ayans quelque creance, ils vont
aprés leur mort, trois fois l'ánee faire vn feſtin,
chantans & dançans ſur leur foſſe.

Tout le temps qu'ils furent auec nous, qui
eſtoit le lieu de plus de ſeureté pour eux, ils
ne laiſſoient d'aprehender tellement leurs ennemis, qu'ils prenoient ſouuent des alarmes
la nuit en ſongeant , & enuoyoient leurs
femmes & enfans à noſtre fort, où ie leur

faifois ouurir les portes, & les hómes demeurer
autour dudict fort, fans permettre qu'ils ent-
traffent dedans, car ils eftoient autant en feureté de leurs perfonnes comme s'ils y euffent
efté, & faifois fortir cinq ou fix de nos compagnons pour leur donner courage, & aller
defcouurir parmy les bois s'ils verroient rien
pour les contenter. Ils font fort craintifs &
aprehendent infinement leurs ennemis, & ne
dorment prefque point en repos en quelquo
lieu qu'ils foiét, bié que ie les affeuraffe tous les
iours de ce qu'il m'eftoit poffible, en leur remó-
ftrant de faire comme nous, fçauoir veiller vne
partie, tádis que les autres dormiront, & chacũ
auoir fes armes preftes comme celuy qui fait le
guet, & ne tenir les fóges pour verité, furquoy
ils fe repofent : d'autant que la plufpart ne font
que méteries, auec autres propos fur ce fubiect:
mais peu leur feruoiét ces remonftrances, & difoiét que nous fçauions mieux nous garder do
toutes chofes qu'eux, & qu'auec le temps fi
nous habitions leur pays, ils le pourroient apprendre.

SEMENCES ET VIGNES PLANTEES A QVEBECQ.
Commencement de l'hiuer & des glaces. Extresme necessité de certains
sauuages.

CHAP. V.

LE premier Octobre, ie fis semer du bled,
& au 15. du seigle.

Le 3. du mois il fit quelque gelees blanches,
& les feuilles des arbres commencent à tomber au 15.

Le 24. du mois, ie fis planter des vignes du
pays, qui vindrent fort belles: Mais aprés que
ie fus party de l'habitation pour venir en France, on les gasta toutes, sans en auoir eu soing,
qui m'affligea beaucoup à mon retour.

Le 18. de Nouembre tomba quantité de neges, mais elles ne durerent que deux iours sur
la terre, & fit en ce temps vn grand coup de
vent. Il mourut en ce mois vn matelot & nostre serrurier, de la dissenterie, comme firent
plusieurs sauuages à force de manger des anguilles malcuites, selon mon aduis.

Le 5. Feurier il negea fort, & fit vn grand
vent qui dura deux iours.

Le 20. du mois il apparut à nous quelques
sauuages qui estoient de dela la riuiere, qui
crioyent que nous les allassions secourir, mais
il estoit hors de nostre puissance, à cause de la

Bb iij

riuiere qui charioit vn grand nombre de glaces, car la faim preſſoit ſi fort ces pauures miſerables, que ne ſçachans que faire, ils ſe reſolurent de mourir, hommes, femmes, & enfans,
où de paſſer la riuiere, pour l'eſperance qu'ils
auoient que ie les aſſiſterois en leur extreſme
neceſſité. Ayant donc prins ceſte reſolutiõ, les
hommes & les femmes prindrent leurs enfans,
& ſe mirent en leurs canaux, penſant gaigner
noſtre coſte par vne ouuerture de glaces que
le vent auoit faitte: mais ils ne furent ſitoſt au
milieu de la riuiere, que leurs canaux furent
prins & briſez entre les glaces en mille pieces.
Ils firent ſi bien qu'ils ſe ietterent auec leurs
enfans que les femmes portoient ſur leur dos,
deſſus vn grand glaçon. Comme ils eſtoient là
deſſus, on les entendoit crier, tant que c'eſtoit
grand pitié, n'eſperans pas moins que de mourir: Mais l'heur en voulut tant à ces pauures
miſerables, qu'vne grande glace vint choquer
par le coſté de celle où ils eſtoient, ſi rudement
qu'elle les ietta à terre. Eux voyant ce coup ſi
fauorable furent à terre auec autant de ioye
que iamais ils en receurent, quelque grande
famine qu'ils euſſét eu. Ils s'en vindrét à noſtre
habitatiõ ſi maigres & deffaits, qu'ils ſemblo-
yent des anathomies, la pluſpart ne pouuãs ſe
ſoubſtenir. Ie m'eſtonnay de les voir, & de la

façon qu'ils auoient paſſé, veu qu'ils eſtoient ſi
foibles & debilles. Ie leur fis donner du pain
& des feues. Ils n'eurent pas la patience qu'elles
fuſſent cuites pour les manger. Ie leur pretay
auſſi quelques eſcorces d'arbres, que d'autres
ſauuages m'auoient dōné pour couurir leurs
cabanes. Cōme ils ſe cabānoient, ils aduiſerēt
vne charōgue qu'il y auoit prés de deux mois
que i'auois fait ietter pour attirer des regnards,
dōt nous en preniōs de noirs & roux, comme
ceux de France, mais beaucoup plus chargez
de poil. Ceſte charongne eſtoit vne truye &
vn chien qui auoiēt enduré toutes les rigueurs
du temps chaut & froit. Quand le temps s'a-
doulciſſoit, elle puoit ſi fort que l'on ne pouuoit durer auprés: neantmoins ils ne laiſſerent de la prendre & emporter en leur cabann-
ne, où auſſitoſt ils la deuorerent à demy cuite,
& iamais viande ne leur ſembla de meilleur
gouſt l'enuoyay deux où trois hommes les aduertir qu'ils n'en mégeaſſent point s'ils ne vouloient mourir: comme ils approcherent de
leur cabanne, ils ſentirent vne telle puanteur
de ceſte charongne à demy eſchauffee, dont ils
auoient chacun vne piece en la main, qu'ils
pencerent rendre gorge, qui fit qu'ils n'y
arreſterent gueres. Ces pauures miſerables
acheuerent leur feſtin. Ie ne laiſſay pourtant

de les accommoder felon ma puiſſance, mais
c'eſtoit peu pour la quantité qu'ils eſtoient: &
dans vn mois ils euſſent bien mangé tous
nos viures, s'ils les euſſent eu en leur pouuoir,
tant ils ſont gloutons : Car quand ils en ont,
ils ne mettent rien en reſerue, & en font chere entiere iour & nuit, puis aprés ils meurent
de faim. Ils firent encore vne autre choſe
auſſi miſerable que la premiere. l'auois fait
mettre vne chienne au haut d'vn arbre,qui ſeruoit d'appas aux martres & oiſeaux de proye,
où ie prenois plaiſir, d'autant qu'ordinairement ceſte charongne en eſtoit aſſaillie : Ces
ſauuages furent à l'arbre & ne pouuãs monter
deſſus à cauſe de leur floibleſſe, ils l'abbatirent,
& auſſitoſt enleuerent le chien, où il n'y auoit
que la peau & les os,& la teſte puante & infai-
cte, qui fut incontinent deuoré.

Voila le plaiſir qu'ils ont le plus ſouuent en
yuer : Car en eſté ils ont aſſez de quoy ſe maintenir & faire des prouiſiõs,pour n'eſtre aſſaillis
de ces extreſmes neceſſitez, les riuieres ab-
bondantes en poiſſon& chaſſe d'oiſeaux & autres beſtes ſauuages. La terre eſt fort propre &
bonne au labourage, s'ils vouloient prendre la
peine d'y ſemer des bleds d'Inde, comme font
tous leurs voiſins Algommequins,Ochaſtai-
guins & Yroquois, qui ne ſont attaquez d'vn
ſi cruel

ſi cruel aſſaut de famine pour y ſçauoir remedier par le ſoin & preuoyance qu'ils ont, qui
fait qu'ils viuent heureuſement au pris de ces
Mõtaignets, Canadiés, & Souriquois qui ſont
le long des coſtes de la mer. Voila la pluſpart
de leur vie miſerable. Les neiges & les glaces
y ſont trois mois ſur la terre, qui eſt depuis le
mois de Ianuier iuſques vers le huictieſme d'A-
uril, qu'elles ſont preſque toutes fondues: Et au
plus à la fin dud. mois il ne s'é voit que raremét
au lieu de noſtre habitation. C'eſt choſe eſtrange, que tant de neges & glaces qu'il y a eſpoiſſes de deux à trois braſſes ſur la riuiere ſoiét
en moins de 12. iours toutes fondues. Depuis
Tadouſſac iuſques à Gaſpé, cap Breton, iſle de
terre neufue & grand baye, les glaces & neges
y ſont encores en la pluſpart des endroits iuſques à la fin de May: auquel temps toute l'entree de la grãde riuiere eſt ſeclee de glaces: mais
à Quebecq il n'y en a point : qui montre vne
eſtrange difference pour 120. lieues de chemin
en longitude : car l'entree de la riuiere eſt par
les 49. 50. & 51. degré de latitude, & noſtre habitation par les 46. & deux tiers.

Cc

MALADIES DE LA TERRE A QVEBECQ. LE
fuiect de l'yuernement. Defcription dudit lieu. Arriuee du fieur des Marais
gendre de Pont-graué, audit Quebecq.

CHAP. VI.

LEs maladies de la terre commencerent à
prédre fort tart, qui fut en Feurier iufqu'a
la my Auril. Il en fut frappé 18. & en mourut
dix ; & cinq autres de la difenterie. Ie fis faire
ouuerture de quelques vns, pour voir s'ils
eftoient offencez comme ceux que i'auois
veus és autres habitations: on trouua le mefme. Quelque temps aprés noftre Chirurgien
mourut. Tout cela nous donna beaucoup de
defplaifir, pour la peine que nous auions à pen-
fer les malades. Cy deffus i'ay defcript la forme
de ces maladies.

Or ie tiens qu'elles ne prouiennent que de
manger trop de falures & legumes, qui efchau-
fent le fang, & gaftent les parties interieures.
L'yuer auffi en eft en partie caufe, qui referre
re la chaleur naturelle qui caufe plus grande corruption de fang : Et auffi la terre quand
elle eft ouuerte il en fort de certaines vapeurs
qui y font enclofes lefquelles infectent l'air : ce
que l'on à veu par experience en ceux qui ont
efté aux autres habitations aprés la premiere
annee que le foleil eut donné fur ce qui eftoit

deferté, tát de noftre logemét qu'autres lieux,
où l'air y eftoit beaucoup meilleur & les maladies non fi afpres côme deuant. Pour ce qui eft
du pays, il eft beau & plaifant, & apporte
toutes fortes de grains & grennes à maturité,
y ayant de toutes les efpeces d'arbres que nous
auons en nos forefts par deça, & quantité de
fruits, bien qu'ils foient fauuages pour n'eftre
cultiuez: comme Noyers, Serifiers, Pruniers,
Vignes, Framboifes, Fraizes, Groifelles verdes
& rouges, & plufieurs autres petits frúits qui
y font affez bons. Auffi y a il plufieurs fortes de
bónes herbes & racines. La pefche de poiffon y
eft en abondáce dás les riuieres, où il y a quátité
de prairies & gibier, qui eft en nombre infiny.
Depuis le mois d'Auril iufques au 15. de Decembre l'air y eft fi fain & bó, qu'on ne fent en
foy aucune mauuaife difpofition: Mais Ianuier
Feürier & Mars font dangereux pour les maladies qui prennent pluftoft en ce temps qu'en
efté, pour les raifons cy deffus dittes: Car pour
le traitement, tous ceux qui eftoient auec moy
eftoient bien veftus, & couchez dans de bons
licts, & bien chauffez & nourris, s'entend des
viandes falees que nous auions, qui à mon op-
pinió les offenfoient beaucoup, côme i'ay dict
cy deffus: & à ce que i'ay veu, la maladie s'a-
tacque auffi bien à vn qui fe tient delicate-

ment, & qui aura bien soin de soy, comme à
celuy qui sera le plus miserable. Nous croyons
au commencement qu'il n'y eust que les
gens de trauail qui fussent prins de ces maladies: mais nous auons veu le contraire. Ceux
qui nauigét aux Indes Orientalles & plusieurs
autres regions, comme vers l'Allemaigne &
l'Anglet erre, en sont aussi bié frappez qu'en la
nouuelle France. Depuis quelque temps en ça
les Flamans en estans attacquez en leurs voyages des Indes, ont trouué vn remede fort singulier contre ceste maladie, qui nous pourroit
bien seruir: mais nous n'en auons point la cognoissance pour ne l'auoir recherché. Toutesfois ie tiens pour asseuré qu'ayant de bon pain
& viandes fraiches, qu'on n'y seroit point subiect.

Le 8. d'Auril les neges estoient toutes fondues, & neantmoins l'air estoit encores assez
froid iusques en Auril, que les arbres commencent à ietter leurs fueilles.

Quelques vns de ceux qui estoient malades
du mal de la terre, furét gueris venant le printemps, qui en est le temps de guerison. l'auois vn
sauuage du pays qui yuerna auec moy, qui fut
atteint de ce mal, pour auoir changé sa nourriture en salce, lequel en mourut: Ce qui montre euidemment que les saleures ne valent rien,

& y font du tout contraires.

Le 5. Iuin arriua vne chalouppe à noftre habitation, où eftoit le fieur des Marais, gendre du Pont-graué, qui nous aportoit nouuelles que fon beau pere eftoit arriué à Tadouffac le 28. de May. Cefte nouuelle m'apporta beaucoup de côtentement pour le foulagemét que nous en efperions auoir. Il ne reftoit plus que huit de 28. que nous eftions, encores la moitié de ce qui reftoit eftoit mal difpofee.

Le 7. de Iuin ie party de Quebecq, pour aller à Tadouffac communiquer quelques affaires, & priay le fieur des Marais de demeurer en ma place iufques à mon retour : ce qu'il fit.

Auffitoft que i'y fus arriué le Pont-graué & moy difcourufmes enfemble fur le fubiect de quelques defcouuertures que ie deuois faire dâs les terres, où les fauuages m'auoiét promis de nous guider. Nous refolufmes que i'y irois dans vne chalouppe auec vingt hommes, & que Pont-graué demeureroit à Tadouffac pour donner ordre aux affaires de noftre habitation, ainfi qu'il auoit efté refolu, il fut fait & y yuerna : d'autant que ie deuois m'en retourner France felon le commandement du fieur. de Mons, qui me l'auoit efcrit, pour le rendre certain des chofes que ie pouuois auoir faites, & des defcouuertures dudit pays. Aprés auoir

prins ceſte reſolution, ie party auſſitoſt de Tadouſſac,&m'en retournay àQuebecq,où ie fis
accommoder vne chalouppe de tout ce qui
eſtoit neceſſaire pour faire les deſcouuertures
du pays des Yroquois, où ie deuois aller auec
les Montagnets nos alliez.

PARTEMENT DE QVEBECQ IVSQVES A L'ISLE
ſainɛ̃te Eſloy, & de la rencontre que i'y fis des ſauuages Algomequins &
Ochataiguins.

CHAP. VII.

ET pour ceſt effeɛ̃t ie partis le 18. dudit mois,
où la riuiere commence à s'eſlargir, quelque fois d'vne lieue & lieue & demie en tels
endroits.Le pays va de plus en plus en embelli-
ſant.Ce ſont coſtaux en partie le long de la riuiere & terres vnies ſans rochers que fort
peu. Pour la riuiere elle eſt dägereuſe en beaucoup d'endroits, à cauſe des bancs & rochers
qui ſont dedäs, & n'y fait pas bon nauiger,ſi ce
n'eſt la ſonde à la main. La riuiere eſt fort abô-
däre en pluſieurs ſortes de poiſſon, tät de ceux
qu'auons pardeça, côme d'autres que n'auons
pas. Le pays eſt tout couuert de grandes &
hautes foreſts des meſmes ſortes qu'auons vers
noſtre habitation . Il y a auſſi pluſieurs vignes
& noyers qui ſont ſur le bort de la riuiere, &
quantité de petits ruiſſeaux & riuieres, qui ne

font nauigables qu'auec des canaux.Nous paffames proche de la pointe Ste Croix,où beaucoup tiennent (comme i'ay dit ailleurs) eftre
la demeure où yuerna Iacques Quartier.Cefte
pointe eft de fable, qui aduance quelque peu
dans la riuiere, à l'ouuert du Noroueft, qui bat
deffus. Il y a quelques prayries, mais elles font
innondees des eaues à toutes les fois que vient
la plaine mer,qui pert de prés de deux braffes
& demie. Ce paffage eft fort dágereux à paffer
pour quátité de rochers qui font au trauers de
la riuiere, bien qu'il y aye bon achenal, lequel
eft fort tortu,où la riuiere court comme vn ras,
& faut bien prendre le temps à propos pour le
paffer. Ce lieu a tenu beaucoup de gens en
erreur, qui croyoient ne le pouuoir paffer que
de plaine mer,pour n'y auoir aucun achenal:
maintenát nous auons trouué le contraire:car
pour defcendre du haut en bas, on le peut de
baffe-mer : mais de monter,il feroit mal-aifé, fi
ce n'eftoit auec vn grand vent, à caufe du grád
courant d'eau; & faut par neceffité attédre vn
tiers de flot pour le paffer , où il y a dedans
le courant 6. 8. 10. 12. 15. braffes d'eau en l'achenal.

Continuant noftre chemin, nous fufmes à
vne riuiere qui eft fort aggreable, diftante du
lieu de fainéte Croix,de neuf lieues,& de Que-

becq,24.& l'auons nómée la riuiere faincteMa-
rie.Toute ceste riuiere depuis saincteCroix est
fort plaisante & aggreable.

Continuát nostre routte,ie fis récótre de quelques deux ou trois cens sauuages , qui estoient
cabannez proches d'vne petite isle, appelee S.
Esloy,distant de S. Marie d'vne lieue & demie,
& là les fusmes recognoistre, & trouuasmes
que c'estoit des nations de sauuages appelez
Ochateguins & Algoumequins, qui venoient
à Quebecq, pour nous assister aux descouuertures du pays des Yroquois,contre lesquels
ils ont guerre mortelle, n'espargnant aucune
chose qui soit à eux.

Aprés les auoir recogneus , ie fus à terre
pour les voir, & m'enquis qui estoit leur chef:
Ils me dirent qu'il y en auoit deux, l'vn appelé
Yroquet & l'autre Ochasteguin qu'ils me
montrerent : & fus en leur cabanne, où ils
me firent bonne reception , selon leur coustume.

Ie commençay à leur faire entédre le subiet
de mon voyage,dont ils furét fort resiouis: &
aprés plusieurs discours ie me retiray: & quelque temps aprés ils vindrent à ma chalouppe,
où ils me firent present de quelque pelleterie,
en me monstrant plusieurs signes de resiouissance:& de là s'en retournerent à terre.

Le len-

Le lendemain les deux chefs s'en vindrent
me trouuer, où ils furent vne espace de temps
sans dire mot, en songeant & petunant tousiours. Aprés auoir bien pensé, ils commencerent à haranguer hautement à tous leurs compagnons, qui estoiët sur le bort du riuage auec
leurs armes en la main, escoutans fort ententi-
uement ce que leurs chefs leur disoient,
sçauoir.

Qu'il y auoit prés de dix lunes, ainsi qu'ils
comptét, quele fils d'Yroquet m'auoit veu, &
que ie luy auois fait bóne reception,& declaré
que le Pont & moy desirions les assister contre
leurs ennemis, auec lesquels ils auoient, dés
lógtemps, la guerre, pour beaucoup de cruau-
tés qu'ils auoient exercees contre leur natió,
soubs pretexte d'amitié : Et qu'ayát tousiours
depuis desiré la vengeance, ils auoient soli-
cité tous les sauuages que ie voyois sur le bort
de la riuiere, de venir à nous, pour faire alliáce
auec nous , & qu'ils n'auoient iamais veu de
Chrestiens, ce qui les auoit aussi meus de nous
venir voir:& que d'eux & de leurs compagnós
i'en ferois tout ainsi que ie voudrois; & qu'ils
n'auoient point d'enfans auec eux, mais gens
qui sçauoient faire la guerre,& plains de courage, sçachans le pays & les riuieres qui sont au
pays des Yroquois; & que maintenant ils me

Dd

prioyent de retourner en noſtre habitation,
pour voir nos maiſons, & que trois iours aprés
nous retournerions à la guerre tous enſemble;
& que pour ſigne de grande amitié & reſiouiſſance ie feiſſe tirer des mouſquets & arquebuſes, & qu'ils ſeroiét fort ſatisfaits:ce que
ie fis. Ils ietterent de grands cris auec eſton-
nement, & principalement ceux qui iamais
n'en auoient ouy n'y veus.

Aprés les auoir ouis,ie leur fis reſponce, Que
pour leur plaire, ie deſirois bien m'en retourner à noſtre habitation pour leur donner plus
de contentement, & qu'ils pouuoient iuger
que ie n'auois autre intention que d'aller faire
la guerre,ne portant auec nous que des armes,
& non des marchádiſes pour traicter,cóme on
leur auoit donné à entendre,& que mon deſir
n'eſtoit que d'accomplir ce que ie leur auois
promis : & ſi i'euſſe ſceu qu'on leur eut raporté
quelque choſe de mal, que ie tenois ceux là
pour ennemis plus que les leur meſme. Ils me
dirent qu'ils n'en croioyent rien,& que iamais
ils n'en auoient ouy parler,neantmoins c'eſtoit
le contraire:car il y auoit eu quelquesſauuages
qui le dirét aux noſtres : Ie me cótentay,atten-
dant l'occaſion de leur pouuoir montrer par
effect autre choſe qu'ils n'euſſent peu eſperer
de moy.

RETOVR A QVEBECQ, ET DEPVIS CONTINVA-
tion auec les sauuages iusques au saut de la riuiere des Yroquois.

CHAP. VIII.

LE lendemain nous partismes tous ensemble, pour aller à nostre habitation, où ils se
resiouirent quelques 5. ou 6. iours, qui se passe-
rent en dances & festins, pour le desir qu'ils
auoient que nous fussions à la guerre.

Le Pont vint aussitost de Tadoussac auec
deux petites barques plaines d'hommes, suiuant vne lettre où ie le priois de venir le plus
promptement qu'il luy seroit possible.

Les sauuages le voyant arriuer se resiouirent
encores plus que deuant, d'autant que ie leur
dis qu'il me donoit de ses gens pour les assister,
& que peut estre nous yrions ensemble.

Le 28. du mois nous esquipasmes des barques
pour assister ces sauuages : le Pont se mit dans
l'vne & moy dans l'autre, & partismes tous ensemble. Le premier Iuin arriuasmes à saincte
Croix, distat de Quebecq de 15. lieues, où estat,
nous aduisames ensemble, le Pont & moy,
que pour certaines consideratiós ie m'en yrois
auec les sauuages, & luy à nostre habitation &
à Tadoussac. La resolution estant prise, i'em-
barqué dans ma chalouppe tout ce qui estoit

neceſſaire auec neuf hommes, des Marais, & la
Routte noſtre pilotte , & moy.

Ie party de ſaincte Croix, le 3. de Iuin auec
tous les ſauuages , & paſſames par les trois
riuieres, qui eſt vn fort beau pays, remply de
quantité be beaux arbres. De ce lieu à ſaincte
Croix y a 15. lieues. A l'étree d'icelle riuiere y a
ſix iſles, trois deſquelles ſont fort petites, & les
autres de quelque 15. à 1600. pas de long, qui
ſont fort plaiſantes à voir. Et proches du lac
ſainct Pierre , faiſant quelque deux lieues dãs
la riuiere y a vn petit ſaut d'eau, qui n'eſt pas
beaucoup dificile à paſſer. Ce lieu eſt par la
hauteur de 46. degrez quelques minuttes
moins de latitude. Les ſauuages du pays nous
dóncrét à entédre, qu'à quelques iournees il y a
vn lac par où paſſe la riuiere, qui a dix iournees,
& puis on paſſe quelques ſauts, & aprés encore
trois ou quatre autres lacs de 5. où 6. iournees:
& eſtãs paruenus au bout, ils ſont 4. ou 5. lieues
par terre, & entrét de rechef dãs vn autre lac, où
le Sacqué prédla meilleure part deſa ſource. Les
ſauuages viénét dudit lac à Tadouſſac. Les trois
riuieres vont 40. iournees des ſauuages : & diſent qu'au bout d'icelle riuiere il y a des peuples
qui ſont grãds chaſſeurs, n'ayãs de demeure arreſtee, & qu'ils voyét la mer du Nort en moins
de ſix iournees. Ce peu de terre que i'ay veu eſt

fablonneufe, affez efleuee en coftaux, chargee de quantité de pins & fapins, fur le bort de la riuiere, mais entrant dans la terre quelque quart de lieue; les bois y font trefbeaux & clairs, & le pays vny.

Continuant noftre routte iufques à l'entree du lac fainctPierre, qui eftvn pays fort plaifant & vny, & trauerfant le lac à 2. 3. & 4. braffes d'eau, lequel peut contenir de long quelque 8. lieues, & de large 4. Du cofté du Nort nous vifmesvne riuiere qui eft fort aggreable, qui va dâs les terres quelques 20. lieues, & l'ay nômée fainĉteSuzâne:& du cofté du Sû, il y en a deux, l'vne appelee la riuiere du Pont, & l'autre de Gennes, qui font trefbelles & en beau & bon pays.L'eau eft prefque dormâte dans le lac, qui eft fort poiffonneux.Du cofté, du Nort il parroift des terres à quelque douze ou quinze lieues du lac, qui font vn peu môtueufes.L'ayât trauerfé, nous paffames par vn grand nombre d'ifles, qui font de plufieurs grandeurs, où il y a quantité de noyers & vignes, & de belles prayries auec force gibier & animaux fauuages, qui vôt de la grâd terre aufdites ifles. La pefcherie du poiffon y eft plus abondante qu'en aucun autre lieu de la riuiere qu'euffions veu. De ces ifles fufmes à l'entree de la riuiere desYroquois,où nous feiournafmes deux

Dd iij

iours & nous rafraichifmes de bonnes venai-
fons, oifeaux, & poiffons, que nous dónoiét les
fauuages, & où il s'efmeut entre eux quelque
different fur le fubiect de la guerre, qui fut occafion qu'il n'y en eut qu'vne partie qui fe refolurent de venir auec moy, & les autres s'en retournerét en leur pays auec leurs femmes &
marchandifes qu'ils auoient traictées.

Partant de cefte entree de riuiere (qui à
quelque 4. à 500. pas de large, & qui eft fort
belle, courant au Su) nous arriuafmes à vn
lieu qui eft par la hauteur de 45. degrez de
latitude à 22. où 23. lieues des trois riuieres. Toute cefte riuiere depuis fon entree iufques au
premier faut, où il y a 15. lieues, eft fort platte
& enuironnee de bois, comme font tous les
autres lieux cy deffus nommez, & des mefmes
efpeces. Il y a 9. ou 10. belles ifles iufques au
premier faut des Yroquois, lefquelles tiennét
quelque lieue, où lieue & demie, remplies de
quantité de chefnes & noyers. La riuiere tient
en des endroits prés de demie lieue de large,
qui eft fort poifonneufe. Nous ne trouuafmes
point moins de 4. pieds d'eau. L'entree du faut
eft vne maniere de lac, où l'eau defcend, qui
contient quelque trois lieues de circuit, & y a
quelques prairies où il n'y habite aucús fauuages, pour le fubiect des guerres. Il y a fort peu

d'eau au faut qui court d'vne grande viftesse,
& quantité de rochers & cailloux, qui font
que les fauuages ne les peuuent furmonter par
eau : mais au retour ils les defcendét fort bien.
Tout cedict pays eft fort vny , remply de forefts, vignes & noyers. AucunsChreftiens n'e-
ftoiét encores paruenus iufques en cedit lieu,
que nous, qui eufmes affez de peine à monter
la riuiere à la rame.

Auffitoft que nous fufmes arriuez au faut,
des Marais, la Routte & moy, & cinq hommes fufmes à terre, voir fi nous pourrions
paffer ce lieu , & fifmes quelque lieue & demie fans en voir aucune apparence, finon
vne eau courante d'vne grandiffime roideur, où d'vn cofté & d'autre y auoit quantité
de pierres, qui font fort dangereufes & auec
peu d'eau. Le faut peut contenir quelque 600.
pas de large. Et voyant qu'il eftoit impoffible
coupper les bois & fairevn chemin auec fi peu
d'hómes que i'auois, ie me refolus auec le confeil d'vn chacū, de faire autre chofe que ce que
nous nous eftiós promis, d'autát que les fauuages m'auoient affeuré que les chemins eftoient
aifez: mais nous trouuafmes le côtraire , cóme
i'ay dit cy deffus , qui fut l'occafion que nous
en retournafmes en noftre chalouppe, où i'a-
uois laiffé quelques hommes pour la garder

& donner à entendre aux ſauuages quand ils
ſeroient arriuez, que nous eſtions allez deſcouurir le long dudit ſaut.

Aprés auoir veu ce que deſirions de ce lieu,
en nous en retournant nous fiſmes rencontre
de quelques ſauuages, qui venoient pour deſcouurir comme nous auions fait, qui nous dirent que tous leurs compagnons eſtoient arriuez à noſtre chalouppe où nous les trouua-
uaſmes fort contans & ſatisfaits de ce que nous
allions de la façon ſans guide, ſinon que par le
raport de ce que pluſieurs fois ils nous auoient
fait.

Eſtant de retour, & voyant le peu d'apparence qu'il y auoit de paſſer le ſaut auec noſtre
chalouppe, cela m'affligea, & me donna beaucoup de deſplaiſir, de m'en retourner ſans voir
veu vn grandicime lac, réply de belles iſles, &
quantité de beau pays, qui borne le lac, où habitent leurs ennemis, comme ils me l'auoient
figuré. Aprés auoir bien penſé en moy meſme,
ie me reſolus d'y aller pour accomplir ma promeſſe, & le deſir que i'auois: & m'embarquay
auec les ſauuages dans leurs canots, & prins
auec moy deux hommes de bonne volonté.
Aprés auoir propoſé mon deſſien à des Marais,
& autres de la chalouppe, ie priay ledit desMa-
rais de s'en retourner en noſtre habitation
auec

auec le reſte de nos gens ſoubs l'eſperãce qu'en brief, auec la grace de Dieu,ie les reuerrois.

Auſſitoſt ie fus parler aux Capitaines des ſauuages & leur donnay à entendre comme ils nous auoient dit le contraire de ce que i'auois veu au ſaut,ſçauoir,qu'il eſtoit hors noſtre puiſſance d'y pouuoir paſſer auecla chalouppe: toutesfois que cela ne m'épecheroit de les aſſiſter cõme ie leur auois promis. Ceſte nouuelle les attriſta fort &voulurent prendre vne autre reſolution:mais ie leur dis, & les y ſollicitay, qu'ils euſſent à continuer leurs premier deſſin, & que moy troiſieme, ie m'en irois à la guerre auec eux dans leurs canots pour leur monſtrer que quant à moy ie ne voulois manquer de parole en leur endroit , bien que fuſſe ſeul , & que pour lors ie ne voulois forcer perſonne de mes compagnons de s'embarquer, ſinon ceux qui en auroiét la volonté, dont i'en auois trouué deux, que ie menerois auec moy.

Ils furent fort contens de ce que ie leur dis,& d'entendre la reſolutiõ que i'auois,me promettant touſiours de me faire voir choſes belles.

E e

PARTEMENT DV SAVT DE LA RIVIERE DES
Yroquois. Deſcription d'vn grand lac. De la rencontre des ennemis que nous
fiſmes aud. lac, & de la façon & conduite qu'ils vſent en allant attac-
quer les Yroquois.

CHAP. IX.

IE party donc dudit ſaut de la riuiere des
Yroquois, le 2 Iuillet. Tous les ſauuages commencerent à apporter leurs canots, armes &
bagages par terre quelque demie lieue, pour
paſſer l'impetuoſité & la force du ſaut, ce qui
fut promptement fait.

Auſſitoſt ils les mirent tous en l'eau, &
deux hommes en chacun, auec leur bagage,
& firent aller vn des hómes de chaſque canot,
par terre quelque trois lieues, que peut cótenir
ledit ſaut, mais non ſi impetueux comme à
l'entree, ſinon en quelques endroits de rochers
qui barrent la riuiere, qui n'eſt pas plus large
de 3. a 400. pas. Aprés que nous euſmes paſſé le
ſaut, qui ne fut ſans peine, tous les ſauuages qui eſtoient allez par terre, par vn chemin aſſez beau & pays vny, bien qu'il y ayo
quantité de bois, ſe rembarquerent dans leurs
canots. Les hommes que i'auois furent auſſi
par terre, & moy par eau, dedans vn canot. Ils
firent reueue de tous leurs gens, & ſe trouua vingt quatre canots, où il y auoit ſoixante

hommes. Aprés auoir fait leur reueuë, nous
continuasmes le chemin iusques à vne isle qui
tient trois lieues de long, remplye des plus
beaux pins que i'eusse iamais veu. Ils firent
la chasse & y prindrent quelques bestes sauuages. Passant plus outre enuiron trois lieues de
là, nous y logeasmes pour prendre le repos la
nuit ensuiuant.

Incontinent vn chacun d'eux commença,
l'vn à coupper du bois, les autres à prendre des
escorces d'arbre pour couurir leurs cabánes,
pour se mettre à couuert : les autres à abbatre
de gros arbres pour se barricader sur le bort de
la riuiere au tour de leurs cabannes, ce qu'ils
sçauent si promptement faire, qu'en moins de
deux heures, cinq cens de leurs ennemis auroient bien de la peine à les forcer, sans qu'ils
en fissent beaucoup mourir. Ils ne barricadent
point le costé de la riuiere où sont leurs canots
arrengez, pour s'embarquer si l'occasion le re-
queroit. Aprés qu'ils furent logez, ils enuoyerent trois canots auec neuf bons hommes,
comme est leur coustume, à tous leurs logemens, pour descouurir deux ou trois lieues s'ils
n'apperceuront rien, qui aprés se retirent. Toute la nuit ils se reposent sur la descouuerture
des auant-coureurs, qui est vne tresmauuaise
coustume en eux: car quelque fois ils sont sur-

E e ij

pris de leurs ennemis en dormant, qui les aſſomment, ſans qu'ils ayét le loiſir de ſe mettre
ſur pieds pour leur defendre. Recognoiſſant
cela ie leur remonſtrois la faute qu'ils faiſoient, & qu'ils deuoient veiller , comme ils
nous auoiét veu faire toutes les nuits, & auoir
des hommes aux agguets , pour eſcouter &
voir s'ils n'apperceuroient rien ; & ne point
viure de la façon comme beſtes. Ils me dirent
qu'ils ne pouuoient veiller , & qu'ils trauailloient aſſez de iour à la chaſſe : d'autant que
quád ils vont en guerre ils diuiſent leurs troupes en trois, ſçauoir, vne partie pour la chaſſe
ſeparee en pluſieurs endroits : vne autre pour
faire le gros, qui ſont touſiours ſur leurs armes;
& l'autre partie en auant-coureurs, pour deſcouurir le long des riuieres, s'ils ne verront
point quelque marque ou ſignal par ou ayent
paſſé leurs ennemis, ou leurs amis : ce qu'ils cognoiſſent par de certaines marques que les
chefs ſe donnent d'vne nation à l'autre, qui ne
ſont touſiours ſemblables, s'aduertiſſás de téps
en temps quád ils en changét ; & par ce moyen
ils recognoiſſent ſi ſont amis ou ennemis qui
ont paſſé. Les chaſſeurs ne chaſſent iamais de
l'aduant du gros, ny des auant-coureurs, pour
ne donner d'allarmes ny de deſordre, mais ſur
la retraicte & du coſté qu'ils n'aprehendent

leurs ennemis: & continuent ainſi iuſques à ce
qu'ils ſoient à deux ou trois iournees de leurs
ennemis, qu'ils vont de nuit à la deſrobée, tous
en corps, horſmis les coureurs, & le iour ſe retirent dans le fort des bois, où ils repoſent, ſans
s'eſgarer ny mener bruit, ny faire aucun feu,
afin de n'eſtre apperceuz, ſi par fortune leurs
ennemis paſſoiét; ny pour ce qui eſt de leur mã-
ger durant ce temps. Ils ne font du feu que
pour petuner, qui eſt ſi peu que rien. Ils man-
gent de la farine de bled d'Inde cuite, qu'ils
d'eſtrempét auec de l'eau, comme boullie. Ils
conſeruent ces farines pour leur neceſſité, &
quand ils ſont proches de leurs ennemis, ou
quand ils font retraite aprés leurs charges,
qu'ils ne s'amuſent à chaſſer, ſe retirant promptement.

A tous leurs logemens ils ont leur Pilotois
ou Oſtemoy (qui ſont manieres de gens, qui
font les deuins, en qui ces peuples ont creance,) lequel fait vne cabanne, entouree de petis bois , & la couure de ſa robbe : Aprés qu'elle eſt faitte, il ſe met dedans en ſorte qu'on ne le
voit en aucune façon, puis prend vn des piliers
de ſa cabanne & la fait branſler, marmotant
certaines paroles entre ſes dés, par leſquelles il
dit qu'il inuoque le Diable, & qu'il s'apparoiſt
à luy en forme de pierre, & luy dit s'ils trou-

ueront leurs ennemis, & s'ils en tueront beaucoup. Ce Pilotois eſt proſterné en terre, ſans
remuer, ne faiſant que parler au diable, & puis
auſſitoſt ſe leue ſur les pieds, en parlant & ſe
tourmentant d'vne telle façon, qu'il eſt tout en
eau, bien qu'il ſoit nud. Tout le peuple eſt autour de la cabanne aſſis ſur leur cul comme des
ſinges. Ils me diſoient ſouuent que le branle-
ment que ie voyois de la cabanne, eſtoit le
Diable qui la faiſoit mouuoir, & non celuy qui
eſtoit dedans, bien que ie veiſſe le contraire:
car c'eſtoit, comme i'ay dit cy deſſus, le Pilotois
qui prenoit vn des baſtons de ſa cabanne, & la
faiſoit ainſi mouuoir. Ils me dirent auſſi que ie
verrois ſortir du feu par le haut: ce que ie ne
vey point. Ces droſles côtrefont auſſi leur voix
groſſe & claire, parlant en langage inconneu
aux autres ſauuages. Et quand ils la repreſen-
tent caſſee, ils croyent que c'eſt le Diable
qui parle, & qui dit ce qui doit arriuer en
leur guerre, & ce qu'il faut qu'ils facent.

Neantmoins tous ces garnimens qui font
les deuins, de cent paroles n'en diſent pas
deux veritables, & vont abuſans ces pauures
gens, comme il y en a aſſez parmy le monde,
pour tirer quelque denree du peuple, ainſi que
font ces galants. Ie leur remonſtrois ſouuent
que tout ce qu'ils faiſoient n'eſtoit que folie,

& qu'ils ne deuoient y adiouster foy.

Or aprés qu'ils ont sçeu de leurs deuins ce qu'il leur doit succeder , les chefs prennent des bastons de la longueur d'vn pied autant en nombre qu'ils sont, & signallent par d'autres vn peu plus grands, leurs chefs: Puis vont dans le bois & esplanudét vne place de 5. ou 6. pieds en quarre, où le chef, comme sergent maior, met par ordre tous ces bastons comme bon luy semble : puis appelle tous ses compagnons, qui viennent tous armez, & leur monstre le rang & ordre qu'ils deuront tenir lors qu'ils se battront auec leurs ennemis : ce que tous ces sauuages regardent attentiuement, remarquât la figure que leur chef a faite auec ces bastons: & aprés se retirent de là, & commencent de se mettre en ordre, ainsi qu'ils ont veu lesdicts bastons : puis se meslent les vns parmy les autres, & retournent de rechef en leur ordre , continuant deux ou trois fois , & à tous leurs logemens sans qu'il soit besoin de sergent pour leur faire tenir leurs rangs, qu'ils sçauent fort bien garder, sans se mettre en confusion. Voila la reigle qu'ils tiennent à leur guerre.

Nous partismes le lendemain, continuât nostre chemin dans la riuiere iusques à l'entree du lac. En icelle y a nombre de belles isles, qui sont basses réplies de tref-beaux bois & prairies,

où il y a quâtité de gibier & chaſſe d'animaux,
comme Cerfs, Daims, Faons, Cheureuls, Ours,
& autres ſortes d'animaux qui viennent de la
grand terre auſdictes iſles. Nous y en priſmes
quantité. Il y a auſſi grand nombre de Caſtors,
tant en la riuiere qu'en pluſieurs autres petites
qui viennent tomber dans icelle. Ces lieux ne
ſont habitez d'aucuns ſauuages, bien qu'ils
ſoient plaiſans, pour le ſubiect de leurs guerres,
& ſe retirent des riuieres le plus qu'ils peuuent
au profont des terres, afin de n'eſtre ſi toſt ſur-
prins.

　Le lendemain entraſmes dans le lac, qui eſt
de grande eſtâdue comme de 80. ou 100. lieues,
où i'y vis quatre belles iſles, contenant 10. 12.
& 15. lieues de long, qui autres fois ont eſté
habitees par les ſauuages, comme auſſi la riuiere des Yroquois: mais elles ont eſté abandon-
nees depuis qu'ils ont eu guerre les vns contre
les autres: auſſi y a il pluſieurs riuieres qui vien-
nét tomber dedás le lac, enuironnees de nombre de beaux arbres, de meſmes eſpeces que
nous auons en France, auec forces vignes plus
belles qu'en aucun lieu que i'euſſe veu: force
chaſtagners, & n'en auois encores point veu
que deſſus le bort de ce lac, où il y a grande
abondance de poiſſon de pluſieurs eſpeces:
Entre autres y en a vn, appelé des ſauuages du
　　　　　　　　　　　　　　　pays

pays *Chaoufarou*, qui eft de plufieurs lôgueurs:
mais les plus grands côtiennent, à ce que m'ont
dict ces peuples, 8. à 10. pieds. I'en ay veu qui
en contenoyent 5. qui eftoient de la groffeur de
la cuiffe, & auoient la tefte groffe comme les
deux points, auec vn bec de deux pieds & demy de long, & à double rang de dents fort
agues & dangereufes. Il a toute la forme du
corps tirant au brochet, mais il eft armé d'efcailles fi fortes qu'vn coup de poignard ne les
fçauroit percer, & de couleur de gris argenté.
Il a auffi l'extremité du bec comme vn cochon.
Ce poiffon fait la guerre à tous les autres qui
font dans ces lacs, & riuieres: & a vne indu-
ftrie merueilleufe, à ce que m'ont affeuré ces
peuples, qui eft, quand il veut prendre quelques oyfeaux, il va dedãs des ioncs ou rofeaux,
qui font fur les riues du lac en plufieurs endroits, & met le bec hors l'eau fans fe bouger:
de façon que lors que les oifeaux viennent fe
repofer fur le bec, penfans que ce foit vn tronc
de bois, il eft fi fubtil, que ferrant le bec qu'il
tient entr'ouuert, il les tire par les pieds foubs
l'eau. Les fauuages m'en donnerent vne tefte,
dont ils font grand eftat, difans que lors qu'ils
ont mal à la tefte, ils fe feignent auec les dents
de ce poiffon à l'endroit de la douleur qui fe
paffe foudain.

Ff

Continuant noſtre route dans ce lac du coſté de l'Occident, conſiderant le pays, ie veis du coſté de l'Orient de fort hautes montagnes, où ſur le ſommet y auoit de la neige. Ie m'enquis aux ſauuages ſi ces lieux eſtoient habitez, ils me dirent que ouy, & que c'eſtoient Yroquois, & qu'en ces lieux y auoit de belles vallees, & campagnes fertiles en bleds, comme i'en ay mangé audit pays, auec infinité d'autres fruits : & que le lac alloit proche des montagnes, qui pouuoient eſtre eſloignees de nous, à mó iugemét, de vingt cinq lieuës. I'en veis au midy d'autres qui n'eſtoient moins hautes que les premieres, horſmis qu'il n'y auoit point de neige. Les ſauuages me dirent que c'eſtoit où nous deuions aller trouuer leurs ennemis, & qu'elles eſtoient fort peuplees, & qu'il falloit paſſer par vn ſaut d'eau que ie vis depuis : & de là entrer dans vn autre lac qui contient quelque 9. où 10. lieuës de long, & qu'eſtát paruenus au bout d'iceluy, il falloit faire quelque deux lieuës de chemin par terre, & paſſer vne riuiere, qui va tomber en la coſte de Norembegue, tenant à celle de la Floride, & qu'ils n'eſtoient que deux iours à y aller auec leurs canots, comme ie l'ay ſçeu depuis par quelques priſonniers que nous priſmes, qui me diſcoururent fort particulieremét de tout ce qu'ils en auoyent cognoiſſance,

par le moien de quelques truchemens Algoumequins, qui ſçauoiét la langue des Yroquois.

Or comme nous cómençaſmes à approcher
à quelques deux ou trois iournees de la demeure de leurs ennemis, nous n'alliós plus que
la nuit, & le iour nous nous repoſions, neantmoins ne laiſſoient de faire touſiours leurs ſuperſtitions accouſtumees pour ſçauoir ce qui
leur pourroit ſucceder de leurs entrepriſes ; &
ſouuent me venoient demander ſi i'auois ſongé, & auois veu leurs ennemis : Ie leur diſois
que non : Neantmoins ne laiſſois de leur donner du courage, & bonne eſperance. La nuit
venue nous nous miſmes en chemin iuſques
au lendemain, que nous nous retiraſmes
dans le fort du bois, pour y paſſer le reſte du
iour. Sur les dix ou onze heures, aprés m'eſtre
quelque peu proumené au tour de noſtre logement, ie fus me repoſer; & en dormant, ie
ſógay que ie voyois les Yroquois nos ennemis,
dedans le lac, proche d'vne montaigne, qui ſe
noyoient à noſtre veue ; & les voulans ſecourir, nos ſauuages alliez me diſoient qu'il les
falloit tous laiſſer mourir, & qu'ils ne valoiét
rien. Eſtant eſueillé, ils ne faillirent comme à
l'acouſtumee de me demander ſi i'auois ſongé
quelque choſe : ie leur dis en effect ce que i'a-
uois veu en ſonge : Cela leur apporta vne telle

creance qu'ils ne douterent plus de ce qui leur deuoit aduenir pour leur bien.

Le ſoir eſtant venu, nous nous embarquaſmes en nos canots pour continuer noſtre chemin, & comme nous allions fort doucement, & ſans mener bruit, le 29. du mois, nous fiſmes rencontre des Yroquois ſur les dix heures du ſoir au bout d'vn cap qui aduance dans le lac du coſté de l'occident, leſquels venoient à la guerre. Eux & nous commençaſmes à ietter de grands cris, chacun ſe parát de ſes armes. Nous nous retiralmes vers l'eau, & les Yroquois mirent pied à terre, & arrangerent tous leurs canots les vns contre les autres, & commencerent à abbatre du bois auec des meſchantes haches qu'ils gaignent quelquesfois à la guerre, & d'autres de pierre, & ſe barricaderent fort bien.

Auſſi les noſtres tindrent toute la nuit leur canots arrangez les vns contre les autres attachez à des perches pour ne s'eſgarer, & combatre tous enſemble s'il en eſtoit de beſoin; & eſtiós à la portee d'vne fleſche vers l'eau du coſté de leurs barricades. Et cóme ils furent armez, & mis en ordre, ils enuoyerét deux canots ſeparez de la trouppe, pour ſçauoir de leurs ennemis s'ils vouloient combatre, leſquels reſpódirent qu'ils ne deſiroient autre choſe: mais que

pour l'heure, il n'y auoit pas beaucoup d'apparéce, & qu'il falloit attendre le iour pour se co-
gnoistre:& qu'aussitost que le soleil se leueroit,
ils nous liureroient le cóbat:ce qui fut accordé
par les nostres: & en attendant toute la nuit se
passa en danses & chansons, tant d'vn costé,
que d'autre, auec vne infinité d'iniures, & autres propos, comme, du peu de courage qu'ils
auoient,auec le peu d'effet & resistance contre
leurs armes,& que le iour venát,ils le sétiroyét
à leur ruine. Les nostres aussi ne manquoient
de repartie,leur disant qu'ils verroiét des effets
d'armes que iamais ils n'auoient veu,& tout
plain d'autres discours, comme on a accoustumé à vn siege de ville. Aprés auoir bien chanté,
dansé & parlementé les vns aux autres, le iour
venu, mes compagnons & moy estions tousiours couuerts, de peur que les ennemis ne
nous veissent, preparans nos armes le mieux
qu'il nous estoit possible, estans toutesfois
separez, chacun en vn des canots des sauuages
montagnars. Aprés que nous fusmes arr ez
d'armes legeres,nous prismes chacú vne arque-
buse & descendismes à terre. Ie vey sortir les
ennemis de leur barricade,qui estoient prés de
200. hommes forts & robustes à les voir, qui
venoient au petit pas audeuant de nous,auec
vne grauité& asseurance qui me contenta fort

à la teſte deſquels y auoit trois chefs. Les noſtres auſſi alloient en meſme ordre & me dirent que ceux qui auoient trois grands penna-
ches eſtoient les chefs, & qu'il n'y en auoit que
ces trois, & qu'on les recognoiſſoit à ces plumes, qui eſtoient beaucoup plus grandes que
celles de leurs compagnons , & que ie feiſſe ce que ie pourrois pour les tuer. Ie leur promis de faire ce qui ſeroit de ma puiſſance, &
que i'eſtois bien faſché qu'ils ne me pouuoient
bien entendre pour leur donner l'ordre & façon d'attaquer leurs ennemis, & que indubi-
tablement nous les desferions tous; mais qu'il
n'y auoit remede, que i'eſtois treſ-aiſe de leur
monſtrer le courage & bonne volonté qui
eſtoit en moy quand ſerions au combat.

    Auſſitoſt que fuſmes à terre, ils commen-
cerent à courir quelque deux cens pas vers
leurs ennemis qui eſtoient de pied ferme , &
n'auoient encores aperçeu mes compagnons,
qui s'en allerent dans le bois auec quelques
ſauuages. Les noſtres commencerent à m'appeller à grands cris: & pour me donner paſſage ils s'ouurirent en deux, & me mis à la teſte,
marchant quelque 20. pas deuãt, iuſqu'à ce que
ie fuſſe à quelque 30. pas des ennemis, où auſſitoſt ils m'aperceurent, & firent alte en me con-
templant, & moy eux. Cõme ie les veis eſbran-

ler pour tirer fur nous, ie couchay mon arquebufe en iouë, & vifay droit à vn des trois chefs,
& de ce coup il en tomba deux par terre, &
vn de leurs compagnons qui fut bleffé , qui
quelque temps apres en mourut. I'auois mis
quatre balles dedans mon arquebufe. Comme
les noftres virent ce coup fi fauorable pour eux,
ils commencerent à ietter de fi grãds cris qu'on
n'euft pas ouy tonner; & cependant les flefches
ne manquoyent de cofte & d'autre. Les Yroquois furent fort eftonnez, que fi promptemét
deux hommes auoyent efté tuez, bien qu'ils
fuffent armez d'armes tiffues de fil de cotton,&
de bois à l'efpreuue de leurs flefches. Cela leur
donna vne grande apprehenfion. Comme ie
rechargeois, l'vn de mes compagnons tira vn
coup de dedans le bois, qui les eftonna derechef de telle façon, voyant leurs chefs morts,
qu'ils perdirent courage, & fe mirent en fuite, & abandonnerent le champ, & leur fort,
s'enfuyans dedans le profond des bois, où les
pourfuiuans, i'en fis demeurer encores d'autres.
Nos fauuages en tuerent auffi plufieurs, & en
prindrent 10. ou 12. prifonniers: Le refte fe fauua
auec les bleffez. Il y en eut des noftres 15. ou 16.
de bleffez de coups de flefches, qui furét promptement gueris.

Apres que nous eufmes eu la victoire, ils s'a-

muſerent à prendre force bled d'Inde,& les farines des ennemis, & de leurs armes , qu'ils
auoient laiſſees pour mieux courir. Apres auoir
fait bonne chere, danſé & chanté, trois heures
apres nous en retournaſmes auec les priſonniers. Ce lieu , où ſe fit ceſte charge eſt par les
43.degrez & quelques minutes de latitude, &
fut nommé le lac de Champlain.

Deffaite des Yroquois au Lac de Champlain.

A Le fort des Yroquois.	D. E Deux Chefs tues , & vn	de Champlain.
B Les ennemis.	bleſſé d'vn coup d'arque-	H Môtaignets, Ochaſtaiguins
C Les Canots des ennemis	buſe par le ſieur de Cham-	& Algoumequins.
faicts d'eſcorce de cheſne,	plain.	I Canots de nos ſauuage aliés
qui peuuent tenir chacun	F Le ſieur de Champlain.	faits d'eſcorce de bouleau.
10. 15. & 18. hommes.	G Deux Arquebuſiers du ſieur	K Les Bois.

RETOVR DE LA BATAILLE, ET CE QVI ſe paſſa par le chemin.

CHAP. X.

Apres auoir fait quelque 8.lieuës , ſur le ſoir
ils prindrent vn des priſonniers,à qui ils ſi-
rét vne harágue des cruautez que luy & les ſiés
auoyent exercees en leur endroit, ſans auoir
eu aucun eſgard, & qu'au ſemblable il deuoit
ſe reſoudre d'en receuoir autant, & luy com-
manderent de chanter s'il auoit du courage, ce
qu'il fit,mais auec vn chant fort triſte à ouyr.
     Cependant les noſtres allumerent vn feu, &
                                                    com-

comme il fut bien embrafé ils prindrent chacun vn tizon, & faifoient brufler ce pauure miferable peu à peu pour luy faire fouffrir plus de
tourmens. Ils le laiffoient quelques fois, luy
iettât de l'eau fur le dos: puis luy arracherêt les
ongles, & luy mirent du feu fur les extremitez
des doigts, & de fon membre. Apres ils luy
efcorcherent le haut de la tefte, & luy firent
degoutter deffus certaine gomme toute chaude: puis luy percerêt les bras prés des poignets,
& auec des baftons tiroyent les nerfs & les ar-
rachoyent à force : & côme ils voioyent qu'ils
ne les pouuoyent auoir, ils les couppoyent. Ce
pauure miferable iettoit des cris eftranges, &
me faifoit pitié de le voir traitter de la façon,
toutesfois auec vne telle conftance, qu'on euft
dit quelquesfois qu'il ne fentoit prefque point
de mal. Ils me follicitoyent fort de prendre du
feu pour faire de mefme eux. Ie leur remon-
ftrois que nous n'vfions point de ces cruautez,
& que nous les faifions mourir tout d'vn coup,
& que s'ils vouloyent que ie luy donnaffe vn
coup d'arquebuze, i'en ferois content. Ils dirêt
que non, & qu'il ne fentiroit point de mal. Ie
m'en allay d'auec eux comme fafché de voir
tant de cruautez qu'ils excercoiét fur ce corps.
Comme ils virent que ie n'en eftois contant,
ils m'appelerent & me dirent que ie luy don-

Gg

naffe vn coup d'arquebufe : ce que ie fis, fans
qu'il en vift rien; & luy fis paffer tous les tourmens, qu'il deuoit fouffrir, d'vn coup, pluftoft
que de le voir tyrannifer. Aprés qu'il fut mort
ils ne fe contenterent pas, ils luy ouurirent le
ventre, & ietterent fes entrailles dedans le lac:
aprés ils luy coupperent la tefte, les bras. & les
iambes, qu'ils feparerent d'vn cofté & d'autre,
& referuerent la peau de la tefte, qu'ils auoient
efcorchee, comme ils auoient fait de tous les
autres qu'ils auoient tuez à la charge. Ils firent
encores vne mefchanceté, qui fut, de prendre
le cœur qu'ils coupperent en plufieurs pieces.
& le donnerent à manger à vn fien frere, &
autres de fes compagnons qui eftoient prifonniers, lefquels le prindrent & le mirent en leur
bouche, mais ils ne le voulurent aualler: quelques fauuages Algoumequins, qui les auoient
en garde le firent recracher à aucuns, & le ietterent dans l'eau. Voila comme ces peuples fe
gouuernét à l'endroit de ceux qu'ils prennent
en guerre: & mieux vaudroit pour eux mourir en combatant , ou fe faire tuer à la chaude,
comme il y en a beaucoup qui font, pluftoft
que de tomber entre les mains de leurs ennemis. Aprés cefte execution faite, nous nous
mifmes en chemin pour nous en retourner
auec le refte des prifonniers, qui alloient touf-

iours chantans, fans autre efperance que celuy
qui auoit efté ainfi mal traicté. Eftans aux fauts
de la riuiere des Yroquois les Algoumequins
s'en retournerét en leur pays, & auffi les Ocha-
tequins auec vne partie des prifonniers, fort
contens de ce qui s'eftoit paffé en la guerre,
& de ce que librement i'eftois allé auec eux.
Nous nous departifmes dóc cóme cela, auec de
gràdes proteftations d'amitié, les vns & les autres, & me dirent fi ie ne defirois pas aller en
leur pays pour les affifter toufiours comme freres: ie leur promis.

Ie m'en reuins auec les Montagnets. Aprés
m'eftre informé des prifóniers de leurs pays, &
de ce qu'il pouuoit y en auoir, nous ployames
bagage pour nous en reuenir, ce qui fut auec
telle diligence, que chacun iour nous faifions
25. & 30. lieues dans leurfdicts canots, qui eft
l'ordinaire. Comme nous fufmes à l'entree de
la riuiere des Yroquois, il y eut quelques fauuages qui fongerent que leurs ennemis les
pourfuiuoient: ce fonge les fit auffitoft leuer le
fiege, encores que celle nuit fut fort mauuaife
à caufe des vents & de la pluye qu'il faifoit; &
furent paffer la nuit dedans de grands rofeaux,
qui font dans le lac fainct Pierre, iufqu'au lendemain, pour la crainte qu'ils auoient de leurs
ennemis. Deux iours aprés arriuafmes à noftre

habitation, où ie leur fis donner du pain &
quelques poix, & des patinoftres, qu'ils me
demanderent pour parer la tefte de leursenne-
mis, qui les portent pour faire des refiouiffan-
ces à leur arriuee. Le lendemain ie feu auec eux
dans leurs canots à Tadouffac, pour voir leurs
ceremonies. A prochans de la terre, ils prindrét chacun vn bafton, où au bout ils pédirent
les teftes de leurs ennemis tués auec quelques
patinoftres, chantants les vns & les autres:
& comme ils en furent prefts, les femmes fe
defpouillerent toutes nues, & fe ietterent en
l'eau, allant au deuant des canots pour prendre
les teftes de leurs ennemis qui eftoient au bout
de longs baftons deuant leurs batteaux, pour
aprés les pédre à leur col comme fi c'euft efté
quelque chaine precieufe, & ainfi chanter &
danfer. Quelques iours aprés ils me firent prefent d'vne de ces teftes, côme chofe bié precieufe, & d'vne paire d'armes de leurs ennemis, pour les conferuer, affin de les montrer
au Roy : ce que ie leur promis pour leur faire
plaifir.

  Quelques iours aprés ie fus à Quebecq, où
il vingt quelques fauuages Algoumequins,
qui me firent entédre le defplaifir qu'ils auoiét
de ne s'eftre trouuez à la deffaite de leurs ennemis, & me firent prefent de quelques fourru-

res, en confideration de ce que i'y auois efté &
affifté leurs amis.

Quelques iours aprés qu'ils furent partis
pour s'en aller en leur pays, diftant de noftre
habitatió de 120. lieues, ie fus à Tadouffac voir
fi le Pont feroit de retour deGafpé, où il auoit
efté. Il n'y arriua que le lendemain, & me
dit qu'il auoit deliberé de retourner en France. Nous refolufmes de laiffer vn hónefte homme appelé le Capitaine Pierre Chauin, de
Dieppe, pour commander à Quebecq, où il
demeura iufques à ce que le fieur de Mons en
euft ordonné.

RETOVR EN FRANCE, ET CE QVI S'Y PASSA
iufques au rembarquement.
CHAP. XI.

CEfte refolution prinfe nous fufmes à Quebecq pour l'eftablir, & luy laiffer toutes
les chofes requifes & neceffaires à vne habitation, auec quinze hommes. Toutes chofes
eftant en eftat nous en partifmes le premier
iour de Septembre pour aller à Tadouffac, faire appareiller noftre vaiffeau, à fin de nous en
reuenir en France.

Nous partifmes donc de ce lieu le 5. du mois,
& le 8. nous fufmes mouiller l'ancre à l'ifle
Percee.

Le ieudy dixiefme partifmes de ce lieu, &
le mardy enfuiuant 18. du mois arriuafmes fur
le grand banc.

Le 2. d'Octobre, nous eufmes la fonde. Le 8.
mouillafmes l'ancre au Conquet en baffe Bretagne. Le Samedy 10. du mois partifmes de ce
lieu, & arriuafmes à Honfleur le 13.

Eftans defembarqués, ie n'y fis pas long fe
iour que ie ne prinfe la pofte pour aller trouuer le fieur do Mons, qui eftoit pour lors à
Fontaine-belau où eftoit fa Maiefté, & luy re-
prefentay fort particulieremét tout ce qui c'e-
ftoit paffé, tant en mon yuernement, que des
nouuelles defcouuertures, & l'efperance de ce
qu'il y auoit à faire à l'aduenir touchant les
promeffes des fauuages appelez Ochateguins,
qui font bons Yroquois. Les autres Yroquois
leurs ennemis font plus au midy. Les premiers entendent, & ne diferent pas beaucoup
de langage aux peuples defcouuerts de nouueau, & qui nous auoient efté incogneus cy
deuant.

Auffitoft ie fus trouuer fa Maiefté, à qui ie
fis le difcours de mon voyage, à quoy il print
plaifir & contentement.

I'auois vne ceinture faite de poils de porc-
efpic, qui eftoit fort bien tiffue, felon le pays,
laquelle fa Maiefté eut pour aggreable, auec

deux petits oiſeaux gros cóme des merles, qui
eſtoient incarnats, & auſſi la teſte d'vn certain
poiſſon qui fut prins dans le grand lac des Yroquois, qui auoit vn becq fort long auec deux
ou trois rangees de dents fort aigues. La figure
de ce poiſſon eſt dans le grand lac de ma carte
Geographique.

Ayant fait auec ſa Maieſté, le ſieur deMons ſe
delibera d'aller à Rouen trouuer ſes aſſociez les
ſieurs Collier & le Gédre marcháds de Roué,
pour aduiſer à ce qu'ils auoient à faire l'annee
enſuiuant. Ils reſolurent de continuer l'habitation, & paracheuer de deſcouurir dedans le
grand fleuue S. Laurens, ſuiuant les promeſſes
des Ochateguins, à la charge qu'ó les aſſiſteroiť
en leurs guerres cóme nous leur auíós promis.

Le Pont fut deſtiné pour aller à Tadouſſac
tant pour la traicte que pour faire quelque autre choſe qui pourroit apporter de la commodité pour ſubuenir aux frais de la deſpence.

Et le ſieur Lucas le Gendre de Rouen, l'vn
des aſſociez, ordonné pour auoir ſoin de faire
tant l'achapt des marchandiſes que viures, &
de la frette des vaiſſeaux, eſquipages & autres
choſes neceſſaires pour le voyage.

Aprés ces choſes reſolues le ſieur de Mons
s'en retourna à Paris, & moy auec luy, où ie
fus iuſques à la fin de Feurier: durant lequel

temps le fieur de Mons chercha moyen d'auoir nouuelle commiffion pour les traictes des nouuelles defcouuertures, que nous auions faites, où auparauant perfonne n'auoit traicté: Ce qu'il ne peut obtenir, bien que les demandes & propofitiós fuffent iuftes & raifónables.

Et fe voyant hors d'efperance d'obtenir icelle commiffion, il ne laiffa de pourfuiure fon deffin, pour le defir qu'il auoit que toutes chofes reuffiffent au bié & honneur de la France.

Pendant ce temps, le fieur de Mons, ne m'auoit dit encores fa volonté pour mon particulier, iufques à ce que ie luy eus dit qu'on m'auoit raporté qu'il ne defiroit que i'yuernaffe en Canadas, ce qui n'eftoit pas, car il remit la tout à ma volonté.

Ie m'efquipay des chofes propres & neceffaires pour yuerner à noftre habitation de Quebecq, & pour ceft effet party de Paris le dernier iour de Feurier enfuiuant, & fus à Honfleur, où fe deuoit faire l'embarquement. Ie paffay par Rouen, où ie feiournay deux iours: & de là fus à Honfleur, où ie trouuay le Pont, & le Gendre, qui me dirét auoir fait embarquer les chofes neceffaires pour l'habitation. Ie fus fort aife de nous voir prefts à faire voile: toutesfois incertain fi les viures eftoient bons & fuffifans pour la demeure & yuernement.

S E-

SECOND VOYAGE
DV SIEVR DE CHAMPLAIN
fait en la Nouuelle France en
l'annee 1610.

PARTIMENT DE FRANCE POVR RETOVRNER
en la Nouuelle France, & ce qui ce passa iusques à nostre arriuee en l'ha-
bitation.

CHAP. I.

LE temps venant fauorable ie m'enbarquay à Honfleur auec quelque
nombre d'artisans le 7. du mois
Mars, & fusmes contrariez de
mauuais temps en la Manche, &
côtraincts de relafcher en Angleterre, à vn lieu
appelé Porlan, où fusmes quelques iours à la
radde : & leuafmes l'ancre pour aller à l'isle
d'Huy, qui est proche de la coste d'Angleterre,
d'autant que nous trouuions la radde de Porlan
fort mauuaise. Estás proches d'icelle isle, la brume s'esleua si fort que nous fusmes côtraincts
de relafcher à la Hougue.

Depuis le partement de Honfleur, ie fus per-
secuté d'vne fort grande maladie, qui m'ostoit
l'esperance de faire le voyage, & m'estois em-
barqué dans vn batteau pour me faire reporter

Hh

en France au Haure, & là me faire traiter, estât
fort mal au vaisseau: Et faisois estat recouurant
ma santé, que ie me rembarquerois dans vn autre, qui n'estoit party de Honfleur , où deuoit
s'embarquer des Marests gendre de Pont-graué: mais ie me fis porter à Honfleur, tousiours
fort mal, où le 15. de Mars le vaisseau d'où i'estois
sorty, relascha, pour y prendre du l'aist, qui
luy manquoit, pour estre bien en assiete. Il fut
en ce lieu iusques au 8. d Auril. Durât ce temps
ie me remis en assez bon estat: toutesfois encore que foible & debile, ie ne laissay pas de me
rembarquer.

Nous partismes derechef, le 18. d'Auril &
arriuasmes sur le grand banc le 19. du mois, &
eusmes cognoissäce des isles S. Pierre le 22. Estâs
le trauers de Menthane nous rencontrasmes
vn vaisseau de S. Maslo, où il y auoit vn ieune
homme, qui beuuant à la santé de Pont-graué,
ne se peut si bien tenir, que par l'esbranlement
du vaisseau il ne tombast en la mer , & se noya
sans y pouuoir donner remede, à cause que le
vent estoit trop impetueux.

Le 26. du mois arriuasmes à Tadoussac, où il
y auoit des vaisseaux qui y estoient arriuez dés
le 18. ce qui ne c'estoit veu il y auoit plus de 60.
ans, à ce que disoient les vieux mariniers qui
voguent ordinairement audit pays. C'estoit le

peu d'yuer qu'il y auoit fait, & le peu de glaces, qui n'empeſcherent point l'entree deſdicts
vaiſſeaux. Nous ſçeuſmes par vn ieune Gentil-
homme appelé le ſieur du Parc qui auoit yuerné à noſtre habitatió, que tous ſes compagnós
ſe portoient bien, & qu'il n'y en auoit eu que
quelques vns de malades, encore fort peu, &
nous aſſeura qu'il n'y auoit fait preſque point
d'yuer, & auoiét eu ordinairement de la viande fraiſche tout l'yuer, & que le plus grand de
leur trauail eſtoit de ſe donner du bon temps.

Ceſt yuer monſtre comme ſe doiuent com-
porter à l'aduenir ceux qui auront telles entrepriſes, eſtant bien malaiſé de faire vne nöuuelle
habitation ſans trauail, & courir la premiere
annee mauuaiſe fortune, comme il s'eſt trouué
en toutes nos premieres habitations. Et à la verité en oſtant les ſalures, & ayant de la viande
fraiſche, la ſanté y eſt auſſi bóne qu'en France.

Les ſauuages nous attendoient de iour en
autre pour aller à la guerre auec eux. Comme
ils ſceurent que le Pont & moy eſtions arriuez enſemble, ils ſe reſiouirent fort, & vindrent parler à nous.

Ie fus à terre, pour leur aſſeurer que nous
irions auec eux, ſuiuát les promeſſes qu'ils m'a-
uoiét faites, Qu'aprés le retour de leur guerre, ils me meneroient deſcouurir les trois ri-

H h ij

uieres, iufqués en vn lieu où il y a vne si grande mer qu'ils n'en voyét point le bout, & nous
en reuenir par le Saguenay audit Tadouffac:&
leur demanday s'ils auoient encore ceste mefme volonté: Ils me dirent qu'ouy: mais que ce
ne pouuoit estre que l'annee fuiuante : ce qui
m'aporta du plaifir : Toutesfois i'auois promis aux Algoumequins & Ochateguins de les
affifter auffi en leurs guerres, lefquels m'auoiét
promis de me faire voir leur pays, & le grand
lac,& quelques mines de cuiure & autres chofes qu'ils m'auoient donné à entendre: fi bien
que i'auois deux cordes à mon arc: de façon
que fi l'vne failloit, l'autre pouuoit reuffir.

Le 28. dudit mois ie party de Tadouffac,
pour aller à Quebecq, où ie trouuay le Capitaine Pierre qui y commandoit, & tous fes compagnós en bon estat; & auec eux vn Capitaine
fauuage appelé Batifcan, & aucuns de fes compagnós, qui nous y attendoiét, lefquels furent
fort refiouys de ma venue, & fe mirét à châter
& danfer tout le foir. Ie leur fis festin ce qu'ils
eurent fort aggreable, & firent bonne chere,
dont ils ne furét point ingrats,& me conuïerét
moy huictiefme qui n'est pas petite faueur parmy eux, où nous portafmes chacun noftre
efcuelle, comme est la couftume, & de la rem-
porter chacun plaine de viande , que nous
donnions à qui bon nous fembloit.

Quelques iours aprés que ie fus party de Tadouſſac, les Montagnets arriuerent à Quebecq
au nombre de 60. bons hommes, pour s'ache-
miner à la guerre. Ils y ſeiournerent quelques
iours, s'y donnant du bon temps, & n'eſtoit pas
ſans ſouuét m'inportuner, ſçauoir ſi ie ne m'an-
querois point à ce que ie leur auois promis. Ie
les aſſeuray, & promis de rechef, leur demã-
dant s'ils m'auoient trouué menteur par le paſſé. Ils ſe reſiourent fort lors que ie leur reiteray
mes promeſſes.

Et me diſoient voila beaucoup de Baſques
& Miſtigoches (ainſi appelent ils les Nor-
mans & Maſlouins) qui diſent qu'ils viendront
à la guerre auec nous, que t'en ſemble? diſent
ils verité? Ie leur reſpondis que non, & que ie
ſçauois bien ce qu'ils auoient au cœur; & que
ce qu'ils en diſoient n'eſtoit que pour auoir &
attirer leurs commoditez. Ils me diſoient tu
as dit vray, ce ſont femmes, & ne veulent faire la guerre qu'a nos Caſtors : auec pluſieurs
autres diſcours facetieux, & de l'eſtat & ordre
d'aller à la guerre.

Ils ſe reſolurent de partir, & m'aller attendre
aux trois riuieres 30. lieues plus haut que Quebecq, où ie leur auois promis de les aller trouuer, & quatre barques chargees de marchandiſes, pour traicter de pelleterie, entre autres

H h iij

auec les Ochateguins, qui me deuoient venir attendre à l'entrée de la riuiere des Yroquois, comme ils m'auoient promis l'année precedente, & y amener iufques à 400. hommes, pour aller à la guerre.

PARTEMENT DE QVEBECQ POVR ALLER ASSI-
ter nos fauuages aliez à la guerre contre les Yroquois leurs ennemis, &
tout ce qui fe paffa iufques à noftre retour en l'habitation.

CHAP. II.

IE party de Quebecq. Le 14. Iuin pour aller trouuer les Montagnets, Algoumequins & Ochateguins qui fe deuoient trouuer à l'entrée de la riuiere des Yroquois. Comme ie fus à 8. lieues de Quebecq, ie rencontray vn canot, où il y auoit deux fauuages, l'vn Algoumequin, & l'autre Montagnet, qui me venoiét prier de m'aduácer le plus vifte qu'il me feroit poffible, & que les Algoumequins & Ochateguins feroient dans deux iours au rendesvous au nombre de 200. & 200. autres qui deuoient venir vn peu aprés, auec Yroquet vn de leurs chefs; & me de manderent fi i'eftois content de la venue de ces fauuages: ie leur dy que ie n'en pouuois eftre fafché, puis qu'ils auoiét tenu leur promeffe. Ils fe mirent dedans ma barque, où ie leur fis fort bonne chere. Peu de temps aprés auoir deuifé auec eux de plu-

ſieurs choſes touchant leurs guerres, le ſauuage Algoumequin, qui eſtoit vn de leurs chefs,
tira d'vn ſac vne piece de cuiure de la longueur
d'vn pied, qu'il me donna, lequel eſtoit fort
beau & bien franc, me donnant à entendre
qu'il y en auoit en quantité là où il l'auoit pris,
qui eſtoit ſur le bort d'vne riuiere proche d'vn
grãd lac, & qu'ils le prenoiét par morceaux, &
le faiſant fondre le mettoient en lames, & auec
des pierres le rendoient vny. Ie fus fort ayſe de
ce preſent, encores qu'il fut de peu du valleur.

Arriuant aux trois riuieres, ie trouuay tous
les Montagnets qui m'attendoient, & quatre
barques, cõme i'ay dit cy deſſus, qui y eſtoient
allees pour traicter auec eux.

Les ſauuages furent reſiouis de me voir. Ie
fus à terre parler à eux. Ils me prierent, qu'allant à la guerre ie ne m'embarquaſſe point, n'y
mes cõpagnõs auſſi, en d'autres canots que les
leurs, & qu'ils eſtoient nos antiens amis: ce que
ie leur promis, leur diſant que ie voulois partir
tout à l'heure, d'autãt que le vent eſtoit, bon &
que ma barque n'eſtoit point ſi aiſee que leurs
canots, & que pour cela ie voulois prendre
l'aduant. Ils me prierent inſtamment d'attendre au lendemain matin, que nous irions
tous enſemble, & qu'ils ne feroient pas plus de
chemin que moy: Enfin pour les contenter,

ie leurs promis, dont ils furent fort ioyeux.

Le iour enſuiuát nous partiſmes tous enſéble vogans iuſques au lendemain matin 19. iour dudit mois, qu'arriuaſmes à vne iſle deuant ladite riuiere des Yroquois, en attendant les Algoumequins qui deuoient y venir ce meſme iour. Comme les Montagnets couppoient des arbres pour faire place pour danſer & ſe mettre en ordre à l'arriuee deſdits Algoumequins, voicy vn canot Algoumequin qu'on aperceut venir en diligence aduertir que les Algoumequins auoient fait rencontre des Yroquois, qui eſtoient au nombre de cent, & qu'ils eſtoient fort bien barricadez, & qu'il ſeroit malaiſé de les emporter, s'ils ne venoient promptement, & les Matigoches auec eux (ainſi nous appelent ils.)

Auſſitoſt l'alarme commença par my eux, & chacun ſe mit en ſon canot auec ſes armes. Ils furent promptement en eſtat, mais auec confuſion: car ils ſe precipitoient ſi fort que au lieu d'aduancer ils ſe retardoiét. Ils vindrét à noſtre barque, & aux autres, me priát d'aller auec eux dás leurs canots, & mes compagnons auſſi, & me preſſerent ſi fort que ie m'y embarquay moy cinquieſme. Ie priay la Routte qui eſtoit noſtre pilotte, de demeurer en la barque, & m'enuoyer encores quelque 4. ou 5. de mes

com-

compagnons, ſi les autres barques enuoyoient
quelques chalouppes auec hommes pour nous
donner ſecours: Car aucunes des barques n'y
voulut aller auec les ſauuages, horſmis le Capitaine Thibaut qui vint auec moy, qui auoit
là vne barque. Les ſauuages crioyent à ceux
qui reſtoient qu'ils auoient cœur de femmes, & ne ſçauoient faire autre choſe que la
guerre à leurs pelleteries.

Cependant aprés auoir fait quelque demie
lieue, en trauerſant la riuiere tous les ſauuages mirent pied à terre, & abandonnant leurs
canots prindrét leurs rondaches, arcs, fleſches,
maſſues & eſpees, qu'ils amanchent au bout
de grands baſtons, & comméçerent à prendre
leur courſe dás les bois, de telle façon que nous
les euſmes bien toſt perdus de veuë, & nous
laiſſerent cinq que nous eſtions ſans guides.
Cela nous apporta du deſplaiſir: neantmoins
voyát touſiours leurs briſees nous les ſuiuions;
mais ſouuent nous nous abuſions. Comme
nous euſmes fait enuiron demie lieue par l'e-
ſpois des bois, dans des pallus & mareſcages,
touſiours l'eau iuſques aux genoux, armez chacũ d'vn corcelot de piquier qui nous importunoit beaucoup, & auſſi la quantité des mouſquites, qui eſtoient ſi eſpoiſſes qu'elles ne
nous permettoient point preſque de repren-

dre noftre halaine, tant elles nous perfecu-
toient, & fi cruellement que c'eftoit chofe
eftrange, nous ne fçauions plus où nous eftions
fans deux fauuages que nous apperceufmes tra-
uerfans le bois, lefquels nous appelafmes, &
leur dy qu'il eftoit neceffaire qu'ils fuffent auec
nous pour nous guider & côduire où eftoient
les Yroquois, & qu'autremét nous n'y pourriós
aller, & que nous nous efgareriós dans les bois.
Ils demeurerét pour nous côduire. Ayant fait
vn peu de chemin, nous apperceufmes vn fauu-
uage qui venoit en diligéce nous chercher pour
nous faire aduancer le plus promptement qu'il
feroit poffible, lequel me fit entédre que les Algoumequins & Môtagnets auoient voulu forcer la barricade des Yroquois & qu'ils auoient
efté repouffés, & qu'il y auoit eu de meilleurs
hommes Montagnets tuez, & plufieurs autres
bleffez, & qu'ils s'eftoiét retirez en nous attendant, & que leur efperance eftoit du tout en
nous. Nous n'eufmes pas fait demy quart de
lieue auec ce fauuage qui eftoit Capitaine Algoumequin, que nous entendiós les hurlemés
& cris des vns & des autres, qui s'entre difoiét
des iniures, efcarmouchans toufiours legere-
ment en nous attendant. Auffitoft que les fauuages nous apperçeurent ils commencerent à
s'efcrier de telle façon, qu'on n'euft pas enten-

du tonner. Ie dónay charge à mes compagnós
de me fuiure toufiours, & ne m'efcarter point.
Ie m'approchay de la barricade des ennemis
pour la recognoiftre. Elle eftoit faite de puif-
fants arbres, arrangez les vns fur les autres en
rond, qui eft la forme ordinaire de leurs forte-
reffes. Tous les Montagnets & Algoumequins
s'approcherét auffi de lad. barricade. Lors nous
comméçafmes à tirer force coups d'arquebufe
à trauers les fueillards, d'autant que nous ne les
pouuions voir comme eux nous. Ie fus bleffé
en tirant le premier coup fur le bord de leur
barricade, d'vn coup de flefche qui me fendit
le bout de l'oreille & entra danc le col. Ie prins
la flefche qui me tenoit encores au col & l'ara-
chay: elle eftoit ferree par le bout d'vne pierre
bien aigue. Vn autre de mes compagnons en
mefme temps fut auffi bleffé au bras d'vne autre flefche, que ie luy arrachay. Neantmoins
ma bleffeure ne m'épefcha de faire le deuoir; &
nos fauuages auffi de leur part, & pareillement
les ennemis, tellement qu'on voyoit voler
les flefches d'vne part & d'autre, menu comme grefle: Les Yroquois s'eftonnoient du bruit
de nos arquebufes, & principalemét de ce que
les balles perfoient mieux que leurs flefches; &
eurent tellement l'efpouuate de l'effet qu'elles
faifoient, voyát plufieurs de leurs cópaignons

Ii ij

tombez morts,& bleſſez, que de crainte qu'ils
auoient, croyans ces coups eſtre ſans remede ils ſe iettoient par terre, quand ils entendoient le bruit: auſſi ne tirions gueres à faute,
& deux ou trois balles à chacun coup, & auiós
la pluſpart du temps nos arquebuſes appuyées
ſur le bord de leur barricade. Comme ie vy
que nos munitions commençoiét à manquer,
ie dy à tous les ſauuages, qu'il les falloit emporter de force & rompre leurs barricades, &
pour ce faire prendre leurs rondaches &
s'en couurir, & ainſi s'en aprocher de ſi prés
que l'on peuſt lier de bónes cordes aux pilliers
qui les ſouſtenoient, & à force de bras tirer tellement qu'on les renuerſaſt, & par ce moyen y
faire ouuerture ſuffiſante pour entrer dedans
leur fort : & que cependant nous à coups d'arquebuſes repouſſerions les ennemis qui viendroient ſe preſenter pour les en empeſcher : &
auſſi qu'ils euſſent à ſe mettre quelque quantité aprés de grands arbres qui eſtoient proches
de ladite barricade, afin de les renuerſer deſſus
pour les accabler, que d'autres couuriroient
de leurs rondaches pour empeſcher que les ennemis ne les endommageaſſent,ce qu'ils firent
fort promptemét. Et comme on eſtoit en train
de paracheuer, les barques qui eſtoient à vne
lieue & demie de nous nous entendoiét battre

par l'equo de nos arquebufades qui refonnoit
iufques à eux, qui fit qu'vn ieune homme de
fainct Maflo plein de courage, appelé des Prairies, qui auoit fa barque comme les autres pour
la traite de pelleterie, dit à tous ceux qui reftoient, que c'eftoit vne grande honte à eux de
me voir battre de la façon auec des fauuages,
fans qu'ils me vinffét fecourir, & que pour luy
il auoit trop l'honneur en recommádation, &
qu'il ne vouloit point qu'ó luy peut faire ce re-
proche:& fur cela fe delibera de me venir trouuer dans vne chalouppe auec quelques fiens
compagnons, & des miens qu'il amena auec
luy. Auffitoft qu'il fut arriué il alla vers le fort
des Yroquois, qui eftoit fur le bort de la riuiere,
où il mit pied à terre, & me vint chercher.
Comme ie le vis, ie fis ceffer nos fauuages qui
rompoient la fortereffe, afin que les nouueaux
venus euffent leur part du plaifir. Ie priay le
fieur des Prayries & fes compagnons de faire
quelque falue d'arquebufades, auparauant
que nos fauuages les emportaffent de force,
comme ils auoient deliberé: ce qu'ils firent, &
tirerent plufieurs coups, où chacun d'eux fe
comporta bien en fon deuoir. Et aprés auoir
affez tiré, ie m'adreffe à nos fauuages & les in-
citay de paracheuer: Auffitoft s'aprochans de
ladite barricade comme ils auoient fait aupa-

rauant,& nous à leurs aifles pour tirer fur ceux
qui les voudroient empefcher de la rompre. Ils
firent fi bien & vertueufement qu'à la faueur
de nos arquebufades ils y firent ouuerture,
neantmoins difficile à pafser,car il y auoit encores la hauteur d'vn homme pour entrer dedans, & des branchages d'arbres abbatus, qui
nuifoient fort: Toutesfois quãd ie vey l'entree
affez raifonnable, ie dy qu'on ne tiraft plus:
ce qui fut fait: Au mefme inftãt quelquevingt
ou trẽte, tant des fauuages que de nous autres,
entrafmes dedans l'efpee en la main, fans trouuer beaucoup de refiftance. Auffitoft ce qui
reftoit fain commença à prendre la fuitte:mais
ils n'alloient pas loing, car ils eftoient defaits
par ceux qui eftoient à l'entour de ladite bari-
cade:& ceux qui efchaperent fe noyerent dans
la riuiere. Nous prifmes quelques quinze prifonniers, le refte tué à coups d'arquebufe,de
flefches & d'efpee. Quand ce fut fait, il vint
vne autre chalouppe & quelques vns de nos
compagnons dedans,qui fut trop tart: toutesfois affez à téps pour la defpouille du butin,qui
n'eftoitpas grãd chofe:ilny auoit que des robes
de caftor, des morts, plains de fang, que les fauuages ne vouloiẽt prẽdre la peine de defpouil-
ler,& fe moquoiẽt de ceux qui le faifoient,qui
furent ceux de la derniere chalouppe: Car les

autres ne se mirent en ce villain deuoir. Voila
donc auec la grace de Dieu la victoire obtenue, dontils nous donnerent beaucoup de louange.

Fort des Yroquois.

A Le fort des Yroquois. B Yroquois se iettans en la ri uiere pour se sauuer pour- suiuis par les Môtaignets & Algoumequins se iettant aprés eux pour les tuer.	D Le sieur de Champlain& 5. des siens. E Tous nos sauuages amis. F Le sieur des Prairies de S. Maslo auec ses côpagnons.	G Chaloupe dudit sieur des Prairies. H Grands arbres couppés pour ruiner le fort des Yro- quois.

Ces sauuages escorcherent les testes de ceux
qui estoient morts, ainsi qu'ils ont accoustumé
de faire pour trophee de leur victoire, & les
emportent. Ils s'en retournerent auec cinquante blessez des leurs, & trois hommes morts
desdicts Montagnets & Algoumequins, en
chantant, & leurs prisonniers auec eux. Ayant
les testes pendues à des bastons deuant leurs
canots, & vn corps mort couppé par quartiers,
pour le manger par vengeance, à ce qu'ils disoient, & vindrent en ceste façon iusques où
estoient nos barques audeuant de ladite riuiere des Yroquois.

Et mes compagnons & moy nous embarquasmes dans vne chaloupe, où ie me fis penser de ma blesseure par le chirurgien de Boyer

deRouen qui y eſtoit venu auſſi pour la traicte.
Tout ce iour ſe paſſa auec les ſauuages en danſes & chançons.

Le lendemain ledit ſieur duPont arriua auec
vne autre chalouppe chargée de quelques marchandiſes & vne autre qu'il auoit laiſſee derriere où eſtoit le Capitaine Pierre qui ne pouuoit venir qu'auec peine, eſtant ladite barque
vn peu lourde & malaiſee à nager.

Cedit iour on traicta quelque pelleterie,
mais les autres barques emporterent la meilleure part du butin. C'eſtoit leur auoir fait vn
grand plaiſir de leur eſtre allé chercher des nations eſtrangeres, pour aprés emporter le pro-
fit ſans aucune riſque ny hazard.

Ce iour ie demanday aux ſauuages vn priſonnier Yroquois qu'ils auoient, lequel ils me
donnerent. Ie ne fis pas peu pour luy, car ie le
ſauuay de pluſieurs tourmens qu'il luy euſt fallu ſouffrir auec ſes compagnons priſonniers,
auſquels. Ils arrachoient les ongles, puis leur
couppoient les doits, & les bruſloient en pluſieurs endroits. Ils en firent mourir ledit iour
deux ou trois, & pour leur faire ſouffrir plus
de tourmens ils en vſent ainſi.

Ils prindrent leurs priſonniers & les emme-
nerent ſur le bort de l'eau & les attacherent
tous droits à vn baſton, puis chacun venoit
auec

auec vn flâbeau d'efcorfe de bouleau, les brul-
lans tantoſt fur vne partie tantoſt fur l'autre: &
les pauures miferables ſétás ce feu faifoiét des
cris ſi haut que c'eſtoit choſe eſtrange à ouyr,
& des cruautez dont ces barbares vſent les vns
enuers les autres. Aprés les auoir bien fait languir de la façon, & les bruſlás auec ladite eſcorce, ils prenoient de l'eau & leur iettoient ſur
le corps pour les faire languir d'auantage:
puis leur remettoient de rechef le feu de telle façon, que la peau tomboit de leurs corps,
& continuoyent auec grands cris & exclama-
tions, danfant iufques à ce que ces pauures
miferables tombaſſent morts ſur la place.

Auffi toſt qu'il tomboit vn corps mort à
terre, ils frappoient deffus à grands coups de
baſton, puis luy coupoient les bras & les iambes, & autres parties d'iceluy, & n'eſtoit tenu
pour homme de bien entr'eux celuy qui ne
couppoit vn morceau de ſa chair & ne la donnoit aux chiens. Voila la courtoiſie que reçoi-
uent les priſonniers. Mais neâtmoins ils endurent ſi conſtamment tous les tourmens qu'on
leur fait, que ceux qui les voyent en demeu-
rent eſtonnez.

Quant aux autres priſonniers qui reſterent,
tant aux Algoumequins que Montagnets,
furent conſeruez pour les faire mourir par

K k

les mains de leurs femmes & filles, qui en cela ne se monstrent pas moins inhumaines que les hommes, encores elles les surpassent de beaucoup en cruauté: car par leur subtilité elles inuentét des supplices plus cruels,& y prennent plaisir,les faisant ainsi finir leur vie en douleurs extresmes.

Le lendemain arriua le Capitaine Yroquet & vn autre Ochatagin, qui auoient quelques 80.hommes,qui estoient bien faschez de ne s'estre trouuez à la deffaite: En toutes ces nations il y auoit bien prés de 200. hómes qui n'auoiét iamais veu de Chrestiens qu'a lors,dont ils firent de grandes admirations.

Nous fusmes quelques trois iours ensemble à vne isle le trauers de la riuiere des Yroquois, & puis chacune des nations s'en retourna en son pays.

I'auois vn ieune garçon, qui auoit desia yuerné deux ans à Quebecq, lequel auoit desir d'aller auec les Algoumequins, pour apprendre la langue. Pont-graué & moy aduisasmes que s'il en auoit enuie que ce seroit mieux fait de l'enuoyer là qu'ailleurs, pour sçauoir quel estoit leur pays, voir le grand lac, remarquer les riuieres,quels peuples y habitent; ensemble descouurir les mines & choses les plus rares de ces lieux & peuples, afin qu'à son retour nous

peuſſions eſtre informez de la verité.Nous luy
demandaſmes s'il l'auoit aggreable : car de l'y
forcer ce n'eſtoit ma volonté:mais auſſi toſt la
demande faite, il accepta le voyage tres-vo-
lontiers.

Ie fus trouuer le Capitaine Yroquet qui
m'eſtoit fort affectionné, auquel ie demanday
s'il vouloit emmener ce ieune garçon auec luy
en ſon pays pour y yuerner , & le ramener au
printemps: Il me promit le faire, & le tenir
comme ſon fils, & qu'il en eſtoit treſ-content.
Il le va dire à tous les Algoumequins, qui n'en
furent pas trop contens, pour la crainte que
quelque accident ne luy arriua: & que pour
cela nous leur fiſſions la guerre. Ce doubte
refroidit Yroquet , & me vint dire que tous
ſes compagnons ne le trouuoient pas bon:Ce-
pendant toutes les barques s'en eſtoient allees,
horſmis celle du Pont,qui ayant quelque affaire preſſee , à ce qu'il me dit, s'en alla auſſi: &
moy ie demeuray auec la mienne, pour voir ce
qui reuſſiroit du voyage de ce garçon que i'a-
uois enuie qu'il fit.Ie fus dõc à terre & demanday à parler aux Capitaines, leſquels vindrent
à moy & nous aſſiſmes auec beaucoup d'autres ſauuages anciens de leurs trouppes: puis ie
leur demanday pourquoy le Capitaine Yro-

quet que ie tenois pour mon amy, auoit refufé
d'emmener mon garçon auec luy. Que ce n'e-
ftoit pas comme frere ou amy, de me defnier
vne chofe qu'il m'auoit promis, laquelle ne
leur pouuoit apporter que du bien ; & que en
emmenant ce garçon, c'eftoit pour contracter
plus d'amitié auec eux, & leurs voifins que n'a-
uions encores fait ; & que leur difficulté me
faifoit auoir mauuaife opinion d'eux ; & que
s'ils ne vouloient emmener ce garçon, ce que le
Capitaine Yroquet m'auoit promis, ie n'aurois
iamais d'amitié auec eux, car ils n'eftoient pas
enfans pour reietter cefte promeffe. Alors ils
me dirent qu'ils en eftoient bien contens, mais
que changeant de nourriture, ils craignoient
que n'eftant fi bien noury comme il auoit accouftumé, il ne luy arriua quelque mal dont
ie pourrois eftre fafché, & que c'eftoit la feule
caufe de leur refus.

Ie leur fis refponce que pour la vie qu'ils faifoient, & des viu res dont ils vfoient, ledit garçon s'y fçauroit bien accommoder, & que fi
par maladie ou fortune de guerre il luy furue-
noit quelque mal, cela ne m'empefcheroit de
leur vouloir du bien, & que nous eftions tous
fubiects aux accidens, qu'il failloit prendre
en patience: Mais que s'ils le traitoyent mal, &
qu'il luy arriua quelque fortune par leur faute,

qu'à la verité i'en ferois mal content; ce que
ie n'efperois de leur part, ains tout bien.

Ils me dirent, puis donc que tu as ce defir,
nous l'emmenerons & le tiendrons comme
nous autres : Mais tu prendras auffi vn ieune
homme en fa place, qui ira en France: Nous
ferós bien aifes qu'il nous rapporte ce qu'il aura veu de beau. Ie l'acceptay volontiers, & le
prins. Il eftoit de la nation des Ochateguins,
& fut auffi fort aife de venir auec moy. Cela
donna plus de fubiect de mieux traicter mon
garçon, lequel i'efquippay de ce qui luy eftoit
neceffaire, & promifmes les vns aux autres de
nous reuoir à la fin de Iuin.

Nous nous feparafmes auec force promeffes d'amitié. Ils s'en allerent donc du cofté du
grand faut de la riuiere de Canadas, & moy,
ie m'en retournay à Quebecq. En allant ie
rencontray le Pont-graué, dedans le lac fainct
Pierre, qui m'attendoit auec vne grande pattache qu'il auoit rencontree audit lac, qui n'a-
uoit peu faire diligence de venir iufques où
eftoient les fauuages, pour eftre trop lourde
de nage.

Nous nous en retournafmes tous enfemble
à Quebecq : puis ledit Pont-graué s'en alla à
Tadouffac, pour mettre ordre à quelques affaires que nous auions en ces quartiers là; &

K k iij

moy ie demeuray à Quebecq pour faire redifier quelques pallissades au tour de nostre habitation, attendant le retour dudit Pont-graué, pour aduiser ensemblement à ce qui seroit necessaire de faire.

Le 4. de Iuin des Marests arriua à Quebecq, qui nous resiouit fort: car nous doubtions qu'il luy fut arriué quelque accident sur la mer.

Quelques iours aprés vn prisonnier Yroquois que i'y faisois garder, par la trop grande liberté que ie luy donnois s'en fuit & se sauua, pour la crainte & apprehension qu'il auoit: nonobstant les asseurances que luy donnoit vne femme de sa nation que nous auions en nostre habitation.

Peu de iours aprés, le Pont-graué m'escriuit qu'il estoit en deliberation d'yuerner en l'habitatió, pour beaucoup de considerations qui le mouuoient à ce faire. Ie luy rescriuy, que s'il croyoit mieux faire que ce que i'auois fait par le passé qu'il feroit bien.

Il fit donc diligence de faire apporter les commoditez necessaires pour ladite habitation.

Aprés que i'eu fait paracheuer la pallissade autour de nostre habitation, & remis toutes choses en estat, le Capitaine Pierre reuint dans vne barque qui estoit allé à Ta-

doussac voir de ses amis : & moy i'y fus aussi
pour voir ce qui reussiroit de la seconde traite
& quelques autres affaires particulieres, que
i'y auois. Où estant ie trouuay ledit Pont-graué qui me communiqua fort particulierement
son dessin, & ce qui l'occasionnoit d'yuerner.
Ie luy dis sainement ce qu'il m'en sembloit,
qui estoit, que ie croyois qu'il n'y proffiteroit
pas beaucoup, selon les apparences certaines
qui se pouuoient voir.

Il delibera donc changer de resolution, &
despescha vne barque, & manda au Capitaine
Pierre qu'il reuint de Quebecq pour quelques
affaires qu'il auoit auec luy : & aussi que quelques vaisseaux, qui estoient venus de Brouage
apporterent nouuelles, que monsieur de sainct
Luc estoit venu en poste de Paris , & auoit
chassé ceux de la Religion, hors de Brouage, & renforcé la garnison de soldats, & s'en
estoit retourné en Court : & que le Roy auoit
esté tué, & deux ou trois iours aprés luy, le
duc de Suilly, & deux autres seigneurs dont
on ne sçauoit le nom.

Toutes ces nouuelles apporterent vn grand
desplaisir aux vrais François, qui estoient lors
en ces quartiers là : Pour moy, il m'estoit fort
malaisé de le croire , pour les diuers discours
qu'on en faisoit, qui n'auoient pas beaucoup

d'apparence de verité: & toutesfois bien affli-
gé d'entédre de si mauuaises nouuelles.

Or aprés auoir seiourné trois ou quatre iours
à Tadoussac, & veu la perte que firent beaucoup de marchans qui auoient chargé grande
quantité de marchandises & equipé bon nombre de vaisseaux, esperant faire leurs affaires en
la traite de Pelleterie, qui fut si miserable pour
la quantité de vaisseaux, que plusieurs se sou-
uiendront long temps de la perte qu'ils firent
en ceste annee.

Ledit sieur de Pont-graué & moy, nous
nous embarquasmes chacun dans vne barque,
& laissasmes ledit Capitaine Pierre au vaisseau
& emmenasmes le Parc à Quebecq, où nous
paracheuasmes de mettre ordre à ce qui restoit
de l'habitation. Aprés que toutes choses furent
en bon estat, nous resolusmes que ledit du Parc
qui auoit yuerné auec le Capitaine Pierre y demeuroit derechef, & que le Capitaine Pierre
reuiendroit aussi en France, pour quelques affaires qu'il y auoit, & l'y appelloient.

Nous laissasmes donc ledit du Parc, pour y
commander, auec seize hommes, ausquels
nous fismes vne remóstrance, de viure tous sa-
gement en la crainte de Dieu, & auec toute
l'obeissance qu'ils deuoient porter audit du
Parc, qu'on leur laissoit pour chef & conducteur,

&cteur, comme si l'vn de nous y demeuroit ; ce qu'ils promirent tous de faire, & de viure en paix les vns auec les autres.

Quand aux iardins nous les laissasmes bien garnis d'herbes potageres de toutes sortes, auec de fort beau bled d'Inde,& du froument, seigle & orge, qu'on auoit semé, & des vignes que i'y auois fait planter durant mon yuernement(qu'ils ne firent aucun estat de conseruer: car à mon retour, ie les trouuay toutes rompues, ce qui m'aporta beaucoup de desplaisir, pour le peu de soin qu'ils auoient eu à la conseruation d'vn si bon & beau plan , dont ie m'estois promis qu'il en reussiroit quelque chose de bon.)

Aprés auoir veu toutes choses en bon estat, nous partismes de Quebecq, le 8. du mois d'Aoust, pour aller à Tadoussac, afin de faire apareiller nostre vaisseau; ce qui fut promptement fait.

RETOVR EN FRANCE. RENCONTRE D'VNE BA-
laine, & de la façon qu'on les prent.

CHAP. III.

LE 13. dudit mois nous partismes de Tadoussac,& arriuasmes à l'isle Percee le lendemain, où nous trouuasmes quantité de vaisseaux faisant pesche de poisson sec & vert.

Le 18. dudit mois, nous partiſmes de l'iſle
Percee & paſſames par la hauteur de 42. degrez de latitude, ſans auoir aucune cognoiſſance du grand banc, où ſe fait la peſche du poiſſon vert, pour ledit lieu eſtre trop eſtroit en
ceſte hauteur.

Eſtant comme à demy trauerſé, nous rencontraſmes vne balaine qui eſtoit endormie,
& le vaiſſeau paſſant pardeſſus, luy fit vne fort
grande ouuerture proche de la queue, qui la fit
biē toſt reſueiller ſans que noſtre vaiſſeau en fut
endomage, & ietta grāde abbondāce de ſang.

Il m'a ſemblé n'eſtre hors de propos de faire
icy vne petite deſcription de la peſche des ba-
laines, que pluſieurs n'ont veue, & croyent
qu'elles ſe prennēt à coups de canon, d'autant
qu'il y a de ſi impudens menteurs qui l'affer-
mēt à ceux qui n'en ſçauent rien. Pluſieurs me
l'ont ſouſtenu obſtinemēt ſur ces faux raports.

Ceux donc qui ſont plus adroits à ceſte peſche
ſont les Baſques, leſquels pour ce faire mettent
leurs vaiſſeaux en vn port de ſeureté, ou proche
de la où ils iugent y auoir quantité de ballai-
nes, & equipent pluſieurs chalouppes garnies
de bons hommes & hauſſieres, qui ſont petites
cordes faites du meilleur chanure qui ſe peut
recouurer, ayant de lōgeur pour le moins cent
cinquante braſſes, & ont force pertuſanes lon•

gues de demie pique qui ont le fer large de six
pouces, d'autres d'vn pied & demy & deux de
long, bien tranchantes. Ils ont en chacune chalouppe vn harponneur, qui est vn homme des
plus dispos & adroits d'entre eux; aussi tire il
les plus grands salaires aprés les maistres, d'autant que c'est l'office le plus hazardeux. Ladite
chalouppe estant hors du port, ils regardent de
toutes parts s'ils pourront voir & descouurir
quelque balaine, allant à la borde d'vn costé&
d'autre: & ne voyant rien, ils vont à terre & se
mettent sur vn promontoire le plus haut qu'ils
trouuent pour descouurir de plus loing, où ils
mettét vn hôme en sentinelle, qui aperceuât la
balaine, qu'ils descouurét tant par sa grosseur,
que par l'eau qu'elle iette par les esuans, qui est
plus d'vn poincon à la fois, & de la hauteur de
deux lances; & à ceste eau qu'elle iette, ils iugent ce qu'elle peut rendre d'huille. Il y en à
telle d'où l'on en peut tirer iusques à six vingts
poinçons, d'autres moins. Or voyant cet espouuantable poisson, ils s'embarquent promptemét dás leurs chalouppes, & à force de rames,
ou de vent vont iusques à ce qu'ils soient dessus. La voyant entre deux eaues, à mesme in-
stant l'harponneur est au deuât de la chalouppe auec vn harpon, qui est vn fer long de deux
pieds & demy de large par le bas, emmanché

en vn bafton de la longueur d'vne demie pique, où au milieu il y a vn trou où s'attache la
hauffiere, & auffi toft que ledit harponneur
voit fon temps, il iette fon harpon fur la balaine, lequel entre fort auant, & incontinét qu'elle fe fent bleffée, elle va au fonds de l'eau. Et fi
d'aduenture en fe retournát quelque fois, auec
fa queue elle rencontre la chalouppe, ou les
hommes, elle les brife auffi facilement qu'vn
verre. C'eft tout le hazard qu'ils courét d'eftre
tuez en la harponnant: Mais auffitoft qu'ils ont
ietté le harpon deffus, ils laiffent filer leur
hauffiere, iufques à ce que la balaine foit
au fonds: & quelque fois cóme elle n'y va pas
droit, elle entraine la chalouppe plus de huit
ou neuf licues, & va auffi vifte cómevn cheual,
& font le plus fouuent contraints de coupper
leur hauffiere, craignant que la balaine ne les
attire foubs l'eau: Mais auffi quand elle va au
fonds tout droit, elle y repofe quelque peu, &
puis reuient tout doucement fur l'eau: & à
mefure qu'elle monte, ils rembarquent leur
hauffiere peu à peu: & puis comme elle eft deffus, ils fe mettent deux ou trois chalouppes autour auec leurs pertufanes, defquelles ils luy dó-
nent plufieurs coups, & fe fentant frappee, elle
defcend de rechef foubs l'eau en perdant fon
fang, & s'affoiblit de telle façó, qu'elle n'a plus

de force ne vigueur, & reuenant fur l'eau ils
acheuent de la tuer : & quand elle eſt morte,
elle ne va plus au fonds de l'eau, lors ils l'attachent auec de bonnes cordes, & la trainent à
terre, au lieu où ils font leur degrat, qui eſt l'endroit où ils font fondre le lard de ladite balaine, pour en auoir l'huille. Voila la façon que
elles ſe peſchét, & non à coups de canon, ainſi
que pluſieurs penſét, comme i'ay dit cy deſſus.
Pour reprendre le fil de mon diſcours, Aprés la
bleſſure de la balaine cy deuant, nous priſmes
quantité de marſouins, que noſtre contre maiſtre harponna, dont nous receuſmes du plaiſir
& contentement.

Auſſi priſmes nous quantité de poiſſon à la
grád oraille auec vne ligne & vn aim, où nous
attachions vn petit poiſſon reſſemblant au harang, & la laiſſions trainer derriere le vaiſſeau,
& la grand oreille penſant en effect que ſe fut
vn poiſſon vif, venoit pour l'engloutir, & ſe
trouuoit auſſitoſt prins à l'aim qui eſtoit paſſé
dans le corps du petit poiſſon. Il eſt treſbon, &
à de certaines aigrettes qui ſon fort belles, &
aggreables comme celles qu'on porte aux pen-
naches.

Le 22. de Septembre, nous arriuaſmes ſur la
ſonde, & aduiſaſmes vingt vaiſſeaux qui eſtoiét
à quelque quatre lieux à l'Oueſt de nous, que

nous iugions eſtre Flamans à les voir de noſtre vaiſſeau.

Et le 25. dudit mois nous euſmes la veue de l'iſle de Grenezé, aprés auoir eu vn grand coup de vent, qui dura iuſques ſur le midy.

Le 27. dudit mois arriuaſmes à Honfleur.

LE TROISIESME
VOYAGE DV SIEVR DE
Champlain en l'annee 1611.

PARTEMENT DE FRANCE POVR RETOVRNER
en la nouuelle France. Les dangers & autres choses qui arriuerent iusques
en l'habitation.

CHAP. I.

Ous partismes de Honfleur, le premier iour de Mars auec vent fauorable iusques au huictiesme dudit mois, & depuis fusmes contrariés du vent de Su Suroüeſt & Oüeſt Noroüeſt qui nous fit aller iusques à la hauteur de 42. degrez de latitude, sans pouuoir esleuer Su, pour nous mettre au droit chemin de noſtre routte. Aprés donc auoir eu plusieurs coups de vent, & eſté contrariés de mauuais téps : Et neátmoins, auec tant de peines & trauaux, à force de tenir à vn bort & à l'autre, nous fiſmes en ſorte que nous arriuasmes à quelque 80. lieux du grand banc où ſe fait la peſche du poiſſon vert, où nous rencontrasmes des glaces de plus de trente à quarante braſſes de haut, qui nous fit bien penſer à ce que nous

deuions faire, craignant d'en rencontrer d'autres la nuit , & que le vent venant à changer, nous pouſſaſt contre, iugeant bien que ce ne ſeroit les dernieres, d'autāt que nous eſtiós partis de trop bonne heure de France. Nauigeant donc le long de cedit iour à baſſe voile au plus prés du vent que nous pouuions, la nuit eſtant venue, il ſe leua vne brume ſi eſpoiſſe, & ſi obſcure, qu'a peine voyons nous la longueur du vaiſſeau. Enuiron ſur les onze heures de nuit les matelots aduiſerét d'autres glaces qui nous donnerét de l'apprehenſió, mais enfin nous fiſmes tant auec la diligence des mariniers, que nous les eſuitaſmes. Penſant auoir paſſé les dāgers nousvinſmes à en rencótrer vne deuāt noſtre vaiſſeau que les matelots apperceurent, & non ſi toſt que nous fuſmes preſques portez deſſus. Et comme vn chacun ſe recommendoit à Dieu, ne penſant iamais eſuiter le danger de ceſte glace qui eſtoit ſoubs noſtre beau pré, l'on crioit au gouuerneur qu'il fit porter : Car ladite glace, qui eſtoit fort grande driuoit au vent d'vne telle façon qu'elle paſſa contre le bord de noſtre vaiſſeau, qui demeura court comme s'il n'euſt bougé pour la laiſſer paſſer, ſans toutesfois l'offencer : Et bien que nous fuſſions hors du danger : ſi eſt ce que le ſang d'vn chacun, ne fut ſi promptement raſſis , pour
l'appre-

l'apprehention qu'on en auoit euë, & louafmes
Dieu de nous auoir deliurez de ce peril. Aprés
ceſtuy là paſſé, ceſte meſme nuit nous en paſſames deux ou trois autres, non moins dangereux que les premiers, auec vne brume plu-
uieuſe & froide au poſſible, & de telle façon que l'on ne ſe pouuoit preſque rechauf-
fer. Le lendemain continuant noſtre routte
nous rencontraſmes pluſieurs autres grandes & fort hautes glaces, qui ſembloient des
iſles à les voir de loin, toutes leſquelles eui-
taſmes, iuſques à ce que nous arriuaſmes ſur ledit grand banc, où nous fuſmes fort contrariez
de mauuais temps l'eſpace de ſix iours : Et le
vent venant à eſtre vn peu plus doux & aſſez
fauorable, nous deſbanquaſmes par la hauteur
de 44. degrez & demy de latitude, qui fut le-
plus Su que peuſmes aller. Aprés auoir fait
quelque 60. lieues à l'Oueſt-noroueſt nous apperceuſmes vn vaiſſeau qui venoit nous recognoiſtre, & puis fit porter à l'Eſt-nordeſt, pour
eſuiter vn grand banc de glace contenát toute
l'eſtádue de noſtre veuë. Et iugeans qu'il pouuoit auoir paſſage par le milieu de ce grand
banc, qui eſtoit ſeparé en deux, pour parfaire
noſtredite routte nous entraſmes dedans &
y fiſmes quelque 10. lieues ſans voir autre apparence que de beau paſſage iuſques au ſoir, que

M m

nous trouuasmes ledit banc seelé, qui nous dóna bien à penser ce que nous auions à faire, la
nuit venant, & au defaut de la lune ; qui nous
oſtoit tout moien de pouuoir retourner d'où
nous eſtions venus: & neantmoins aprés auoir
bien penſé, il fut reſolu de rechercher noſtre
entree à quoy nous nous miſmes en deuoir:
Mais la nuiƈt venant auec brumes, pluye & neges, & vn vent ſi impetueux que nous ne pouuions preſque porter noſtre grand papeſi,
nous oſta toute cognoiſſance de noſtre chemin. Car comme nous croyons eſuiter leſdites glaces pour paſſer, le vent auoit deſia fermé
le paſſage ; de façon que nous fuſmes cótrainƈts
de retourner à l'autre bord, & n'auions loiſir
d'eſtre vn quart d'heure ſur vn bord amurés,
pour r'amurer ſur l'autre, afin d'eſuiter milles
glaces qui eſtoiét de tous coſtez: & plus de 20.
fois ne penſions ſortir nos vies ſauues. Toute la
nuiƈt ſe paſſa en peines & trauaux: & iamais
ne fut mieux fait le quart, car parſonne n'auoit
enuie de repoſer, mais bié de s'eſuertuer de ſortir des glaces & perils. Le froid eſtoit ſi grand
que tous les maneuures dudit vaiſſeau eſtoient
ſi gelez & pleins de gros glaçós, que l'ó ne pouuoit manouurer, ny ſe tenir ſur le Tillac dudit
vaiſſeau. Aprés donc auoir bien couru d'vn co-
te & d'autre, attendant le iour, qui nous don-

noit quelque efperance: lequel venu auec vne
brume, voyant que le trauail & fatigue ne
pouuoit nous feruir, nous refolufmes d'aller à
vn banc de glace, où nous pourrions eftre à l'a-
brit du grand vent qu'il faifoit,& amener tout
bas, & nous laiffer driuer comme lefdites glaces, afin que quand nous les aurions quelque
peu efloignees nous remiffions à la voile,
pour aller retrouuer ledit bác, & faire comme
auparauant, attendât que la brume fut paffée,
pour pouuoir fortir le plus promptement que
nous pourrions. Nous fufmes ainfi tout le iour
iufques au lendemain matin, où nous mifmes à la voille, allant tantoft d'vn cofté &
d'autre, & n'allions en aucun endroit que ne
nous trouuafions enfermez en de grands bancs
de glaces, comme en des eftangs qui font en
terre. Le foir apperceufmes vn vaiffeau, qui
eftoit de l'autre cofté d'vn defdicts bancs de
glace, qui, ie m'affeure, n'eftoit point moins en
foing que nous,& fufmes quatre ou cinq iours
en ce peril en extremes peines,iufques à ce qu'a
vn matin iettans la veue de tous coftez nous
n'apperceufmes aucun paffage, finon à vn endroit où l'on iugea que la glace n'eftoit efpoiffe, & que facillement nous la pourrions paffer.
Nous nous mifmes en deuoir & paffames par
quâtité de bourguignons, qui font morceaux

de glace feparez des grands bancs par la vio-
lance des vents. Eftans paruenus audit banc de
glaffe, les matelots commencerent à s'armer de
grands auirons, & autres bois pour repouffer
les bourguignons que pourrions rencontrer,
& ainfi paffafmes ledit banc, qui ne fut pas fans
bien aborder des morceaux de glace qui ne firent nul bien à noftre vaiffeau, toutesfois fans
nous faire dommage qui peuft nous offencer.
Eftant hors nous louafmes Dieu de nous auoir
deliurez. Continuans noftre routte le lendemain, nous en rencontrafmes d'autres, & nous
engageafmes de telle façon dedans, que nous
nous trouuafmes enuironés de tous coftés, finő
par où nous eftions venus, qui fut occafió qu'il
nous fallut retourner fur nos brifees pour ef-
fayer de doubler la pointe du cofté du Su: ce
que ne peufmes faire que le deuxiefme iour,
paffant par plufieurs petits glaçons feparez dudit grand banc, qui eftoit par la hauteur de 44.
degrez & demy, & finglafmes iufques au
lendemain matin, faifant le Noroueft & Nor-
noroueft, que nous rencontrafmes vn autre
grand banc de glace, tant que noftre veue fe
pouuoit eftendre deuers l'Eft & l'Oueft, lequel
quand l'on l'apperceut l'on croioit que ce fut
terre: car ledit banc eftoit fi vny que l'on euft
dit proprement que cela auoit efté ainfi fait

exprés,& auoit plus de dixhuit pieds de haut,
& deux fois autant foubs l'eau,& faifions eftat
de n'eftre qu'à quelque quinze lieues du cap
Breton, qui eftoit le vingtfixiefme iour dudit
mois. Ces rencontres de glaces fi fouuent nous
apportoient beaucoup de defplaifir : croyant
auffi que le paffage dudit cap Breton & cap de
Raye feroit fermé , & qu'il nous faudroit tenir la mer long temps deuant que de trouuer
paffage. Ne pouuans donc rien faire nous fu-
mes contrainéts de nous remettre à la mer
quelque quatre ou cinq lieues pour doubler
vne autre pointe dudit grãd banc,qui nous demeuroit à l'Oueft-furoueft, & aprés retourna-
mes à l'autre bord au Noroueft, pour doubler
lad.pointe, & finglafmes quelques fept lieues,
& puis fifmes le Nor-noroueft quelque trois
lieues, où nous apperçufmes derechef vn autre banc de glace. La nuit s'approchoit, & la
brume fe leuoit, qui nous fit mettre à la mer
pour paffer le refte de la nuit attendant le iour,
pour retourner recognoiftre lefdites glaces.Le
vintfeptiefme iour dud. mois,nous aduifafmes
terre à l'Oueft-noroueft de nous, & ne vifmes
aucunes glaces qui nous peufsét demourer au
Nor-nordeft:Nous approchafmes de plus prés
pour la mieux recognoiftre, & vifmes que c'e-
ftoit Campfeau, qui nous fit porter au Nort.

pour aller à l'isle du cap Breton, nous n'eusmes
pas plustost fait deux lieues que rencontrasmes
yn banc de glace qui fuioit au Nordest. La nuit
venant nous fusmes contraincts de nous mettre à la mer iusques au lendemain, que fismes
le Nordest, & rencontrasmes vne autre glace
qui nous demeuroit à l'Est & Est-suest, & là
costoyasmes, mettant le cap au Nordest & au
Nor plus de quinze lieux: En fin fusmes contraincts de refaire l'Ouest, qui nous dóna beaucoup de desplaisir voyant que ne pouuions
trouuer passage, & fusmes contraincts de nous
en retirer & retourner sur nos brisees : & le
mal pour nous que le calme nous prit de telle
façon que la houle nous pensa ietter sur la coste
dudit banc de glace, & fusmes prests de mettre nostre batteau hors, pour nous seruir au besoin. Quand nous nous fussions sauuez sur lesdites glaces il ne nous eut seruy que de nous
faire languir, & mourir tous miserables. Comme nous estions donc en deliberation de mettre nostredit batteau hors, vne petite fraischeur
se leua, qui nous fit grand plaisir, & par ainsi
éuitasmes lesdites glaces. Comme nous eusmes
fait deux lieues, la nuit venoit auec vne brume
fort espoisse, qui fut occasion que nous ame-
nasmes pour ne pouuoir voir : & aussi qu'il y
auoit plusieurs grádes glaces en nostre routte,

que craignions abborder : & demeurafmes
ainfi toute la nuit iufques au lendemain vingt-
neufiefme iour dudit mois, que la brume renforça de telle façon, qu'a peine pouuoit on
voir la longueur du vaiffeau, & faifoit fort peu
de vent: neâtmoins nous ne laiffafmes de nous
appareiller pour efuiter lefdites glaces : mais
penfans nous defgager, nous nous y trouuafmes fi embarraffez, que nous ne fçauions de
quel bort amurer : & derechef fufmes contraints d'amener, & nous laiffer driuer iufques
à ce que lefdites glaces nous fiffent appareiller, & fifmes cent bordees d'vn cofté & d'autre, & penfafmes nous perdre par plufieurs
fois : & le plus affeuré y perdroit tout ingement
ment ; ce qu'euft auffi bien fait le plus grand
aftrologue du monde. Ce qui nous donnoit
du defplaifir d'auâtage, c'eftoit le peu de veue,
& la nuit qui venoit, & n'auions refuite d'vn
quart de lieu fans trouuer banc ou glaces, &
quantité de bourguignons, que le moindre
euft efté fuffifant de faire perdre quelque vaiffeau que ce fuft. Or comme nous eftions toufiours cottoyans au tour des glaces, il s'efleua
vn vent fi impetueux qu'en peu de téps il fepa-
ra la brume, & fit faire veue, & en moins d'vn
rien rendit l'air clair, & beau foleil. Regardânt
au tour de nous, nous nous vifmes enfermez

dedans vn petit eſtang, qui ne contenoit pas
lieue & demie en rondeur, & apperçeuſmes
l'iſle dudit cap Breton, qui nous demeuroit au
Nort, preſque à quatre lieues, & iugeaſmes
que le paſſage eſtoit encore fermé iuſques audit cap Breton. Nous apperceuſmes auſſi vn
petit banc de glace au derriere de noſtredit
vaiſſeau, & la grand mer qui paroiſſoit au delà, qui nous fit prendre reſolution de paſſer par
deſſus ledit banc, qui eſtoit rompu: ce que nous
fiſmes dextremét ſans offencer noſtredit vaiſſeau, & nous nous miſmes à la mer toute la
nuit, & fiſmes le Sueſt deſdites glaces. Et comme nous iugeaſmes que nous pouuions doubler ledit bâc de glace, nous fiſmes l'Eſt-nordeſt quelques quinze lieues, & apperceuſmes
ſeulement vne petite glace, & la nuit amenaſ-
mes iuſques au lendemain, que nous apperceuſmes vn autre banc de glace au Nord de
nous, qui continuoit tant que noſtre veue ſe
pouuoit eſtendre, & auions driué à demy lieue
prés, & miſmes les voiles haut, cottoyant touſiours ladite glace pour en trouuer l'extremité.
Ainſi que nous ſinglions nous auiſaſmes vn
vaiſſeau le premier iour de May qui eſtoit parmy les glaces, qui auoit bien eu de la peine
d'en ſortir auſſi bien que nous, & miſmes vent
deuant pour attendre ledit vaiſſeau qui faiſoit
large

large fur nous, d'autant que defirons fçauoir
s'il n'auoit point veu d'autres glaces. Quand il
fut proche, nous apperçeufmes que c'eftoit le
fils du fieur de Poitrincourt qui alloit trouuer
fon pere qui eftoit à l'habitatiõ du port Royal;
& y auoit trois mois qu'il eftoit party de France (ie crois que ce ne fut pas fans beaucoup de
peine) & s'ils eftoient encore à prés de cent
quarante lieues dudit port Royal, bien à l'ef-
cart de leur routte. Nous leur difmes que nous
auions eu cognoiffance des ifles de Campfeau,
qui à mon opiniõ les affeura beaucoup, d'autãt
qu'ils n'auoient point encore eu cognoiffance
d'aucune terre, &s'en alloiét dõner droit entre
le cap S.Laurés,& cap de Raye,par où ils n'euffent pas trouué led. port Royal, fi ce n'euft efté
en trauerfant les terres. Aprés auoir quelque
peu parlé enfemble, nous nous departifmes
chacun fuiuant fa routte. Le lendemain nous
eufmes cognoiffance des ifles fainct Pierre,fans
trouuer glace aucune : & continuant noftre
routte, le lendemain troifiefme iour du mois
eufmes cognoiffance du cap de Raye,fans auffi
trouuer glaces. Le quatriefme dudit mois eufmes cognoiffance de l'ifle fainct Paul, & cap
fainct Laurens: & eftiõs à quelques huit lieues
au Nord dudit cap S. Laurens. Le lendemain
eufmes cognoiffance de Gafpé. Le feptiefme

N n

iour dudit mois fufmes contrariez du vent de
Noroueft, qui nous fit driuer prés de tréte cinq
lieues de chemin, puis le vent fe vint à calmer,
& en beauture, qui nous fut fauorable iufques
à Tadouffac, qui fut le trefiefme iour dud. mois
de May, où nous fifmes tirer vn coup de canon
pour aduertir les fauuages, afin de fçauoir des
nouuelles des gens de noftre habitation de
Quebecq. Tout le pays eftoit encore prefque
couuert de neige. Il vint à nous quelques
canots, qui nous dirent qu'il y auoit vne de nos
pattaches qui eftoit au port il y auoit vn mois,
& trois vaiffeaux qui y eftoient arriuez depuis
huit iours. Nous mifmes noftre batteau hors, &
fufmes trouuer lefdicts fauuages, qui eftoient
affez miferables, & n'auoient à traicter que
pour auoir feulement des rafraichiffemens,
qui eftoit fort peu de chofe: encore voulurent
ils attédre qu'il vint plufieurs vaiffeaux enfemble, afin d'auoir meilleur marché des marchandifes : & par ainfi ceux s'abufent qui penfent
faire leurs affaires pour arriuer des premiers:
car ces peuples font maintenant trop fins &
fubtils.

    Le dixfeptiefme iour dudit mois ie partis de
Tadouffac pour aller au grand faut trouuer les
fauuages Algoumequins & autres nations qui
m'auoient promis l'annee precedente de fi

trouuer auec mon garçon que ie leur auois
baillé, pour apprendre de luy ce qu'il auroit
veu en son yuernement dans les terres. Ceux
qui estoient dans ledit port, qui se doutoient
bien, où ie deuois aller, suiuant les promesses
que i'auois faites aux sauuages, comme i'ay dit
cy dessus, commécerent à faire bastir plusieurs
petites barques pour me suiure le plus promptement qu'ils pouroient:Et plusieurs,à ce que
i'appris deuant que partir de France, firent
equipper des nauires & pattaches sur l'entreprise de nostre voyage, pensant en reuenir riches comme d'vn voyage des Indes.

Le Pont demeura audit Tadoussac sur l'es-
sperance que s'il n'y faisoit rien, de prendre
vne pattache, & me venir trouuer audit saut.
Entre Tadoussac & Quebecq nostre barque
faisoit grand eau, qui me contraignit de retarder à Quebecq pour l'estancher, qui fut le
21. iour de May.

DESCENTE A QVEBECQ POVR FAIRE RACOM-
moder la barque. Partement dudit Quebecq pour aller au saut trouuer
les sauuages & recognoistre vn lieu propre pour vne habitation.

CHAP. II.

Estans à terre ie trouuay le sieur du Parc
qui auoit yuerné en ladite habitation, &
tous ses compagnons, qui se portoiét fort bien,

sans auoir eu aucune maladie. La chasse & gibier ne leur manqua aucunement en tout leur
yuernement, à ce qu'ils me dirent. Ie trouuay le Capitaine sauuage appelé Batiscan &
quelques Algoumequins, qui disoient m'attendre, ne voulât retourner à Tadoussac qu'ils
ne m'eussent veu. Ie leur fis quelque proposi-
tion de mener vn de nos gens aux trois riuieres pour les recognoistre, & ne peu obtenir aucune chose d'eux pour ceste annee, me
remettant à l'autre : neantmoins ie ne laissay
de m'informer particulierement de l'origine
& des peuples qui y habitent : ce qu'ils me dirent exactement. Ie leur demanday vn de leurs
canots, mais il ne s'en voulurent desfaire en
aucune façon que ce fut pour la necessité qu'ils
en auoiét : car i'estois deliberé d'enuoyer deux
ou trois hommes descouurir dedans lesdites
trois riuieres voir ce qu'il y auroit : ce que ie ne
peu faire, à mon grand regret, remettant
la partie à la premiere occasion qui se presen-
teroit.

Ie fis cependant diligeance de faire accommoder nostredicte barque. Et comme elle fut
preste, vn ieune homme de la Rochelle appelé
Tresart, me pria que ie luy permisse de me faire
compagnie audit saut, ce que ie luy refusay,
disant que i'auois des desseins particuliers, &

que ie ne defirois eftre côducteur de perfonne
à mon preiudice, & qu'il y auoit d'autres com-
paignies que la mienne pour lors, & que ie ne
defirois ouurir le chemin & feruir de guide,&
qu'il letrouueroit affés aifement fans moy.

Ce mefme iour ie partis de Quebecq, & arriuay audit grand faut le vingthuictiefme
de May, où ie ne trouuay aucun des fauuages
qui m'auoient promis d'y eftre au vingtiefme
dudit mois. Auffitoft ie fus dans vn mefchant
canot auec le fauuage que i'auois mené en
France, & vn de nôs gens. Aprés auoir vi-
fité d'vn cofté & d'autre, tant dans les bois que
le long du riuage, pour trouuer vn lieu propre
pour la fcituation d'vne habitation,& y preparer vne place pour y baftir, ie fis quelques huit
lieues par terre cottoyant le grand faut par des
bois qui font affez clairs,& fus iufques à vn lac,
où noftre fauuage me mena; où ie confideray
fort particulierement le pays; Mais en tout
ce que ie vy,ie n'en trouuay point de lieu plus
propre qu'vn petit endroit, qui eft iufques où
les barques & chalouppes peuuét môter aifement: neantmoins auec vn grand vent, ou à la
cirque, à caufe du grand courant d'eau: car
plus haut que ledit lieu (qu'auons nommé la
place Royalle) à vne lieue du mont Royal, y
a quantité de petits rochers & bafles, qui font

N niij

fort dangereuſes. Et proches de ladite place Royalle y a vne petite riuiere qui va aſſez auãt dedans les terres, tout le long de laquelle y a plus de 60. arpens de terre deſertés qui ſont comme prairies, où l'on pourroit ſemer des grains, & y faire des iardinages. Autresfois des ſauuages y ont labouré, maıs ils les ont quitées pour les guerres ordinaires qu'ils y auoiét. Il y a auſſi gráde quátité d'autres belles prairies pour nourrir tel nombre de beſtail que l'on voudra : & de toutes les ſortes de bois qu'auons en nos foreſts de pardeça : auec quantité de vignes, noyers, prunes, ſerizes, fraiſes, & autres ſortes qui ſont trés-bonnes à manger, entre autıes vne qui eſt fort excellente, qui à le gout ſucrain, tirát à celuy des plantaines (qui eſt vn fruit des Indes) & eſt auſſi blanche que neige, & la fueille reſſemblát aux orties, & rampe le long des arbres & de la terre, comme le lierre. La peſche du poiſſon y eſt fort abódáte, & de toutes les eſpeces que nous auons en France, & de beaucoup d'autres que nous n'auons point, qui ſont tres-bons : comme auſſi la chaſſe des oiſeaux auſſi de díferétes eſpeces : & celle des Cerfs, Daıms, Cheureuls, Caribous, Lapins, Loups-ſeruiers, Ours, Caſtors, & autres petites beſtes qui y ſont en telle quantité, que durant que nous fuſmes audıt faut, nous n'en manquaſmes aucunement.

Ayant donc recogneu fort particulierement & trouué ce lieu vn des plus beaux qui
fut en ceſte riuiere, ie fis auſſitoſt coupper &
deffricher le bois de ladite place Royalle pour
la rendre vnie, & preſte à y baſtir ; & peut on
faire paſſer l'eau au tour aiſement, & en faire
vne petite iſle, & s'y eſtablir cōme l'on voudra.

Il y a vn petit iſlet à quelque 20. thoiſes de
ladite place Royalle, qui à quelquẽs cent pas
de long, où l'on peut faire vne bonne & forte
habitation. Il y a auſſi quantité de prairies
de trés-bonne terre graſſe à potier, tant pour
bricque que pour baſtir, qui eſt vne grande
cōmodité. l'en fis accommoder vne partie &
y fis vne mouraille de quatre pieds d'eſpoiſſeur
& 3. a 4. de haut, & 10. toiſes de long pour voir
comme elle ſe conſerueroit durant l'yuer quãd
les eaux deſcenderoient, qui à mon opinion ne
ſçauroit paruenir iuſques à lad. muraille, d'autãt que le terroir eſt de douze pieds eſleué deſſus ladite riuiere, qui eſt aſſez haut. Au milieu
du fleuue y a vne iſle d'enuiron trois quarts de
lieues de circuit, capable d'y baſtir vne bonne
& forte ville, & l'auons nommée l'iſle de ſaincte Elaine. Ce ſaut deſcend en maniere de
lac, où il y a deux ou trois iſles & de belles prairies,

Le premier iour de Iuin le Pont arriua audit
faut, qui n'auoit rien fceu faire à Tadouffac; &
bonne compagnie le fuiuirent & vindrent
aprés luy pour y aller au butin, car fans cefte
efperance ils eftoient bien de l'arriere.

Or attendant les fauuages, ie fis faire deux
iardins, l'vn dans les prairies, & l'autre au bois,
que ie fis deferter: & le deuxiefme iour de Iuin
i'y femay quelques graines, qui fortirent toutes
en perfection, & en peu de temps, qui demonftre la bonté de la terre.

Nous refolufmes d'enuoyer Sauignon noftre
fauuage auec vn autre, pour aller audeuant de
ceux de fon pays, afin de les faire hafter de venir, & fe deliberent d'aller dans noftre canot,
qu'ils doubtoient, d'autant qu'il ne valoit pas
beaucoup.

Ils partirent le cinquiefme iour dudit mois.
Le lendemain arriua quatre ou cinq barques (c'eftoit pour nous faire efcorte) d'autant
qu'ils ne pouuoient rien faire audit Tadouffac.

Le feptiefme iour ie fus recognoiftre vne
petite riuiere par où vont quelques fois les
fauuages à la guerre, qui fe va rendre au faut
de la riuiere des Yroquois: elle eft fort plaifan-
te, y ayant plus de trois lieues de circuit de
prairies, & force terres, qui fe peuuent labourer: elle eft à vne lieue du grand faut, & lieu

&

& demie de la place Royalle.

Le neufiefme iour noftre fauuage arriua, qui fut quelque peu pardela le lac qui a quelque dix lieues de long, lequel i'auois veu auparauant, où il ne fit rencontre d'aucune chofe, & ne purent paffer plus loin à caufe de leurdit canot qui leur manqua; & furent contraints de s'en reuenir. Ils nous rapporterent que paffant le faut ils virent vne ifle où il y auoit fi grande quantité de herons, que l'air en eftoit tout couuert. Il y euft vn ieune homme qui eftoit au fieur de Mons appelé Louys, qui eftoit fort amateur de la chaffe, lequel entendant cela, voulut y aller contenter fa curiofité, & pria fort inftammét noftredit fauuage de l'y mener: ce que le fauuage luy accorda auec vn Capitaine fauuage Montagnet fort gétil perfonnage, appelé Outetoucos. Des le matin led. Louys fut appeler les deux fauuages pour s'en aller à ladite ifle des herons. Ils s'embarquerent dans vn canot & y furent. Cefte ifle eft au milieu du faut, où ils prirent telle quantité de heronneaux & autres oyfeaux qu'ils voulurent, & fe rembarquerent en leur canot. Outetoucos contre la volonté de l'autre fauuage & de l'inftance qu'il peut faire, voulut paffer par vn endroit fort dangereux, où l'eau tomboit prés de trois pieds de haut, difant

que d'autresfois il y auoit passé, ce qui estoit
faux, il fut long temps à debatre contre nostre
sauuage qui le voulut mener du costé du Su
le long de la grand Tibie , par où le plus souuent ils ont accoustumé de passer , ce que Outetoucos ne desira , disant qu'il n'y auoit point
de danger. Cóme nostre sauuage le vit opinia-
stre, il condescendit à sa volonté: mais il luy dit
qu'a tout le moins on deschargeast le canot
d'vne partie des oyseaux qui estoient dedans,
d'autant qu'il estoit trop chargé , ou qu'infa-
liblement ils empliroiét d'eau, & se perdoient:
ce qu'il ne voulut faire, disant qu'il seroit assez
à temps s'ils voyoient qu'il y eut du peril pour
eux. Ils se laissarent donc driuer dans le courát.
Et comme ils furent dans la cheute du saut, ils
en voulurent sortir & ietter leurs charges, mais
il n'estoit plus temps , car la vitesse de l'eau les
maistrisoit ainsi qu'elle vouloit, & emplirent
aussitost dans les boullons du saut, qui leur fe-
soient faire mille tours haut & bas. Ils ne l'aban-
donnerét de long temps: Enfin la roideur de
l'eau les lassa de telle façon, que ce pauure
Louys qui ne sçauoit nager en aucune façon
perdit tout iugemét & le canot estát au fonds
de l'eau il fut contraint de l'abandonner: & reuenant au haut les deux autres qui le tenoient
tousiours ne virent plus nostre Louys , & ainsi

mourut miſerablement. Les deux autres te-
noſent touſiours ledit canot : mais comme
ils furent hors du faut., ledit Outetoucos
eſtant nud, & ſe fiant en ſon nager, l'abandon-
na, penſant gaigner la terre, bien que l'eau
y couruſt encor de grande viteſſe, & ſe noya :
car il eſtoit ſi fatigué & rompu de la peine qu'il
auoit eue, qu'il eſtoit impoſſible qu'il ſe peuſt
ſauuer ayant abandonné le canot, que noſtre
ſauuage Sauignon mieux aduiſé tint touſiours
fermement, iuſques à ce qu'il fut dans vn re-
moul, où le courant l'auoit porté, & ſſceut ſi
bien faire, quelque peine & fatigue qu'il eut
eue, qu'il vint tout doucement à terre, où eſtāt
arriué il ietta l'eau du canot, & s'en reuint auec
grāde apprehētion qu'on ne ſe vāgeaſt ſur luy,
comme ils font entre eux, & nous conta ces
triſtes nouuelles, qui nous apporterent du
deſplaiſir.

Le lendemain ie fus dans vn autre canot
audit ſaut auec le ſauuage, & vn autre de nos
gens, pour voir l'endroit où ils s'eſtoient perdus : & auſſi ſi nous trouuerions les corps, &
vous aſſeure que quand il me monſtra le lieu
les cheueux me heriſſerent en la teſte, de voir
ce lieu ſi eſpouuentable, & m'eſtonnois comme les deffuncts auoient eſté ſi hors de iugement de paſſer vn lieu ſi effroiable, pouuant

aller par ailleurs: car il est impossible d'y passer
pour auoir sept à huit cheutes d'eau qui descen-
dét de degré en degré, le moindre de trois pieds
de haut, où il se faisoit vn frain & bouillonne-
ment estrange, & vne partie dudit saut estoit
toute blâche d'escume, qui môtroit le lieu plus
effroyable, auec vn bruit si grand que l'on eut
dit que c'estoit vn tonnerre, comme l'air re-
tentissoit du bruit de ces cataraques. Aprés
auoir veu & consideré particulieremét ce lieu
& cherché le long du riuage lesdicts corps, cependant qu'vne chalouppe assez legere estoit
allée d'vn autre costé, nous nous en reuinsmes
sans rien trouuer.

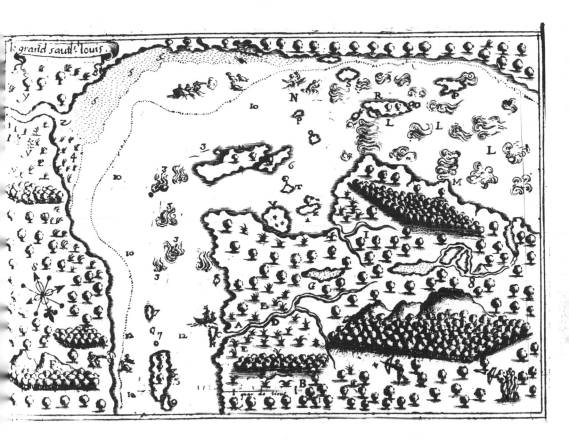

A Petite place que ie fis def-
fricher.
B Petit estang.
C Petit islet où ie fis faire
vne muraille de pierre.
D Petit ruisseau où se tiennet
les barques.
E Prairies où se mettent les
sauuages quand ils vien-
nent en ce pays.
F Montaignes qui parois-
sent dans le terres.
G Petit estang.
H Mont Royal.
I Petit ruisseau.
L Le saut.

M Le lieu où les sauuages
passent leurs canots, par
terre du costé du Nort.
N Endroit où vn de nos gens
& vn sauuage se noyerent.
O Petit islet de rochers.
P Autre islet où les oyseaux
font leurs nids.
Q L'isle aux herons.
R Autre isle dans le saut.
S Petit islet.
T Petit islet rond.
V Autre islet demy couuert
d'eau.
X Autre islet où il y a force
oyseaux derriuiere.

Y Prairies.
Z Petite riuiere.
1 Isles assez grandes & belles.
3 Lieux qui descouurét quád
les eaux baissét, où il se fait
gráds bouillónemèts, com-
me aussi fait audit saut.
4 Prairies plaines d'eaux.
5 Lieux fort bas & peu de
fonds.
6 Autre Petit islet.
7 Petis rochers.
8 Isle sainct Helaine.
9 Petit islet desgarny d'arbres.
8 Marescages qui s'escoulent
dans le grand saut.

DEVX CENS SAVVAGES RAMENENT LE FRAN-
çois qu'on leur auoit baillé, & remmenerent leur ſauuage qui eſtoit retour-
né de France. Pluſieurs diſcours de part & d'autre.

CHAP. III.

LE treiſieſme iour dudit mois deux cens
ſauuages Charioquois, auec les Capitaines
Ochateguin, Yroquet & Tregouaroti frere
de noſtre ſauuage amenerent mon garçon.
Nous fuſmes fort contens de les voir, ie fus au
deuant d'eux auec vn canot & noſtre ſauuage,
& cependant qu'ils approchoient doucement
en ordre, les noſtres s'apareillerét de leur faire
vne eſcopeterie d'arquebuſes & mouſquets,
& quelques petites pieces. Comme ils approchoient, ils commencerent à crier tous enſemble, & vn des chefs commanda de faire leur
harangue, où ils nous louoient fort, & nous
tenant pour veritables, de ce que ie leur auois
tenu ce que ie leur promis, qui eſtoit de les
venir trouuer audit ſaut. Aprés auoir fait trois
autres cris, l'eſcopeterie tira par deux fois de
13. barques ou pattaches qui y eſtoient, qui les
eſtonna de telle façon qu'ils me prierent de dire que l'on ne tiraſt plus, & qu'il y en auoit la
plus grand part, qui n'auoient iamais veu de
Chreſtiés, ny ouy des tonnerres de la façon, &
craignoient qu'il ne leur fit mal, & furent fort

contans de voir nostredit sauuage sain, qu'ils
pensoiét mort, sur des rapports que leur auoiét
fait quelques Algoumequins qui l'auoient
ouy dire à des sauuages Montagnets. Le sauuage se loüa du traictement que ie luy auois
fait en France, & des singularitez qu'il auoit
veues, dont ils entrerent tous en admiration,
& s'en allarent cabaner dans le bois assez lege-
rement, attendant le lendemain, que ie leur
monstrasse le lieu où ie desirois qu'ils se logas-
sent. Aussi ie vis mon garçon qui vint habillé
à la sauuage, qui se loua du traictement des
sauuages, selon leur pays, & me fit entendre
tout ce qu'il auoit veu en son yuernement, &
ce qu'il auoit apris desdicts sauuages.

Le lendemain venu, ie leur monstray vn lieu
pour aller cabaner, où les antiens & principaux
deuiserent fort ensemble: Et aprés auoir esté
vn long temps en cest estat, ils me firent appeler seul auec mon garçon, qui auoit fort bien
apris leur langue, & luy dirent qu'ils desiroiét
faire vne estroite amitié auec moy, & estoient
faschez de voir toutes ces chalouppes ensemble, & que nostre sauuage leur auoit dit qu'il
ne les cognoissoit point, ny ce qu'ils auoient
dans l'ame, & qu'ils voyoient bien qu'il n'y
auoit que le gain & l'auarice qui les y amenoit,
& que quand ils auroient besoin de leur assi-

stance qu'ils ne leur donneroiét aucun secours,
& ne feroient comme moy qui m'offrois auec
mes compagnons d'aller en leur pays, & les
assister, & que ie leur en auois monstré des
tesmoignages par le passé, en se loüát tousiours
du traictement que i'auois fait à nostre sauuage comme à mon frere, & que cela les obli-
geoit tellement à me vouloir du bien, que tout
ce que ie desirerois d'eux, ils assay eroient à me
satisfaire, & craignoient que les autres pattaches ne leur fissent du desplaisir. Ie leur asseuray
que non feroient, & que nous estions tous
soubs vn Roy, que nostredit sauuage auoit
veu, & d'vne mesme nation, (mais pour ce qui
estoit des affaires, qu'elles estoient particulieres) & ne deuoiét point auoir peur, estant aussi
asseurez comme s'ils eussent esté dás leur pays.
Aprés plusieurs discours, ils me firét vn present
de 100. castors. Ie leur dónay en eschangē d'autres sortes de marchandise, & me dirent qu'il y
auoit plus de 400. sauuages qui deuoient venir de leur pays, & ce qui les auoit retardés,
fut vn prisonnier Yroquois qui estoit à moy,
qui s'estoit eschappé & s'en estoit allé en son
pays, & qu'il auoit donné à entendre que ie luy
auois dóné liberté & des marchádises, & que ie
deuois aller audit saut auec 600. Yroquois attendre les Algoumequins, & les tuer tous:
                                                    Que

Que la crainte de ces nouuelles les auoit ar-
restés, & que sans cela qu'ils fussent venus. Ie
leur fis respose que le prisonnier s'estoit desro-
bé sans que ie luy eusse dóné congé, & que nostredit sauuage sçauoit bien de quelle façon il
s'en estoit allé, & qu'il n'y auoit aucune apparence de laisser leur amitié comme ils auoient
ouy dire, ayant esté à la guerre auec eux, &
enuoyé mon garçon en leur pays pour entretenir leur amitié; & que la promesse que ie leur
auois si fidelement tenue le confirmoit encore. Ils me respondirent que pour eux ils ne l'a-
uoient aussi iamais pensé, & qu'ils recognois-
soient bien que tous ces discours estoient esloignez de la verité; & que s'ils eussent creu autre-
mēt, qu'ils ne fussent pas venus, & que c'estoit
les autres qui auoient eu peur, pour n'auoir iamais veu de François que mon garçon. Ils me
dirent aussi qu'il viendroit trois cens Algoumequins dás cinq ou six iours, si on les vouloit
attendre, pour aller à la guerre auec eux contre
les Yroquois, & que si ie n'y venois ils s'en
retourneroient sans la faire. Ie les entretins
fort sur le subiet de la source de la grande riuiere, & de leur pays, dont ils me discoururent
fort particulierement, tant des riuieres, sauts,
lacs, & terres, que des peuples qui y habitent,
& de ce qui s'y trouue. Quatre d'entre eux
P p

m'asseurerent qu'ils auoient veu vne mer fort
esloignee de leur pays, & le chemin difficile,
tant à cause des guerres, que des deserts qu'il
faut passer pour y paruenir. Ils me dirent aussi
que l'yuer precedât il estoit venu quelques sauuages du costé de la Floride par derriere le pays
des Yroquois, qui voyoient nostre mer Ocea-
ne, & ont amitié auec lesdicts sauuages : Enfin
ils m'en discoururent fort exactement, me de-
monstrant par figures tous les lieux où ils a-
uoient esté, prenant plaisir à m'en discourir :
& moy ie ne m'ennuiois pas à les entendre,
pour estre fait certain des choses dont i'a-
uois esté en doute iusques à ce qu'ils m'en eurent esclarcis. Aprés tous ces discours finis, ie
leur dis qu'ils traictassent ce peu de cômodités
qu'ils auoiét, ce qu'ils firent le lendemain, dont
chacune des barques emporta sa piece : nous
toute la peine & aduanture, les autres qui ne so
souciojét d'aucunes descouuertures, la proye,
qui est la seule cause qui les meut, sans rien
employer ny hazarder.

　Le lendemain aprés auoir traité tout ce qu'ils
auoient, qui estoit peu de chose, ils firent vne
barricade autour de leur logement du costé du
bois, & en partie du costé de nos pattaches, &
disoient que c'estoit pour leur seureté, afin
d'esuiter la surprinse de leurs ennemis : ce que

nous prifmes pour argent content. La nuit venue ils appellerent noftre fauuage qui cou-
choit à ma pattache, & mon garçon, qui les furent trouuer: Aprés auoir tenu plufieurs difcours, ils me firent auffi appeler enuiron fur la
minuit. Eftát en leurs cabannes ie lés trouuay
tous affis en confeil, où ils me firent affoir prés
deux, difans que leur couftume eftoitque quád
ils vouloient s'affembler pour propofer quelque chofe, qu'ils le faifoient la nuit, afin de n'e-
ftre diuertis par l'afpect d'aucune chofe, & que
l'on ne penfoit qu'a efcouter, & que le iour di-
uertiffoit l'efprit par les abiects: mais à mon
opinion ils me vouloient dire leur volonté en
cachette, fe fians en moy. Et d'ailleurs ils craignoient les autres pattaches, comme ils me
donnerét à entendre depuis. Car ils me dirent
qu'ils eftoiét fachez de voir tát de François, qui
n'eftoient pas bien vnis enfemble, & qu'ils euffent bien defiré me voir feul : Que quelques
vns d'entre eux auoient efté battuz : Qu'il
mevouloient autant de bien qu'a leurs enfans,
ayant telle fiance en moy, que ce que ie leur
dirois ilsle feroient, mais qu'ilsfe m'effioiét fort
des autres: Que fi ie retournois, que i'amenaf-
fe telle quantité de gens que ie voudrois, pourueu qu'ils fuffent foubs la conduite d'vn chef:
& qu'ils m'enuoyoient querir pour m'affeurer

d'auantage de leur amitié, qui ne se romproit
iamais, & que ie ne fusse point faché contre
eux : & que sçachans que i'auois pris deliberation de voir leur pays, ils me le feroinet voir
au peril de leurs vies , m'assistant d'vn bon
nombre d'hommes qui pourroient passer par
tout. Et qu'a l'aduenir nous deuions esperer
d'eux comme ils faisoient de nous. Aussitost
ils firent venir 50. castors & 4. carquans de leurs
porcelaines (qu'ils estiment entre eux comme
nous faisons les chaisnes d'or) & que i'en fisse
participant mon frere (ils entendoient Pont-
graué d'autant que nous estions ensemble) &
que ces presens estoient d'autres Capitaines
qui ne m'auoient iamais veu, qui me les enuoyoient , & qu'ils desiroient estre tousiours
de mes amis : mais que s'il y auoit quelques Frá-
çois qui voulussent aller auec eux, qu'ils en eussent esté fort contens, & plus que iamais, pour
entretenir vne ferme amitié. Aprés plusieurs
discours faits , ie leur proposay, Qu'ayant
la volonté de me faire voir leur pays, que
ie supplierois sa Maiesté de nous assister iusques à 40. ou 50. hommes armez de choses necessaires pour ledit voyage, & que ie m'enbar-
querois auec eux, à la charge qu'ils nous entre-
tiendroient de ce qui seroit de besoin pour nostre viure durant ledit voyage , & que ie leur

apporterois dequoy faire des prefens aux chefs
qui font dans les pays par où nous pafferions,
puisnous nous en reuiédriós yuerner en noftre
habitation : & que fi ie recognoiffois le pays
bon & fertile, l'on y feroit plufieurs habitations;& que par ce moyen aurions communication les vns auec les autres, viuás heureufe-
ment à l'auenir en la crainte de Dieu, qu'on
leur feroit cognoiftre. Ils furent fort contens
de cefte propofition,& me prierent d'y tenir la
main,difans qu'ils feroient de leur part tout ce
qu'il leur feroit poffible pour en venir au bout:
& que pour ce qui eftoit des viures, nous n'en
manquerions non plus que eux mefmes, m'af-
feurans de rechef, de me faire voir ce que ie
defirois: & la deffus ie pris côgé d'eux au point
du iour, en les remerciant de la volonté qu'ils
áuoient de fauorifer mon defir, les priant de
toufiours continuer.

Le lendemain 17. iour dud. mois ils dirent
qu'ils s'en alloient à la chaffe des caftors, &
qu'ils retourneroient tous. Le matin venu ils
acheuerent de traicter ce peu qu'il leur reftoit,
& puis s'embarquerent en leurs canots, nous
prians de ne toucher à leurs logeméts pour les
deffaire, ce que nous leur promifmes: & fe
feparerent les vns des autres, faignant aller
chaffer en plufieurs endroits, & laifferent no-

stre sauuage auec moy pour nous dóner moins
de mesfience d'eux: & neátmoins ils s'estoient
donnez le randez-vous par de là le saut, où ils
iugeoient bien que nous ne pourrions aller
auec nos barques: cependant nous les attan-
dions comme ils nous auoient dit.

Le lendemain il vint deux sauuages, l'vn
estoit Yroquet, & l'autre le frere de nostre Sauignon, qui le venoiét requerir, & me prier de
la part de tous leurs cópagnós que i'allasse seul
auec mon garçon, où ils estoiét cabannez, pour
me dire quelque chose de consequence, qu'ils
ne desiroient communiquer deuant aucuns
François : Ie leur promis d'y aller.

Le iourvenu ie donnay quelques bagatelles
à Sauignon qui partit fort content, me faisant entendre qu'il s'en alloit prendre vne vie
bien penible aux prix de celle qu'il auoit eue
en France; & ainsi se separa auec grand regret,
& moy bié aise d'en estre deschargé. Les deux
Capitaines me dirent que le lendemain au matin ils m'enuoyeroient querir, ce qu'ils firent.
Ie m'enbarquay & mon garçon auec ceux qui
vinrent. Estant au saut, nous fusmes dans le bois
quelques huit lieues, où ils estoient cabannez
sur le bort d'vn lac, où i'auois esté auparauant.
Comme ils me virent ils furent fort contens,
& commencerent à s'escrier selon leur coustu-

me, & noſtre ſauuage s'en vint audeuant de
moy me prier d'aller en la cabâne de ſon frere,
où auſſi toſt il fit mettre de la cher & du poiſſõ
ſur le feu, pour me feſtoyer. Durant que ie fus
là il ſe fit vn feſtin, où tous les principaux furét
inuitez: ie n'y fus oubligé, bien que i'euſſe deſia
pris ma refection honneſtement, mais pour ne
rõpre la couſtume du pays i'y fus. Aprés auoir
repeu, ils s'en allerent dans les bois tenir leur
Conſeil, & cependant ie m'amuſay à contem-
pler le paiſage de ce lieu, qui eſt fort aggreable. Quelque temps aprés ils m'enuoyerent
appeler pour me communiquer ce qu'ils a-
uoient reſolu entre eux. I'y fus auec mon garçon. Eſtant aſſis auprés d'eux ils me dirét qu'ils
eſtoient fort aiſes de me voir, & n'auo r point
manqué à ma parolle de ce que ie leur auois
promis, & qu'ils recognoiſſoient de plus en
plus mon affection, qui eſtoit à leur continuer
mon amitié, & que deuant que partir, ils
deſiroient prendre congé de moy, & qu'ils
euſſent eu trop de deſplaiſir s'ils s'en fuſſent allez ſans me voir, croyant qu'autrement ie
leur euſſe voulu du mal: & que ce qui leur a-
uoit faict dire qu'ils alloient à la chaſſe, & la
barricade qu'ils auoient faite, ce n'eſtoit la
crainte de leurs ennemis, ny le deſir de la chaſſe, mais la crainte qu'ils auoient de toutes les

autres pattaches qui eſtoient auec moy à cauſe
qu'ils auoient ouy dire que la nůit qu'ils m'enuoyerent appeler, qu'on les deuoit toũs tuer,
& que ie ne les pourrois deffendre contre les
autres, eſtans beaucoup plus que moy, & que
pour ſe deſrober, ils vſerent de ceſte fineſſe:
mais que s'il n'y euſt eu que nos deux pattaches
qu'ils euſſent tardé quelques iours d'auantage
qu'ils n'auoient fait; & me prierent que reuenant auec mes compagnons ie n'en amenaſſe
point d'autres. Ie leur dis que ie ne les ame-
nois pas, ains qu'ils me ſuiuoient ſans leur dire,
& qu'a l'aduenir i'yrois d'autre façon que ie
n'auois fait, laquelle ie leur declaray, dont ils
furent fort contens.

Et derechef ils me commencerent à reciter
ce qu'ils m'auoient promis touchant les deſcouuertures des terres; & moy ie leur fis promeſſe d'accomplir, moyennant la grace de
Dieu, ce que ie leur auois dit. Ils me prierent
encore de rechef de leur donner vn homme: ie
leur dis que s'il y en auoit parmy nous qui y
vouluſſent aller que i'en ſerois fort content.

Ils me dirent qu'il y auoit vn marchand appelé Bouier qui commandoit en vne pattache,
qui les auoit priés d'emmener vn ieune garçõ;
ce qu'ils ne luy auoient voulu accorder qu'auparauant ils n'euſſent ſçeu de moy ſi i'en eſtois
content

content, ne sçachant si nous estions amis, d'autant qu'il estoit venu en ma compagnie traicter auec eux ; & qu'ils ne luy auoient point
d'obligation en aucune façon : mais qu'il s'of-
froit de leur faire de grands presens.

Ie leur fis response que nous n'estions point
ennemis, & qu'ils nous auoient veu conuerser
souuent ensemble : mais pour ce qui estoit du
trafic, chacun faisoit ce qu'il pouuoit, & que
ledit Bouyer peut estre desiroit enuoyer ce
garçon, comme i'auois fait le mien, pensant esperer à l'aduenir, ce que ie pouuois aussi pre-
tendre d'eux : Toutesfois qu'ils auoient à iuger
auquel ils auoient le plus d'obligation, & de
qui ils deuoient plus esperer.

Ils me dirét qu'il n'y auoit point de compa-
raison des obligations de l'vn à l'autre, tant des
assistáces que ie leur auois faites en leurs guerres contre leurs ennemis, que de l'offre que ie
leur faisois de ma personne pour l'aduenir, où
tousiours ils m'auoient trouué veritable, &
que le tout despendoit de ma volonté : & que
ce qui leur en faisoit parler estoit lesdicts presens qu'il leur auoit offert : & que quand bien
ledit garçon iroit auec eux, que cela ne lespou-
uoit obliger enuers ledit Bouuier comme ils
estoient enuers moy, & que cela n'importeroit
de rien à l'aduenir, veu que ce n'estoit que pour

Qq

auoir lefdicts prefens dudit Bouuier.

Ie leur fis refponfe qu'il m'eftoit indifferent
qu'ils le prinffent ou non, & qu'à la verité s'ils
le prenoient auec peu de chofe, que i'en ferois
fafché, mais en leur faifant de bons prefens que
i'en ferois comptant, pourueu qu'il demouraft
auec Yroquet: ce qu'ils me promirent. Et aprés
m'auoir fait entendre leur volonté pour la derniere fois, & moy à eux la mienne, il y eut vn
fauuage qui auoit efté prifonnier par trois fois
des Yroquois, & s'eftoit fauué fort heureufe-
ment, qui refolut d'aller à la guerre luy dixiefme, pour fe venger des cruautez que fes ennemis luy auoient fait fouffrir. Tous les Capitaines me prierent de l'en deftourner fi ie pouuois
d'autant qu'il eftoit fort vaillant, & craignoiét
qu'il ne s'engageaft fi auát parmy les ennemis
auec fi petite trouppe, qu'il n'en reuint iamais. Ie le fis pour les contenter, par toutes
les raifons que ie luy peus alleguer, lefquelles luy feruirent peu, me monftrant vne partie
de fes doigts couppez, & de grádes taillades &
bruflures qu'il auoit fur le corps, comme ils
l'auoient tourmanté, & qu'il luy eftoit impoffible de viure, s'il ne faifoit mourir de fes ennemis, & n'en auoit vengeance, & que fon cœur
luy difoit qu'il failloit qu'il partift au pluftoft
qu'il luy feroit poffible : ce qu'il fit fort deliberé de bien faire.

Aprés auoir fait auec eux, ie les priay de me ramener en noftre pattache: pour ce faire ils equipperent 8. canots pour paffer ledit faut & fe defpouillerent tous nuds, & me firent mettre en chemife : car fouuant il arriue que d'aucuns fe perdent en le paffant, partant fe tiennent les vns prés des autres pour fe fecourir promptement fi quelque canot arriuoit à renüerfer. Ils me difoient fi par malheur le tien venoit à tourner, ne fachant point nager, ne l'abandonne en aucune façon, & te tiens bien à de petits baftôs qui y font par le miliéu, car nous te fauuerons ayfement: Ie vous affeure que ceux qui n'ont pas veu ny paffé ledit endroit en des petits batteaux comme ils ont, ne le pouroient pas fans grande apprehenfion mefmes le plus affeuré du monde. Mais ces nations font fi addextres à paffer les fauts, que cela leur eft facile: Ie le p affay auec eux, ce que ie n'auois iamais fait, ny autre Chretien, horfmis mondit garçon: & vinfmes à nos barques, ou i'en logay vne bonne partie, & i'eus quelques paroles auec ledit Bouuier pour la crainte qu'il auoit que ie n'épefchaffe que fon garçon n'allaft auec lefdits fauuages, qui le lendemain s'en retournerent auec ledit garçó, lequel coufta bon à fon maiftre, qui auoit l'efperance à mó opinió, de recouurir la perte de fon voyage

Qq ij

qu'il fit affés notable, comme firent plufieurs autres.

Il y eut vn ieune homme des noftres qui fe delibera d'aller auec lefdicts fauuages, qui font Charioquois efloignez du faut de quelques cent cinquante lieues; & fut auec le frere de Sauignon, qui eftoit l'vn des Capitaines, qui me promit luy faire voir tout ce qu'il pourroit: Et celuy de Bouuier fut auec ledit Yroquet Algoumequin, qui eft à quelque quatrevingts lieues dudit faut. Ils s'en allerent fort contens & fatisfaicts.

Aprés que les fufdicts fauuages furent partis, nous attendimes encore les 300. autres que l'on nous auoit dit qui deuoiét venir fur la promeffe que ie leur auois faite. Voyant qu'ils ne venoient point, toutes les pattaches refolurent d'inciter quelques fauuages Algoumequins, qui eftoient venus de Tadouffac, d'aller audeuant d'eux moyennant quelque chofe qu'on leur donneroit quand ils feroyent de retour, qui deuoit eftre au plus tard dans neuf iours, afin d'eftre affeurés de leur venue ou nó, pour nous en retourner à Tadouffac: ce qu'ils accorderét, & pour ceft effect partit vn canot.

Le cinquiefme iour de Iuillet arriua vn canot des Algoumequins de ceux qui deuoient venir au nombre de trois cés, qui nous dit que

le canot qui eſtoit party d'auec nous eſtoit arriué en leur pays, & que leurs cõpagnõs eſtans
laſſez du chemin qu'ils auoient fait ſe rafraiſ-
chiſſoient, & qu'ils viendroient bien toſt
effectuer la promeſſe qu'ils auoient faite, &
que pour le plus ils ne tarderoient pas plus
de huit iours, mais qu'il n'y auroit que 24. canots: d'autant qu'il eſtoit mort vn de leurs Capitaines & beaucoup de leurs compagnons,
d'vne fieure qui s'eſtoit miſe parmy eux: &
auſſi qu'ils en auoyent enuoyé pluſieurs à la
guerre, & que c'eſtoit ce qui les auoit empeſ-
chez de venir. Nous reſoluſmes de les attendre.

Voyant que ce temps eſtoit paſſé, & qu'ils
ne venoyent point: Pontgraué partit du ſaut le
11. iour dudit mois, pour mettre ordre à quelques affaires qu'il auoit à Thadouſſac, & moy
ie demeuray pour attendre leſdits ſauuages.

Cedit iour arriua vne pattache, qui apporta
du rafraichiſſemét à beaucoup de barques que
nous eſtiós: Car il y auoit quelques iours que le
pain, vin, viande & le citre nous eſtoiét faillis,
& n'auions recours qu'à la peſche du poiſſon,
& à la belle eau de la riuiere, & à quelques racines qui ſont au pays, qui ne nous máquerent
en aucunne façon que ce fuſt: & ſans cela il
nous en euſt falu retounrer. Ce meſme iour ar-

riua vn canot Algoumequin, qui nous affura
que le lendemain lefdits vingtquatre canots
deuoyent venir, dont il y en auoit douze pour
la guerre.

Le 12. dudit mois arriuerent lefdits Algoumequins auec quelque peu de marchandife.
Premier que traicter ils firent vn prefent à vn
fauuage Môtagnet, qui eftoit fils d'Annadabi-
geau dernier mort, pour l'appaifer & defaf-
cher de la mort de fondit pere. Peu de temps a-
pres ils fe refolurêt de faire quelques prefents
a tousles Capitaines des pattaches. Ils donnerent à chacun dix Caftors: & en les donnant, ils
dirent qu'ils eftoyent bien marris de n'en a-
uoir beaucoup, mais que la guerre (ou la plus
part alloyent) en eftoit caufe : toutesfois que
l'on prift ce qu'ils offroyent de bon cœur, &
qu'il eftoyent tous nos amis, & à moy qui eftois
affis aupres d'eux, par deffus tous les autres,
qui ne leur vouloyent du bien que pour leurs
Caftors : ne faifant pas côme moy qui les auois
toufiours affiftez, & ne m'auoiêt iamais trouué
en deux parolles comme les autres.

Ie leur fis refponfe que tous ceux qu'ils voioyent affemblez eftoyent de leurs amis, & que
peuft-eftre que quand ils fe prefenteroit quelque occafion, ils ne laifferoyent de faire leur
deuoir, & que nous eftions tous amis, & qu'ils

continuassent à nous vouloir du bien , & que
nous leurs ferions des presens au reciprocque
de ce qu'ils nous donnoyent , & qu'ils traitas-
sent paisiblement : ce qu'ils firent , & chacun
en emporta ce qu'il peut.

Le lendemain ils m'apporterent, comme en
cachette quarante Castors , en m'asseurant de
leur amitié , & qu'ils estoyent tref-aises de la
deliberation que i'auois prinse auec les sauuages qui s'en estoyent allez , & que l'on faisoit
vne habitation au saut, ce que ie leur asseuray,
& leur fis quelque present en eschange.

Apres toutes choses passees , ils se delibere-
rent d'aller querir le corps d'Outetoucos qui
s'estoit noyé au saut, comme nous auons dit cy
dessus. Ils furent où il estoit, le desenterreret &
le porterent en l'isle sainte Helaine , où ils firent leurs ceremonies accoustumees, qui est de
chanter & danser sur la fosse , suiuies de festins
& banquets. Ie leur demanday pourquoy ils
desenterroyent ce corps : Ils me respondirent
que si leurs ennemis auoyent trouué la fosse,
qu'ils le feroyent , & le mettroit en plusieurs
pieces, qu'ils pendroyent à des arbres pour
leur faire du desplaisir ; & pour ce subiect ils le
transportoyent en lieu escarté du chemin & le
plus secrettement qu'ils pouuoyent.

Le 15. iour du mois arriuerent quatorze ca-

nots, dõt le chef s'appelloit Tecouchata. A leur
arriuee tous les autres sauuages se mirent en
armes, & firent quelques tours de limasson. A-
pres auoir assez tourné & dansé, les autres qui
estoyent en leurs canots commencerent aussi à
danser en faisant plusieurs mouuemés de leurs
corps. Le chant fini, ils descendirent à terre a-
uec quelque peu de fourrures, & firent de pa-
reils presens que les autres auoyent faict. On
leur en fit d'autres au reciproque selon la va-
leur. Le lendemain ils traitterent ce peu qu'ils
auoyent, & me firent present encore particu-
liement de trente Castors, dont ie les recom-
pensay. Ils me prierent que ie continuasse à
leur vouloir du bien, ce que ie leur promis. Ils
me discoururent fort particulierement sur
quelques descouuertures du costé du Nord,
qui pouuoyent apporter de l'vtilité : Et sur ce
subiect ils me dirent que s'il y auoit quelqu'vn
de mes cõpagnons qui voulut aller auec eux,
qu'ils luy feroyent voir chose qui m'appor-
teroit du contentement, & qu'ils le traitero-
yent comme vn de leurs enfans. Ie leur promis
de leur donner vn ieune garçon, dont ils furent fort contens. Quand il prit congé de moy
pour aller auec eux, ie luy baillay vn memoire
fort particulier des choses qu'il deuoit obser-
uer estant parmi eux. Apres qu'ils eurét traicté
                                                    tout

tout le peu qu'ils auoyent, ils se separerent en
trois: les vns pour la guerre, les autres par ledit
grand saut, & les autres par vne petitte riuiere,
qui va rendre en celle dudit grand saut: & partirent le dixhuictiesme iour dudit mois, &
nous aussi le mesme iour.

Cedit iour fismes trente lieues qu'il y a dudit saut aux trois riuieres, & le dixneufiesme
arriuasmes à Quebec, où il y a aussi trente lieues desdittes trois riuieres. Ie disposay la
plus part d'vn chacun à demeurer en laditte
habitation, puis y fis faire quelques repa-
rations & planter des rosiers, & fis charger
du chesne de fente pour faire l'espreuué en
France, tant pour le marrin lambris que se
nestrages: Et le landemain 20. dudit mois de
Iuillet en partis. Le 23. i'arriuay à Tadoussac, où
estant ie me resoulus de reuenir en Frâce, auec
l'aduis de Pont-graué. Apres auoir mis ordre a
ce qui despandoit de nostre habitation, suiuât
la charge que ledit sieur de Monts m'auoit
donnee, ie m'enbarquay dedans le vaisseau
du capitaine Tibaut de la Rochelle, l'onziesme
d'Aoust. Sur nostre trauerse nous ne manquas-
me de poisson, comme d'Orades, Grâde-oreil-
le, & de Pilotes qui sont comme harangs, qui se
mettent autour de certains aix chargez de
poulse-pied, qui est vne sorte de coquillage

R r

qui s'y attache, & y croiſt par ſucceſſion de temps. Il y a quelquesfois vne ſi grande quantité de ces petits poiſſons, que c'eſt choſe eſtrange à voir. Nous priſmes auſſi des mar-ſouins & autres eſpeces. Nous euſmes aſſés beau temps iuſques à Belle-iſle, où les brumes nous prirent, qui durerent 3. ou 4. iours: puis le temps venant beau nous euſmes cognoiſſance d'Aluert, & arriuaſmes à la Rochelle le dixſieſ-me Septembre. 1611.

ARRIVEE A LA ROCHELLE. ASSOCIA-*tion rompue entre le ſieur de Mons & ſes aſſociez, les ſieurs Colier & le Gendre de Rouen. Enuie des François touchant les nouuelles deſcouuer-tures de la nouuelle France.*

CHAP. IIII.

EStans arriués à la Rochelle ie fus trouuer le ſieur de Mons à Pont en Xintôge, pour luy donner aduis de tout ce qui c'eſtoit paſſé au voyage, & de la promeſſe que les ſauuages O-chateguins & Algoumequins m'auoiét faitte, pourueu qu'on les aſſiſtaſt en leurs guerres, cô-me ie leurs auois promis. Le ſieur de Mons a-yât le tout entendu, ſe delibera d'aller en Cour pour mettre ordre à ceſte affaire. Ie prins le de-uât pour y aller auſſi: mais en chemain ie fus ar-reſté par vn mal'heureux cheual qui tomba ſur

moy & me pensa tuer. Ceste cheute me retarda
beaucoup : mais aussi tost que ie me trouuay en
asses bonne disposition, ie me mis en chemin,
pour parfaire mõ voyage & aller trouuer ledit
sieur de Mons à Fontaine-bleau, lequel estant
retourné à Paris parla à ses associez, qui ne
voulurent plus continuer en l'association pour
n'auoir point de cõmission qui peut empescher
vn chacun d'aller en nos nouuelles descouuertures negotier auec les habitãs du pays. Ce que
voyant ledit sieur de Mons, il conuint auec
eux de ce qui restoit en l'habitatiõ de Quebec,
moyennant vne somme de deniers qui leur
donna pour la part qu'ils y auoyent : & enuoya
quelques hommes pour conseruer ladite habitation, sur l'esperance d'obtenir vne commissiõ de sa Majesté. Mais comme il estoit en ceste
poursuitte, quelques affaires de consequence
luy suruindrent, qui la luy firent quitter, &
me laissa la charge d'en rechercher les moyens :
Et ainsi que i'estois apres à y mettre ordre, les
vesseaux arriuerent de la nouuelle France, &
par mesme moyen des gens de nostre habitions, de ceux que i'auois enuoyé dans les
terres auec les sauuages, qui m'aporterent d'assez bonnes nouuelles, disans que plus de deux
cents sauuages estoiét venus, pensans me trouuer au grand saut S. Louys, où ie leur auois

donné le rende-vous, en intention de les affi-
ster en ce qu'ils m'auoient supplié : mais voyans que ie n'auois pas tenu ma promesse, cela les fascha fort : toutesfois nos gens leur firent quelques excuses qu'ils prirent pour argent content, les assurant pour l'annee suiuante oubien iamais , & qu'ils ne menquas-
sent point de venir : ce qu'il promirent de
leur part. Mais plusieurs autres qui auoiét quit-
té Tadoussac, traffic encien , vindrent audit
saut auec quâtité de petites barques, pour voir
s'ils y pourroient faire leurs affaires auec ces
peuples , quils asseuroient de ma mort, quoy
que peussent dire nos gens,qui affermoyent le
contraire. Voila comme l'enuie se glisse dans
les mauuais naturels contre les choses vertuef-
fes ; & ne leur faudroit que des gens qui se ha-
sardassent en mille dangers pour descouurir
des peuples & terres, afin qu'ils en eusfét la de-
pouille , & les autres la peine. Il n'est pas rai-
sonnable qu'ayant pris la brebis, les autres a-
yent la toison. S'ils vouloient participer en
nos descouuertures , employer de leurs moyens, & hasarder leurs personnes, ils monstre-
royent auoir de l'honneur & de la gloire: mais
au contraire ils monstrent euidemment qu'ils
font poussez d'vne pure malice de vouloir
esgalement iouir du fruict de nos labeurs. Ce

fuieƈt me fera encore dire quelque chofe
pour monſtrer comme pluſieurs taſchent a deſtourner de louables deſſins , comme ceux
de ſainƈt Maſlo & d'autres, qui diſent, que la
iouyſſance de ſes deſcouuertures leur appar-
tiét, pource que Iaques Quartier eſtoit de leur
ville, qui fut le premier audit pays de Canada
& aux iſles de Terre-neufue: comme ſi la ville
auoit contribué aux frais des dittes deſcouuertures de Iaques Quartier, qui y fut par cómen-
dement , & aux deſpens du Roy François
premier és annee 1534. & 1535. deſcouurir ſes
terres auiourd'huy appelees nouuelle France.
Si donc ledit Quartier a deſcouuert quelque
choſe aux deſpens de ſa Majeſté, tous ſes ſuiets
peuuent y auoir autant de droit & de liberté
que ceux de S. Maſlo, qui ne peuuent empeſcher que ſi aucuns deſcouurent autre choſe à
leurs deſpens, comme l'on fait paroiſtre par les
deſcouuertures cy deſſus deſcriptes, qu'ils n'en
iouiſſent paiſiblement: Donc ils ne doiuent pas
s'attribuer aucun droiƈt, ſi eux meſmes ne có-
tribuent. Leurs raiſons ſont foibles & debiles,
de ce coſté. Et pour móſtrer encore a ceux qui
voudroiét ſouſtenir cette cauſe, qu'ils ſont mal
fondez, poſons le cas qu'vn Eſpagnol ou autre
eſtranger ait deſcouuert quelques terres & richeſſes aux deſpés du Roy de Fráce, ſcauoir ſi les

Espagnols où autres estrangers s'attribueroiét
les descouuertures & richesses pour estre l'en-
trepreneur Espagnol ou estranger: non, il n'y a
pas de raison, elles seroient tousiours de Fráce:
de sorte que ceux de S. Masto ne peuuét se l'attribuer, ainsi que dit est, pour estre ledit Quartier de leur ville:mais seulemét a cause qu'il en
est sorty, ils en doiuét faire estat,& luy donner
la louange qui luy est deue. Dauantage ledit
Quartier au voyage qu'il a fait ne passa iamais
ledit grand saut S.Louys,& ne descouurit rien
Nort ny Su,dans les terres du fleuue S.Laurés:
ses relations n'é donnent aucun tesmoignage,
& n'y est parlé que de la riuiere du Saquenay,
des trois riuieres & sainte Croix,où il hyuerna
en vn fort,proche de nostre habitatió:car il ne
l'e ust obmis nó plus que ce qu'il a descrit, qui
monstre qu'il à laissé tout le haut du fleuue S.
Laurens, depuis Tadoussac iusques au grand
saut, difficile a descouurir les terres,& qu'il ne
s'est voulu hasarder n'y laiser ses barques pour
s'i aduéturer:de sorte que cela est tousiours demeuré inutile, sinó depuis quatre ans que nous
y auons fait nostre habitation de Quebec,où a-
pres l'auoir faite edifier,ie me mis au hazard de
passer ledit saut pour assister les sauuages en
leurs guerres,y enuoyer des hommes pour co-
gnoistre les peuples, leurs façon de viures &

que c'eſt que de leurs terres. Nous y eſtans ſi
bien employez, n'eſt-il pas raiſon que nous ioui-
iſſiós du fruit de nos labeurs, ſa Majeſté n'ayant
donné aucun moyen pour aſſiſter les entrepre-
neurs de ces deſſins iuſques a preſent? I'eſpe-
re, que Dieu luy fera la grace vn iour de faire
tant pour le ſeruice de Dieu; de ſa grandeur
& bien de ſes ſubiets, que d'amener pluſieurs
pauures peuples à la cognoiſſance de noſtre
foy, pour iouir vn iour du Royaume celeſte.

INTELLIGENCE DES DEVX
cartes Geograffiques de la nouuelle France.

IL m'a femblé bon de traicter auffi quelque
chofe touchât les deux cartes Geografiques,
pour en donner l'intelligence: car bien que l'v-
ne reprefente l'autre, en ce qui eft des ports,
bayes, caps, promontoires, & riuieres qui entrent dans les terres, elles font toutesfois differentes en ce qui eft des fituations. La plus petite eft en fon vray meridien, fuiuant ce que le
fieur de Caftelfranc le demonftre en fon liure
de la mecometrie de la guide-aymant, où i'en
ay obferué plufieurs declinaifons, qui m'ont
beaucoup ferui, comme il fe verra en ladite
carte, auec toute les hauteurs, latitudes & longitudes, depuis le quarante vniefme degré de
latitude, iufques au cinquante vniefme, tirant
au pole artique, qui font les confins de Canada ou grande Baye, où fe faict le plus fouuent la
pefche de balaine, par les Bafques & Efpagnols.
Ie l'ay auffi obferué en certains endroits dans
le grand fleuue de S. Laurens fous la hauteur
de quarante cinq degrez de latitude iufques à
vingt vng degré de declinaifon de la guide-
aymant, qui eft la plus grande que iaye veue: &
de cefte petite carte, l'on fe pourra fort bien
feruir à la nauigation, pourueu qu'ó fcache ap-
pliquer

pliquer l’aiguille àla rofe des vents du compas:
Comme par exemple, ie defire m’en feruir, il
eſt donc de befoin, pour plus de facilité, de
prendre vne rofe, où les trentedeux vents fo-
yent marquez egalement, & faire mettre la
pointe de la guideaymant à 12. 15. ou 16. degrez
de la fleur de lis, du cofté du nortoueſt, qui eſt
prés d’vn quart & demy de vent, comme au
Nort vn quart du noroueſt, ou vn peu plus de
la fleur de lis de laditte rofe des vents, & appli-
quer la roze dans le compas, quand l’on fera fur
le grand banc, où fe fait la pefche du poiffon
vert, par ce moyen l’on pourra aller cercher
fort affeurement toutes les hauteurs des caps,
ports & riuieres. Ie fcay qu’il y en aura beaucoup qui ne s’en voudront feruir, & courront
pluftoft à la grande, dautant qu’elle eſt fabri-
quee fur le compas de France, ou la guide-aymant nordeſte, dautant qu’ils ont fi bien prins
cefte routine, qu’il eſt mal aifé de leur faire chá-
ger. C’eſt pourquoy i’ay dreffé la gráde carte en
cefte façó, pour le foulagement de la plus-part
des pilotes & nauigateurs des parties de la
nouuelle France, craignant que fi ie ne l’euffe
ainfi fait, ils m’euffent attribué vne faute, qu’ils
neuffent fceu dire d’ou elle procedoit. Car les
petits cartrós ou cartes des terres neufues, pour
la plufpart font prefque toutes diuerfes en

tous les gifemens & hauteurs des terres. Et s'il
y en a quelques vns qui ayent quelques petits
efchantillons affez bons, ils les tiennent fi pre-
cieux qu'ils n'en donnent l'intelligence à leur
patrie, qui en pourroit tirer de l'vtilité. Or lafa-
brique des cartaux eft d'vne telle façon, qu'ils
font du Nor-nordeft leur ligne meridienne, &
de l'Oueft-noroueft, l'Oueft, chofe contraire
au vray meridien de ce lieu, de l'appeler Nort
nordeft pour le Nort: Car au lieu que l'aiguille
doit norouefter elle nordefte, cóme fi c'eftoit
en France. Qui a fait que l'erreur s'en eft enfuiuy & s'enfuiura, dautant qu'ils ont cefte vieille
couftume d'ancienneté, qu'ils retiennent, encores qu'ils tombent en de grands erreurs. Ils
fe feruét auffi d'vn compas touché Nort & Su,
qui eft mettre la poincte de la guide-aymant
droit fous la fleur de lis. Sur ce cópas beaucoup
forment leurs petites cartes, ce qui me femble le meilleur, & approcher plus pres du vray
meridien de la Nouuelle France, que non pas
les copas de la Fráce Orientale qui nordeftent.
Il s'eft doncques enfuiuy en cefte façon, que
les premiers nauigateurs qui ont nauigué aux
parties de la nouuelle France Occidátale croioyent n'engendrer non plus d'erreur d'aller en
ces parties que d'aller aux Effores, ou autres
lieux proches de France, où l'erreur eft prefque

infenfible en la nauigatió, dont les pilotes n'ót
autres compas que ceux de France, qui nordeftent, & reprefentét le vray meridien. Et naui-
guant toufiours à l'Oueft, voulát aller trouuer
vne hauteur certaine, faifoient la routte droit
à l'Oueft de leur compas, penfant marcher fur
vne paralelle où ils vouloiét aller. Et allát toufiours droictement en plat, & non circulairement, comme font toutes les paralelles fur le
globe de la terre, apres auoir faict vne quantité de chemin, pres de venir à la veüe de la terre, ils fe trouuoiét quelquesfois trois, quatre ou
cinq degrés plus Su qu'il n'eftoit de befoing: &
par ainfi fe trouuoiét defceus de leur hauteur
& eftime. Toutesfois il eft bien vray que quand
le beau temps paroiffoit, & que le foleil eftoit
beau, ils fe redreffoient de leur hauteur : mais
ce n'eftoit fans s'eftonner d'où procedoit que
la routte eftoit fauffe ; qui eftoit qu'au lieu
d'aller circulairement felon ladicte paralelle, ils
alloiét droictement en plat ; & que changeant
de meridien, ils changeoiét auffi d'airs de vent
du cópas : & par ainfi de routte. C'eft donc vne
chofe fort neceffaire de fcauoir le meridien &
declinaifon de la guide-aymant : car cela peut
feruir pour tous pilotes qui voyagét par le mó-
de, d'autant que ne la fachant point, & principalement au Nort & au Su où il fe fait de plus

grandes variations de la guide-aymant : auſſi
que les cercles de longitude ſont plus petits, &
par ainſi l'erreur ſeroit plus grand à faute de
ne ſçauoir ladicte declinaiſon de la guideaymant. C'eſt donques pourquoy ladite erreur
s'eſt enſuiuie, que les voyageurs ne l'ayant voulu ou ne leſçachant corriger, ils l'ont laiſſé en la
façon que maintenant elle eſt : de ſorte qu'il
eſt mal aiſé d'oſter ceſte dicte façon accouſtu-
mée de nauiguer en ceſdits lieux de la nouuelle France. C'eſt ce qui m'a fait faire ceſte
grande carte, tant pour eſtre plus particuliere
que la petite, que pour le contentement des
nauiguans qui pourront nauiguer, comme ſi
c'eſtoit ſur leur petits cartrós ou cartes: & m'ex-
cuſeront ſi ie ne les ay mieux faites & particu-
lariſees, dautant que l'aage d'vn hóme ne pourroit ſuffire à recognoiſtre ſi exactement les
choſes, qu'à la fin du téps il ne ſe trouuaſt quelque choſe d'obmis, qui fera que toutes per-
ſonnes curieuſes & laborieuſes pourrót remarquer en voyageant, des choſes qui ne ſeront en
ladicte carte & les y adapter: tellemét qu'auec
le téps on ne doutera d'aucunes choſes de ceſ-
dicts lieux. Pour le moins il me ſemble que i'ay
fait mon deuoir en ce que i'ay peu, où ie n'ay
oublié rien de ce que i'ay veu a mettre en ma-
dicte carte, & donner vne cognoiſſance parti-

culiere au public, qui n'auoit iamais esté des-
cripte, ny descouuerte si particulieremét comme i'ay fait, bien que quelque autre par le passé
en ayt escript, mais c'estoit bien peu de chose
au respect de ce que nous auons descouuert
depuis dix ans en çà.

Moyen de prendre la ligne Meridienne.

Prenez vne planchette fort vnie, & au milieu posez vne esguille C, de trois pousses de haut, qui soit droictement à plomb, & le posez au Soleil deuant Midy, à 8. ou 9. heures, où l'ombre de l'esguille C, arriuera, soit
marqué auec vn compas, lequel sera ouuert, sçauoir vne poincte sur C, & l'autre sur l'ombre B, & puis

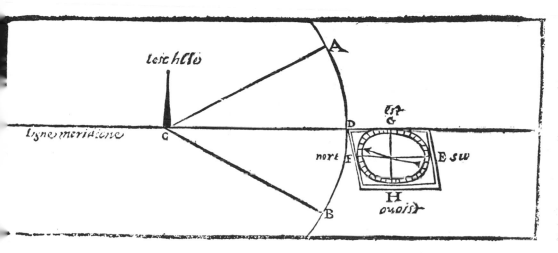

casserez vn demy cercle A, B, laissant le tout iusqu'après midy, qu'y verrez l'ombre paruenir sur le bord du
demy cercle A. Puis partirez le demy cercle A. B. par la moitié, & aussi tost prendrez vne reigle que pose-
rez sur le poinct C. & l'autre sur le poinct D. & trasserez vne ligne tant qu'elle pourra courir le long de ladicte planchette, qu'il ne faut bouger que l'obseruation ne soit faicte, & la ligne sera la Meridienne du
lieu où vous serez.

Et pour sçauoir la declinaison du lieu où vous serez sur la ligne Meridienne, posez vn quadran qui soit
iuste, comme demonstre la figure cy dessus le long de la ligne Meridienne, & au fonds dudit quadran y
aura vn cercle diuisé en 360. degrez, & partissez ledit cercle par entredeux lignes diametrales, dont l'vne
representera pour le septentrion, & l'autre pour le midy, comme monstrera E. F. & l'autre ligne representera l'Orient & l'Occident, comme monstre G. H. & alors regardez l'aiguille de la guide-aymant, qui est
au fonds du quadran, sur le piuot, laquelle verrez où elle decline de la ligne Meridienne fixe, qui est au
fonds du quadran, & combien de degrez elle Nordeste ou Noroueste.

TABLE DES MATIERES.

TABLE.

Q

F I N.

QVATRIESME
VOYAGE DV
Sᵣ DE CHAMPLAIN

CAPITAINE ORDINAIRE POVR
LE ROY EN LA MARINE, ET
Lieutenant de Monſeigneur le Prince
de Condé en la Nouuelle France,
fait en l'annee 1613.

⁎

A TRES-HAVT,

TRES-PVISSANT ET TRES-

EXCELLENT HENRY DE BOVRBON
Prince de Condé, premier Prince du sang, premier
Pair de France, Gouuerneur & Lieutenant de sa
Majesté en Guyenne.

MONSEIGNEVR

*L'honneur que i'ay reçeu de vostre gran-
deur en la charge des descouuertures de
la nouuelle France, m'a augmenté l'affection de
poursuiure auec plus de soing & diligence que iamais, la recherche de la mer du Nord. Pour cet
effect en ceste annee 1613. i'y ay fait vn voyage sur
le rapport d'vn hòmme que i'y auois enuoyé, lequel
m'asseuroit l'auoir veuë, ainsi que vous pourrez
voir en ce petit discours, que i'ose offrir à vostre ex-
cellence, où toutes les peines & trauaux que i'y ay
eus sont particulierement d'escrits; desquels il ne me
reste que le regret d'auoir perdu ceste annee, mais
non pas l'esperance au premier voiage d'en auoir
des nouuelles plus asseurées, par le moyen des Sau-*

uages qui m'ont fait relation de plusieurs lacs & riuieres tirant vers le Nord, par lesquelles, outre l'asseurance qu'ils me dõnent d'auoir la cognoissance de
ceste mer, il me semble qu'on peut aisémẽt tirer coniecture des cartes, qu'elle ne doit pas estre loing des
dernieres descouuertures que i'ay cy deuant faites.
En attendant le temps propre & la commodité de
continuer ces desseins, ie prieray le Createur qu'il
vous conserue, Prince bien-heureux, en toutes sortes de felicités, où se terminent les vœux que ie fais
à vostre grandeur, en qualité de son

Tres-humble & tres-affectionné seruiteur
SAMVEL DE CHAMPLAIN.

QVATRIESME

QVATRIESME VOYAGE DV

SIEVR DE CHAMPLAIN, CAPITAINE
ordinaire pour le Roy en la marine, & Lieutenant
de Monseigneur le Prince de Condé en la Nouuelle France, fait en l'an 1613.

CE QVI M'A OCCASIONNE' DE RECERCHER
vn reglement. Commißion obtenue. Oppoſitions à l'encontre.
En fin la publication par tous les ports de France.

CHAP. I.

LE deſir que i'ay touſiours eu de faire nouuelles deſcouuertures en la
Nouuelle France, au bien, vtilité
& gloire du nom François: enſemble d'amener ces pauures peuples à
la cognoiſſance de Dieu, m'a fait chercher de
plus en plus la facilité de ceſte entrepriſe, qui
ne peut eſtre que par le moyen d'vn bon reglement, d'autant que chacun voulant cueillir les
fruits de mon labeur, ſans contribuer aux frais
& grandes deſpences qu'il côuient faire à l'en-
tretien des habitations neceſſaires pour amener ces deſſeins à vne bonne fin, ruine ce commerce par l'auidité de gaigner, qui eſt ſi grâde,

qu'elle fait partir les marchans deuant la faifon,
& fe precipiter non feulement dans les glaces,
en efperance d'arriuer des premiers en ce païs;
mais aufli dans leur propre ruine : car traictans
auec les fauuages à la defrobee, & donnant à
l'enuie l'vn de l'autre de la marchandife plus
qu'il n'eft requis, fur-achetent les danrees; &
par ainfi penfant tromper leurs compagnons fe
trompent le plus fouuent eux mefmes.

C'eft pourquoy eftant de retour en France le
10. Septembre 1611. i'en parlay à monfieur de
Monts, qui trouua bô ce que ie luy en dis : mais
fes affaires ne luy permettant d'en faire la pourfuitte en Cour, m'en laiffa toute la charge.

Deflors i'en dreffay des memoires, que ie
monftray à Monfieur le Prefident Ieannin, lequel (comme il eft defireux de voir fructifier
les bonnes entreprifes) loüa mon deffein, &
m'encouragea à la pourfuitte d'iceluy.

Et m'affeurant que ceux qui ayment à pef-
cher en eau trouble trouueroient ce reglement
fafcheux, & rechercheroyent les moyens de
l'empefcher, il me fembla à propos de me ietter
entre les bras de quelque grand, l'authorité
duquel peuft feruir contre leur enuie.

Or cognoiffant Monfeigneur le Comte de
Soiffons Prince pieux & affectionné en toutes
fainctes entreprifes; par l'entremife du fieur de
Beaulieu,

Beaulieu, Conseiller & aumosnier ordinaire du
Roy, ie m'adressay à luy, & luy remonstray
l'importâce de l'affaire, les moyens de la regler,
le mal que le desordre auoit par cy deuant apporté, & la ruine totale dont elle estoit mena-
cee, au grand des-honneur du nom François, si
Dieu ne suscitoit quelqu'vn qui la voulust releuer, & qui donnast esperance de faire vn iour
reüssir ce que l'on a peu esperer d'elle. Comme
il fut instruict de toutes les particularités de la
chose, & qu'il eust veu la Carte du pays que i'a-
uois faicte, il me promit, sous le bon plaisir du
Roy, d'en prendre la protection.

Aussi tost apres ie presentay à sa Majesté, &
à Nosseigneurs de son Conseil vne requeste
auec des articles, tendans à ce qu'il luy pleust
vouloir apporter vn reglement en cet affaire,
sans lequel, ainsi que i'ay dict, elle s'en alloit
perduë; & pource sa Majesté en donna la direction & gouuernement à mondit Seigneur le
Comte, lequel deslors m'honora de sa Lieutenance.

Or comme ie me preparois à faire publier la
Commissiõ du Roy par tous les ports & haures
de France, la maladie de Mõseigneur le Comte
arriua, & sa mort tant regrettee, qui recula vn
peu ceste affaire : Mais sa Majesté aussi tost en
remit la direction à Mõseigneur le Prince, qui

la remit deſſus : & mondit Seigneur m'ayant
honoré pareillement de ſa Lieutenance, feit
que ie pourſuiuis la publication de ladite commiſſion ; qui ne fut ſi toſt faicte, que quelques
brouillons, qui n'auoyent aucun intereſt en
l'affaire, l'importunerent de la faire caſſer, luy
faiſant entendre le pretédu intereſt de tous les
marchans de France, qui n'auoient aucun ſubiect de ſe plaindre, attendu qu'vn chacun eſtoit
reçeu en l'aſſociation, & par ainſi aucun ne
pouuoit iuſtement s'offencer : c'eſt pourquoy
leur malice eſtant recogneuë furent reiettees,
auec permiſſion ſeulement d'entrer en l'aſſociation.

Pendant ces altercations, il me fut impoſſible de rien faire pour l'habitation de Quebeq,
dans laquelle ie deſirois mettre des ouuriers
pour la reparer & augmenter, d'autant que le
temps de partir nous preſſoit fort. Ainſi ſe fallut contéter pour cette annee d'y aller ſans autre aſſociation, auec les paſſeports de Monſeigneur le Prince, qui furent donnés pour quatre
vaiſſeaux, leſquels eſtoient ia preparés pour faire le voyage ; ſçauoir trois de Rouën & vn de
la Rochelle, à condition que chacun four-
niroit quatre hommes pour m'aſſiſter, tant en
mes deſcouuertures qu'à la guerre, à cauſe que
ie voulois tenir la promeſſe que i'auois faicte

aux

aux fauuages Ochataiguins en l'annee 1611.
de les affifter en leurs guerres au premier voiage.

Et ainfi que ie me preparois pour partir, ie fus
aduerti que la Cour de Parlement de Rouën
n'auoit voulu permettre qu'ó publiaft la Commiffion du Roy, à caufe que fa Majefté fe refer-
uoit, & à fon Confeil la feule cognoiffance des
differents qui pourroient furuenir en cet affaire: ioint auffi que les marchans de S. Maflo s'y
oppoferent; ce qui me trauerfa fort, & me contraignit de faire trois voyages à Rouën, auec
Iuffions de fa Majefté, en faueur defquelles la
Cour fe deporta de fes empefchemens, & de-
bouta les oppofans de leurs pretentions: & fut
la Commiffion publiée par tous les ports de
Normandie.

PARTEMENT DE FRANCE: ET CE QVI SE
paffa iufques à noftre arriuee au Saut.

CHAP. II.

IE partis de Rouën le 5. Mars pour aller à Honfleur, & le fieur l'Ange auec moy, pour
m'affifter aux defcouuertures, & à la guerre fi
l'occafion s'en prefentoit.

Le lendemain 6. du moys nous nous embar-
quafmes dás le vaiffeau du fieur de Pont-graué,

b

où auſſi toſt nous miſmes les voiles au vent, qui
eſtoit lors aſſés fauorable.

Le 10. Auril nous euſmes cognoiſſance du
grand Banc, où l'on mit pluſieurs fois les lignes
hors ſans rien prendre.

Le 15. nous euſmes vn grand coup de vent,
accompagné de pluye & greſle, ſuiui d'vn autre, qui dura 48. heures, ſi impetueux, qu'il fit
perir pluſieurs vaiſſeaux à l'iſle du cap Breton.

Le 21. nous euſmes cognoiſſance de l'iſle &
Cap de R aye.

Le 29. les Sauuages Montagnais de la pointe
de tous les Diables nous aperceuans, ſe ietterét
dans leurs canots, & vindrent au deuant de
nous, ſi maigres & hideux, que ie les meſco-
gnoiſſois. A l'abord ils commencerent à crier
du pain, diſans, qu'ils mouroient de faim. Cela
nous fit iuger que l'hyuer n'auoit pas eſté grád,
& par conſequent, la chaſſe mauuaiſe : de cecy
nous en auons parlé aux voyages precedens.

Quand ils furent dans noſtre vaiſſeau ils re-
gardoient chacun au viſage, & comme ie ne
paroiſſois point, ils demanderét où eſtoit monſieur de Champlain, on leur fit reſponſe que i'e-
ſtois demeuré en France : ce que ne croyans du
tout, il y eut vn vieillard qui vint à moy en vn
coin, où ie me promenois, ne deſirát encor eſtre
cognu, & me prenant l'oreille (car ils ſe dou-
toyent

toyent qui i'eſtois) vid la cicatrice du coup de
fleche que ie reçeus à la deffaicte des Yroquois:
alors il s'eſcria, & tous les autres après luy, auec
grandes demonſtrations de ioye, diſans, Tes
gens ſont au port de Tadouſſac qui t'attendent.

Ce meſme iour bien que nous fuſſions partis
des derniers nous arriuaſmes pourtant les premiers audit Tadouſſac, & de la meſme maree
le ſieur Boyer de Roüen. Par là l'on cognoiſt
que partir auant la ſaiſon, ne ſert qu'a ſe precipiter dans les glaces. Ayans moüillé l'ancre nos
gens nous vindrét trouuer, & apres nous auoir
declaré comme tout ce portoit en l'habitation,
ſe mirent à habiller trois outardes & deux lapins, qu'ils auoient apportés, & en ietterent les
tripailles à bort, ſur leſquelles ſe ruerét ces pauures ſauuages, & ainſi que beſtes affamees les
deuorerent ſans les vuider, & racloient auec les
ongles la graiſſe dót on auoit ſuiué noſtre vaiſſeau, & la mangeoient gloutonnement comme s'ils y euſſent trouué quelque grand gouſt.

Le lendemain arriuerent deux vaiſſeaux de
S.Malo qui eſtoient partis auant que les oppoſitions fuſſent vuidees, & que la Commiſſion
fut publiée en Normandie. Ie fus à bort d'eux,
accompagné de l'Ange: Les ſieurs de la Moi-
nerie & la Tremblaye y commandoient, auſ-

quels ie fis lecture de la Commiſſion du R oy,
& des deffences d'y contreuenir ſur les peines
portees par icelles.   Ils firent reſponſe qu'ils
eſtoient ſubiects & fidelles ſeruiteurs de ſa Majeſté, & qu'ils obeïroient à ſes commãdemens;
& deſlors ie fis attacher ſur le port à vn poteau,
les armes & Commiſſions de ſa Majeſté, afin
qu'on n'en pretendiſt cauſe d'ignorance.

Le 2. May voyant deux chalouppes equip-
pees pour aller au Saut, ie m'embarquay auec
ledict l'Ange dans l'vne. Nous fuſmes contrariés de fort mauuais temps, en ſorte que le mats
de noſtre chalouppe ſe rompit , & ſi Dieu ne
nous euſt preſerués, nous nous fuſſions perdus,
comme fit deuant nos yeux vne chalouppe de
S. Maſlo qui alloit à l'iſle d'Orleans, de laquelle
les hommes ſe ſauuerent.

Le 7. nous arriuaſmes à Quebec, où trouuaſmes ceux qui y auoient hyuerné en bonne diſpoſition, ſans auoir eſté malades, leſquels nous
dirent que l'hyuer n'auoit point eſté grand , &
que la riuiere n'auoit point gelé. Les arbres
commençoient auſſi à ſe reueſtir de feuilles,
& les champs à s'eſmailler de fleurs.

Le 13. nous partiſmes de Quebec pour aller au
Saut S. Louys, où nous arriuaſmes le 21. & y
trouuaſmes l'vne de nos barques qui eſtoit partie depuis nous de Tadouſſac, laquelle auoit
                                   traicté

traicté quelque peu de marchandifes, auec vne
petite troupe d'Algoumequins, qui venoyent
de la guerre des Yroquois, & auoient auec eux
deux prifonniers. Ceux de la barque leur firent
entédre que i'eftois venu auec nombre d'hommes pour les affifter en leurs guerres, fuiuant la
promeffe que ie leur auois faite les annees precedentes; & de plus, que ie defirois aller en leur
pays, & faire amitié auec tous leurs amis ; dequoy ils furent fort ioyeux : Et d'autant qu'ils
vouloient retourner en leur pays pour affeurer
leurs amis de leur victoire, voir leurs femmes,
& faire mourir leurs prifonniers en vne folem-
nelle Tabagie. Pour gages de leur retour, qu'ils
promettoient eftre auất le milieu de la premiere lune (ainfi qu'ils content) ils laifferent leurs
rondaches, faictes de bois & de cuir d'Ellaud,
& partie de leurs arcs & flefches. Ce me fut vn
grand defplaifir de ne m'eftre trouué à propos
pour m'en aller auec eux en leur pays.

Trois iours apres arriuerết trois canots d'Algoumequins qui venoient du dedans des terres, chargés de quelque peu de marchandifes,
qu'ils traicterent, lefquels me dirết que le mauuais traictement qu'auoient reçeus les Sauuages l'annee precedente, les auoit degoutés de
venir plus, & qu'ils ne croyoient pas que ie
deuffe retourner iamais en leurs pays, pour les

mauuaifes impreffions que mes enuieux leur
auoient donnees de moy; & pource 1200. hommes eftoyent allez à la guerre, n'ayans plus d'e-
fperance aux François, lefquels ils ne croyoient
pas vouloir plus retourner en leur pays.

Ces nouuelles attrifterent fort les marchans,
car ils auoient fait gráde emplette de marchandifes, fous efperáce que les fauuages viendroiét
comme ils auoient accouftumé : ce qui me fit
refoudre en faifant mes defcouuertures, de paffer en leur pays, pour encourager ceux qui
eftoyent reftés, du bon traictement qu'ils rece-
uroyent, & de la quantité de bonnes marchandifes qui eftoyent au Saut, & pareillement de
l'affection que i'auois de les affifter à la guerre:
Et pour ce faire, ie leur fis demander trois canots & trois Sauuages pour nous guider, &
auec beaucoup de peine i'en obtins deux, & vn
fauuage feulement, & ce moyennant quelques
prefens qui leur furent faits.

PARTEMENT POVR DESÇOVVRIR LA MER
du Nort, fur le rapport qui m'en auoit efté faict. Defcription de plu-
fieurs riuieres, lacs, ifles, du Saut de la chaudiere, & autres Sauts.

CHAP. III.

O R n'ayant que deux Canots, ie ne pouuois
mener auec moy que quatre hommes, entre lef-

tre lefquels eftoit vn nómé Nicolas de Vignau
le plus impudent menteur qui fe foit veu de
long temps, comme la fuitte de ce difcours le
fera voir, lequel autresfois auoit hyuerné auec
les Sauuages,& que i'auois enuoyé aux defcouuertures les annees precedentes. Il me r'apporta à fon retour à Paris en l'annee 1612. qu'il auoit
veu la Mer du Nort, que la riuiere des Algoumequins fortoit d'vn lac qui s'y defchargeoit,
& qu'en 17. iournees l'on pouuoit aller & venir
du Saut S.Louys à ladite mer: qu'il auoit veu le
bris & fracas d'vn vaiffeau Anglois qui s'eftoit
perdu à la cofte, où il y auoit 80. hommes qui
s'eftoient fauués à terre, que les Sauuages tuerent à caufe que lefdits Anglois leur vouloyent
prendre leurs bleds d'Inde & autres viures par
force , & qu'il en auoit veu les teftes qu'iceux
Sauuages auoient efcorchés (felon leur couftume) lefquelles ils me vouloiét faire voir, enfemble me donner vn ieune garçon Anglois qu'ils
m'auoient gardé. Cefte nouuelle m'auoit fort
refiouy, penfant auoir trouué bien pres ce que
ie cherchois bien loing : ainfi ie le coniuray de
me dire la verité, afin d'en aduertir le Roy, &
luy remonftray que s'il donnoit quelque menfonge à entendre , il fe mettoit la corde au col,
auffi que fi fa relation eftoit vraye, il fe pouuoit
affeurer d'eftre bien recompenfé: Il me l'affeura

encor auec fermens plus grands que iamais. Et
pour mieux ioüer fon roole, il me bailla vne relation du païs qu'il difoit auoir faicte, au mieux
qu'il luy auoit efté poffible. L'affeurance donc
que ie voyois en luy, la fimplicité de laquelle
ie le iugeois plain, la relation qu'il auoit dref-
fee, le bris & fracas du vaiffeau, & les chofes cy
deuant dictes, auoyent grande apparence, auec
le voyage des Anglois vers Labrador, en l'annee 1612. où ils ont trouué vn deftroit qu'ils ont
couru iufques par le 63ᵉ. degré de latitude, &
290. de longitude, & ont hyuerné par le 53ᵉ. degré, & perdu quelques vaiffeaux, comme leur
relation en faict foy.   Ces chofes me faifant
croire fon dire veritable, i'en fis deffors rapport à Monfieur le Chancelier; & le fis voir à
Meffieurs le Marefchal de Briffac, & Prefident
Ieannin, & autres Seigneurs de la Cour, lefquels
me dirent qu'il me falloit voir la chofe en perfonne.   Cela fut caufe que ie priay le fieur
Georges, marchant de la Rochelle, de luy donner paffage dans fon vaiffeau, ce qu'il feit volontiers; où eftant l'interrogea pourquoy il faifoit ce voyage : & d'autant qu'il luy eftoit inutile, luy demanda s'il efperoit quelque falai-
re, lequel feit refponfe que non, & qu'il n'en
pretendoit d'autre que du Roy, & qu'il n'en-
treprenoit le voyage que pour me monftrer la
                                 mer

mer du Nord, qu'il auoit veuë, & luy en fit à la
Rochelle vne declaration par deuant deux Notaires.

Or comme ie prenois congé de tous les Chefs,
le iour de la Pentecofte, aux prieres defquels ie
me recommandois, & de tous en general, ie luy
dis en leur prefece, que fi ce qu'il auoit cy deuãt
dict n'eftoit vray, qu'il ne me donnaft la peine
d'entreprendre le voyage, pour lequel faire il
falloit courir plufieurs dangers. Il affeura encore derechef tout ce qu'il auoit dict au peril de
fa vie.

Ainfi nos Canots chargés de quelques viures,
de nos armes & marchandifes pour faire prefens aux Sauuages, ie partis le lundy 27. May de
l'ifle fainéte Helaine auec 4. François & vn Sauuage, & me fut donné vn adieu auec quelques
coups de petites pieces, & ne fufmes ce iour
qu'au Saut S. Louys, qui n'eft qu'vne lieuë au
deffus, à caufe du mauuais temps qui ne nous
permit de paffer plus outre.

Le 29. nous le paffafmes, partie par terre, partie par eau, où il nous fallut porter nos Canots,
hardes, viures & armes fur nos efpaules, qui
n'eft pas petite peine à ceux qui n'y font accou-
ftumés : & apres l'auoir efloigné deux lieuës,
nous entrafmes dans vn lac qui a de circuit enuiron 12. lieuës, où fe defchargét trois riuieres,

C

l'vne venant de l'oueſt , du coſté des Ochataiguins eſloignés du grand Saut de 150. ou 200.
lieuës; l'autre du Sud pays des Yroquois, de pareille diſtance; & l'autre vers le Nord, qui vient
des Algoumequins, & Nebicerini , auſſi à peu
pres de ſeblable diſtâce. Cette riuiere du Nord,
ſuiuant le rapport des Sauuages , vient de plus
loing, & paſſe par des peuples qui leur ſont incogneus, diſtans enuiron de 300. lieues d'eux.

　　Ce lac eſt rempli de belles & grâdes iſles, qui
ne ſont que prairies, où il y a plaiſir de chaſſer, la
venaiſon & le gibier y eſtans en abondance,
auſſi bien que le poiſſon. Le païs qui l'enuironne eſt rempli de grandes foreſts. Nous fuſmes
coucher à l'entree dudict lac, & fiſmes des barricades, à cauſe des Yroquois qui rodent par ces
lieux pour ſurprendre leurs ennemis; & m'aſſeure que s'ils nous tenoient, ils nous feroient
auſſi bonne chere qu'a eux, & pource toute la
nuict fiſmes bô quart. Le lendemain ie prins la
hauteur de ce lieu, qui eſt par les 45. degrez 18.
minutes de latitude. Sur les trois heures du ſoir
nous entraſmes dans la riuiere qui vient du
Nord, & paſſaſmes vn petit Saut par terre pour
ſoulager nos canots, & fuſmes à vne iſle le reſte de la nuict en attendant le iour.

　　Le dernier May nous paſſaſmes par vn autre
lac qui a 7. où 8. lieuës de long, & trois de large,
　　　　　　　　　　　　　　　　　　　　où il

où il y a quelques iſles: Le païs d'alétour eſt fort
vni, horſmis en quelques endroits, où il y a des
coſtaux couuerts de pins. Nous paſſaſmes vn
Saut qui eſt appelé de ceux du païs Quene-
chouan qui eſt rempli de pierres & rochers, où
l'eau y court de grād viſteſſe: il nous falut mettre en l'eau & traiſner nos Canots bort à bort
de terre auec vne corde: à demi lieuë de là nous
en paſſaſmes vn autre petit à force d'auirons, ce
qui ne ſe faict ſans ſuer, & y a vne grande dex-
terité à paſſer ces Sauts pour éuiter les bouillons
& briſants qui les trauerſent; ce que les Sauuages font d'vne telle adreſſe, qu'il eſt impoſſible
de plus, cherchans les deſtours & lieux plus ay-
ſés qu'ils cognoiſſent à l'œil.

Le ſamedy 1. de Iuin nous paſſaſmes encor
deux autres Sauts: le premier contenant demie
lieuë de long, & le ſecond vne lieuë, où nous
euſmes bien de la peine; car la rapidité du courant eſt ſi grāde, qu'elle faict vn bruict effroyable, & deſcendant de degré en degré, faict vne
eſcume ſi blanche par tout, que l'eau ne paroiſt
aucunement: ce Saut eſt parſemé de rochers &
quelques iſles qui ſont çà & là, couuertes de
pins & cedres blancs: Ce fut là, où nous euſmes
de la peine: car ne pouuans porter noſ Canots
par terre à cauſe de l'eſpaiſſeur du bois, il nous
les failloit tirer dans l'eau auec des cordes, & en

c ij

tirant le mien, ie me penſay perdre, à cauſe qu'il trauerſa dans vn des bouillons; & ſi ie ne fuſ-ſe tombé fauorablement entre deux rochers, le Canot m'entraiſnoit; d'autant que ie ne peus d'effaire aſſez à temps la corde qui eſtoit entor-tillee à l'entour de ma main, qui me l'offença fort, & me la penſa coupper. En ce danger ie m'eſcriay à Dieu, & commençay à tirer mon Canot, qui me fut renuoyé par le remouil de l'eau qui ſe faict en ſes Sauts, & lors eſtant eſ-chappé ie loüay Dieu, le priant nous preſeruer. Noſtre Sauuage vint apres pour me ſecourir, mais i'eſtois hors de danger; & ne ſe faut eſton-ner ſi i'eſtois curieux de conſeruer noſtre Ca-not: car s'il eut eſté perdu, il falloit faire eſtat de demeurer, ou attendre que quelques Sauuages paſſaſſent par là, qui eſt vne pauure attente à ceux qui n'ont dequoy diſner, & qui ne ſont accouſtumés à telle fatigue. Pour nos François ils n'en eurent pas meilleur marché, & par plu-ſieurs fois penſoient eſtre perdus: mais la Diui-ne bonté nous preſerua tous. Le reſte de la iournee nous nous repoſaſmes, ayans aſſés tra-uaillé.

Nous rencontraſmes le lendemain 15. Canots de Sauuages appellés Quenongebin, dans vne riuiere, ayant paſſé vn petit lac long de 4. lieuës, & large de 2. leſquels auoient eſté aduertis de ma ve-

ma venue par ceux qui auoient paſſé au Saut S.
Louys venans de la guerre des Yroquois: Ie fus
fort aiſe de leur rencontre, & eux auſſi, qui s'e-
ſtonnoient de me voir auec ſi peu de gens en ce
païs, & auec vn ſeul Sauuage. Ainſi apres nous
eſtre ſalués à la mode du païs, ie les priay de ne
paſſer outre pour leur declarer ma volonté, ce
qu'ils firent, & fuſmes cabaner dans vne iſle.

Le lendemain ie leur fis entendre que i'eſtois
allé en leurs pays pour les voir, & pour m'ac-
quitter de la promeſſe que ie leur auois par cy
deuant faicte; & que s'ils eſtoient reſolus d'aller
à la guerre, cela m'agreroit fort, d'autant que
i'auois amené des gens à ceſte intétion, dequoy
ils furent fort ſatisfaits: & leur ayant dict que
ie voulois paſſer outre pour aduertir les autres
peuples, ils m'en voulurent deſtourner, diſans,
qu'il y auoit vn meſchant chemin, & que nous
n'auions rien veu iuſques alors; & pource ie
les priay de me donner vn de leurs gens pour
gouuerner noſtre deuxieſme Canot, & auſſi
pour nous guider, car nos conducteurs ny co-
gnoiſſoient plus rien: ils le firent volontiers, &
en recompenſe ie leur fis vn preſent, & leur
baillay vn de nos François, le moins neceſſaire,
lequel ie renuoyois au Saut auec vne feuille de
tablette, dans laquelle, à faute de papier, ie fai-
ſois ſcauoir de mes nouuelles.

Ainsi nous nous separasmes : & continuant noftre route à mont ladicte riuiere, en trouuasmes vne autre fort belle & spatieuse, qui vient d'vne nation appelée Ouescharini, lesquels se tiennent au Nord d'icelle , & à 4. iournees de l'entree. Cefte riuiere eft fort plaisante , à cause des belles isles qu'elle contient , & des terres garnies de beaux bois clairs qui la bordent ; la terre eft bonne pour le labourage.

Le quatriefme nous paffafmes proche d'vne autre riuiere qui vient du Nord, où se tiennent des peuples appellés Algoumequins , laquelle va tomber dans le grand fleuue sainct Laurens 3. lieuës aual le Saut S. Louys, qui faict vne grade isle côtenant prés de 40. lieuës, laquelle n'eft pas large , mais remplie d'vn nombre infini de Sauts, qui sont fort difficiles à paffer : Et quelquesfois ces peuples paffent par cefte riuiere pour éuiter les rencontres de leurs ennemis, sçachans qu'ils ne les recherchent en lieux de si difficile accés.

A l'emboucheure d'icelle il y en a vne autre qui viét du Sud, où à son entree il y a vne cheute d'eau admirable : car elle tombe d'vne telle impetuofité de 20. ou 25. braffes de haut, qu'elle faict vne arcade, ayant de largeur pres de 400. pas. Les sauuages paffent deffous par plaisir, sans se mouiller que du poudrin que fait ladite eau.

Il y

Il y a vne isle au milieu de ladicte riuiere, qui est comme tout le terroir d'alentour, remplie de pins & cedres blancs: Quand les Sauuages veulent entrer dans la riuiere, ils montent la montagne en portant leurs Canots, & font demye lieuë par terre. Les terres des enuirõs sont remplies de toute sorte de chasse, qui faict que les Sauuages si arrestent plus tost; les Yroquois y viennent aussi quelquesfois les surprendre au passage.

Nous passasmes vn Saut à vne lieuë de là, qui est large de demie lieue, & descend de 6. à 7. brasses de haut. Il y a quantité de petites isles qui ne sont que rochers aspres & difficiles, couuerts de meschans petits bois. L'eau tombe à vn endroit de telle impetuosité sur vn rocher, qu'il s'y est caué par succession de temps vn large & profond bassin: si bien que l'eau courant la dedans circulairement, & au milieu y faisant de gros bouillons, a faict que les Sauuages l'appellent Asticou, qui veut dire chaudiere. Ceste cheute d'eau meine vn tel bruit dans ce bassin, que l'on l'entend de plus de deux lieuës. Les Sauuages passants par là, font vne ceremonie que nous dirõs en son lieu. Nous eusmes beaucoup de peine à monter contre vn grand courant, à force de rames, pour paruenir au pied dudict Saut, où les Sauuages prirent les Canots,

& nos François & moy, nos armes, viures & autres commodités pour passer par l'aspreté des rochers enuiron vn quart de lieuë que contient le Saut, & aussi tost nous fallut embarquer, puis derechef mettre pied à terre pour passer par des taillis enuiron 300. pas, apres se mettre en l'eau pour faire passer nos Canots par dessus les rochers aigus, auec autant de peine que l'on sçauroit s'imaginer. Ie prins la hauteur du lieu & trouuay 45. degrés 38. minutes, de latitude.

Apres midy nous entrasmes dans vn lac ayant 5. lieuës de long, & 2. de large, où il y a de fort belles isles remplies de vignes, noyers & autres arbres aggreables, 10. ou 12. lieuës de là amont la riuiere nous passasmes par quelques isles remplies de Pins; La terre est sablonneuse, & si trouue vne racine qui teint en couleur cramoysie, de laquelle les Sauuages se peindent le visage, & de petits affiquets à leur vsage. Il y a aussi vne coste de montagnes du long de ceste riuiere, & le païs des enuirons semble assés fascheux. Le reste du iour nous le passasmes dans vne isle fort aggreable.

Le lendemain nous cótinuasmes nostre chemin iusques à vn grand Saut, qui contient prés de 3. lieuës de largé, où l'eau descend comme de 10. ou 12. brasses de haut en talus, & faict vn merueilleux bruit. Il est rempli d'vne infinité d'isles,

d'isles, couuertes de Pins & de Cedres: & pour
le passer il nous fallut resoudre de quitter nostre
Maïs ou bled d'Inde, & peu d'autres viures
que nous auions, auec les hardes moins necessaires, reseruans seulement nos armes & filets,
pour nous dôner à viure selô les lieux & l'heur
de la chasse. Ainsi allegés nous passasmes tant à
l'auiron, que par terre, en portant nos Canots &
armes par ledict Saut, qui a vne lieuë & demie
de long, où nos Sauuages qui sont infatigables
à ce trauail, & accoustumés à endurer telles ne-
cessités, nous soulagerent beaucoup.

Poursuiuás nostre route nous passasmes deux
autres Sauts, l'vn par terre, l'autre à la rame &
auec des perches en deboutant, puis entrasmes
dans vn lac ayant 6. ou 7. lieuës de long, où se
descharge vne riuiere venant du Sud, où à cinq
iournees de l'autre riuiere il y a des peuples qui
y habitêt appelés Matou-ouescarini, Les terres
d'enuiron ledit lac sont sablonneuses, & couuertes de pins, qui ont esté presque tous bruslés
par les sauuages. Il y a quelques isles, dans l'vne
desquelles nous reposames, & vismes plusieurs
beaux cyprés rouges, les premiers que i'eusse
veus en ce païs, desquels ie fis vne croix, que
ie plantay à vn bout de l'isle, en lieu eminent, & en veuë, auec les armes de France,
comme i'ay faict aux autres lieux où nous

auions pofé. Ie nommay cefte ifle, l'ifle faincte
Croix.

Le 6.nous partifmes de cefte ifle faincte croix,
où la riuiere eft large d'vne lieue & demie, &
ayant faict 8.ou 10.lieuës,nous paffafmes vn petit Saut à la rame,& quantité d'ifles de differentes grandeurs. Icy nos fauuages laifferent leurs
facs auec leurs viures,& les chofes moins neceffaires afin d'eftre plus legers pour aller par terre, & euiter plufieurs Sauts qu'il falloit paffer. Il y eut vne grande conteftation entre
nos fauuages & noftre impofteur, qui affer-
moit qu'il n'y auoit aucun danger par les Sauts,
& qu'il y falloit paffer : Nos fauuages luy difoient tu es laffé de viure ; & à moy,que ie ne le
deuois croire, & qu'il ne difoit pas verité. Ainfi
ayant remarqué plufieurs fois qu'il n'auoit aucune cognoiffance defdits lieux,ie fuiuis l'aduis
des fauuages, dont bien il m'en prit, car il cher-
choit des difficultez pour me perdre, ou pour
me degouter de l'entreprife, comme il a con-
feffé depuis (dequoy fera parlé cy apres.) Nous
trauerfames donc à l'oueft la riuiere qui cou-
roit au Nord, & pris la hauteur de ce lieu qui
eftoit par $46\frac{2}{3}$ de latitude. Nous eufmes beaucoup de peine à faire ce chemin par terre, eftát
chargé feulement pour ma part de trois arquebufes, autant d'auirons,de mon capot,& quelques

ques petites bagatelles; i'encourageois nos gés
qui eſtoient quelque peu plus chargés, & plus
greués des mouſquites que de leur charge.
Ainſi apres auoir paſſé 4. petits eſtangs, & che-
miné deux licuës & demie, nous eſtions tãt fa-
tigués qu'il nous eſtoit impoſſible de paſſer outre, à cauſe qu'il y auoit prés de 24. heures que
n'auiõs mãgé qu'vn peu de poiſſõ roſti, ſans autre ſauce, car nous auiõs laiſſé nos viures, cõme
i'ay dit cy deſſus. Ainſi nous poſaſmes ſur le bort
d'vn eſtang, qui eſtoit aſſez aggreable, & fiſmes
du feu pour chaſſer les Mouſquites qui nous
moleſtoient fort, l'importunité deſquelles eſt ſi
eſtrange qu'il eſt impoſſible d'en pouuoir faire
la deſcription. Nous tendiſmes nos filets pour
prendre quelques poiſſons.

　　Le lendemain nous paſſaſmes cet eſtang qui
pouuoit contenir vne licuë de long, & puis par
terre cheminaſmes 3. lieuës par des païs diffici-
ciles plus que n'auions encor veu, à cauſe que
les vents auoient abatu des pins, les vns ſur les
autres, qui n'eſt pas petite incommodité, car il
faut paſſer tantoſt deſſus & tantoſt deſſous ces
arbres, ainſi nous paruinſmes à vn lac, ayant 6.
lieuës de long, & 2. de large, fort abondant en
poiſſon, auſſi les peuples des enuirons y font
leur peſcherie. Prés de ce lac y a vne habitation
de Sauuages qui cultiuent la terre, & recuillent

　　　　　　　　　　d　ij

du Maïs : le chef se nomme Nibachis, lequel
nous vint voir auec sa troupe, esmerueillé comment nous auions peu passer les Sauts & mauuais chemins qu'il y auoit pour paruenir à eux.
Et apres nous auoir presenté du petun seló leur
mode, il commença à haranguer ses compagnons, leur disant, Qu'il falloit que fussiós tom-
bés des nues, ne sachant comment nous auions
peu passer, & qu'eux demeurás au païs auoient
beaucoup de peine à trauerser ces mauuais passages, leur faisant entendre que ie venois à bout
de tout ce que mon esprit vouloit : bref qu'il
croyoit de moy ce que les autres sauuages luy
en auoient dict. Et scachans que nous auions
faim, ils nous donnerent du poisson, que nous
mangeasmes, & apres disné ie leur fis entendre
par Thomas mon truchement, l'aise que i'auois
de les auoir rencontrés ; que i'estois en ce pays
pour les assister en leurs guerres, & que ie desirois aller plus auant voir quelques autres capitaines pour mesme effect, dequoy ils furent
ioyeux, & me promirent assistance. Ils me mó-
strerét leurs iardinages & champs, où il y auoit
du Maïs. Leur terroir est sablonneux, & pource s'adonnent plus à la chasse qu'au labeur, au
contraire des Ochataiguins. Quand ils veulent
rendre vn terroir labourable, ils bruslent les arbres, & ce fort aysémét, car ce ne sont que pins
chargés

chargés de refine. Le bois bruflé ils remuent vn
peu la terre, & plantent leur Maïs grain à grain,
comme ceux de la Floride : il n'auoit pour lors
que 4. doigts de haut.

CONTINVATION. ARRIVEE VERS TESSOVAT,
& le bon accueil qu'il me feit. Façon de leurs cimetieres. Les Sauua-
ges me promettent 4. Canots pour continuer mon chemin. Tost
apres me les refufent. Harangue des fauuages pour me diffuader
mon entreprife, me remonftrant les difficultés. Refponfe à ces dif-
ficultés. Teffoüat argue mon conducteur de menfonge, & n'auoir
efté où il difoit. Il leur maintient fon dire veritable. Ie les preffe de
me donner des Canots. Plufieurs refus. Mon conducteur conuain-
cu de menfonge, & fa confeffion.

CHAP. IIII.

Nlbachis feit equipper deux Canots pour
me mener voir vn autre Capitaine nommé Teffoüat, qui demeuroit à 8. lieuës de luy,
fur le bort d'vn grand lac, par où paffe la riuiere
que nous auions laiffee qui refuit au Nord, ainfi
nous trauerfafmes le lac à l'Oüeft Nort-oueft,
pres de 7. lieuës, où ayans mis pied à terre fifmes
vne lieuë au Nort-eft parmy d'affés beaux païs,
où il y a de petis fentiers battus, par lefquels on
peut paffer ayfément, & arriuafmes fur le bort
de ce lac, où eftoit l'habitation de Teffoüat, qui
eftoit auec vn autre chef fien voifin, tout efton-
né de me voir, & nous dit qu'il penfoit que fe
fuffe vn fonge, & qu'il ne croyoit pas ce qu'il

voyoit.   De là nous paſſaſmes en vne iſle, où
leurs Cabanes ſont aſſez mal couuertes deſ-
corces d'arbres, qui eſt remplie de cheſnes, pins
& ormeaux, & n'eſt ſubiette aux innondations
des eaux, comme ſont les autres iſles du lac.

Ceſte iſle eſt forte de ſituation: car aux deux
bouts d'icelle, & à l'endroit où la riuiere ſe iette
dans le lac, il y a des Sauts faſcheux, & l'aſpreté
d'iceux la rendent forte; & ſi ſont logés pour
euiter les courſes de leurs ennemis. Elle eſt par
les 47. degrés de latitude, comme eſt le lac, qui
a 20. lieuës de long, & 3. ou 4. de large, abondant en poiſſon, mais la chaſſe ny eſt pas beaucoup bonne.

Ainſi comme ie viſitois l'iſle i'apperçeus leurs
cimetieres, où ie fus raui en admiration, voyant
des ſepulchres de forme ſemblable aux chaſſes,
fais de piece de bois, croiſees par en haut & fi-
chees en terre, à la diſtance de 3. pieds ou enuiron: ſur les croiſees en haut ils y mettent vne
groſſe piece de bois, & au deuát vne autre tout
debout, dans laquelle eſt graué groſſierement
(comme il eſt bien croyable) la figure de celuy
ou celle qui y eſt enterré. Si c'eſt vn homme ils
y mettent vne rondache, vne eſpee amanchee
à leur mode, vne maſſe, vn arc & des fleſches;
S'il eſt Capitaine, il aura vn panache ſur la teſte,
& quelque autre matachia où enioliuéure, ſi vn

enfant

enfant, ils luy baillent vn arc & vne flesche ; si
vne femme, ou fille, vne chaudiere, vn pot de
terre, vne cueillier de bois & vn auiron; Tout
le tombeau a de longueur 6. ou 7. pieds pour le
plus grand, & de l'argeur 4. les autres moings.
Ils font peints de iaune & rouge, auec plusieurs
ouurages aussi delicats que la sculpture.   Le
mort est enseueli dás sa robe de castor ou d'autres peaux, desquelles il se seruoit en sa vie, &
luy mettent toutes ses richesses auprès de luy,
cóme haches, couteaux, chaudieres & aleines,
affin que ces choses luy seruent au pays où il va:
car ils croyent l'immortalité de l'ame, comme
i'ay dict autre part. Ces sepulchres graués ne se
font qu'aux guerriers, car aux autres ils n'y
mettent non plus qu'ils font aux femmes, comme gens inutiles, aussi s'en retrouue il peu entr'eux.

    Apres auoir consideré la pauureté de cette
terre, ie leur demanday cóment ils s'amusoient
à cultiuer vn si mauuais païs, veu qu'il y en auoit
de beaucoup meilleur qu'ils laissoyent desert
& abandonné, comme le Saut S. Louys. Ils me
respondirent qu'ils en estoient contraints, pour
se mettre en seureté, & que l'aspreté des lieux
leur seruoit de bouleuart cótre leurs ennemis:
Mais que si ie voulois faire vne habitation de
François au Saut S. Louys, cóme i'auois promis,

qu'ils quiteroyent leur demeure pour se venir
loger pres de nous, estans asseurés que leurs ennemis ne leur feroyét point de mal pendât que
nous serions auec eux. Ie leur dis que ceste annee nous ferions les preparatifs de bois & pierres pour l'annee suiuante faire vn fort, & labourer ceste terre: Ce qu'ayant entendu ils firent
vn grand cry en signe d'applaudissement. Ces
propos finis, ie priay tous les Chefs & principaux d'entreux, de se trouuer le lendemain en
la grand terre, en la cabane de Tessoüat, lequel
me vouloit faire Tabagie, & que là ie leur dirois mes intentions, ce qu'ils mé promirent; &
deslors enuoyerent conuier leurs voisins pour
si trouuer.

Le lendemain tous les conuiés vindrent auec
chacun son escuelle de bois, & sa cueillier, lesquels sans ordre, ny ceremonie s'assirent contre
terre dans la cabane de Tessoüat, qui leur distri-
buast vne maniere de boüillie, faite de Maïs,
escrasé entre deux pierres, auec de la chair &
du poisson, coupés par petits morceaux, le tout
cuit ensemble sans sel. Ils auoyent aussi de la
chair rostie sur les charbós, & du poisson boüil-
li à part, qu'il distribua aussi. Et pour mon regard, d'autant que ie ne voulois point de leur
boüillie, à cause qu'ils cuisinent fort salement,
ie leur demáday du poisson & de la chair, pour
l'accom-

l'accommoder à ma mode; ils m'en donnerent.
Pour le boire nous auions de belle eau claire.
Teſſoüat qui faiſoit la Tabagie nous entretenoit
ſans manger ſuiuant leur couſtume.

La Tabagie faite, les ieunes hommes qui n'aſ-
ſiſtent pas aux harangues & cõſeils, & qui aux
Tabagies demeurét à la porte des cabanes, ſor-
tirent, & puis chacun de ceux qui eſtoient de-
meurés commença à garnir ſon petunoir, &
m'en preſenterent les vns & les autres, & em-
ployaſmes vne grande demie heure à cet exer-
cice, ſans dire vn ſeul mot, ſelon leur couſtume.

Apres auoir parmi vn ſi long ſilence amplement petuné, ie leur fis entendre par mõ Truchement que le ſubiect de mon voyage n'eſtoit
autre que pour les aſſeurer de mon affection, &
du deſir que i'auois de les aſſiſter en leurs guerres, comme i'auois auparauant faict. Que ce
qui m'auoit empeſché l'annee derniere de venir, ainſi que ie leur auois promis, eſtoit que le
Roy m'auoit occuppé en d'autres guerres, mais
que maintenant il m'auoit commandé de les viſiter, & les aſſeurer de ces choſes, & que pour
cet effect i'auois nombre d'hommes au Saut S.
Louys, & que ie m'eſtois venu promener en
leur païs pour recognoiſtre la fertilité de la terre, les lacs, riuieres, & mer qu'ils m'auoyent dict

e

estre en leur pays : & que ie desirois voir vne
nation distante de 6. iournees d'eux, nommee
Nebicerini, pour les conuier aussi à la guerre;
& pource ie les priay de me donner 4. Canots,
auec huict sauuages pour me conduire esdictes
terres.　Et d'autant que les Algoumequins ne
sont pas grands amis des Nebicerini, ils sem-
bloyent m'escouter auec plus grande atten-
tion.

　Mon discours acheué, ils commencerent derechef à petuner, & à deuiser tout bas, ensemble touchant mes propositions : puis Tessoüat
pour tous prit la parole & dict, Qu'ils m'auoiét
tousiours recognu plus affectionné en leur endroit, qu'aucû autre François qu'ils eussent veu;
que les preuues qu'ils en auoient euës le passé,
leur facilitoyent la creance pour l'aduenir ; de
plus, que ie monstrois estre bien leur amy, en ce
que i'auois passé tant de hazards pour les venir
voir, & pour les conuier à la guerre, & que toutes ces choses les obligeoyent à me vouloir du
bien, comme à leurs enfans propres ; Que toutesfois l'annee derniere ie leur auois manqué
de promesse, & que 2000. sauuages estoient venus au Saut en intention de me trouuer, pour
aller à la guerre, & me faire des presens, & ne
m'ayant trouué, furent fort attristez, croyant
que ie fusse mort, comme quelques vns leur
auoyent

auoyent dict: auſſi que les François qui eſtoient
au Saut ne les voulurent aſſiſter à leurs guerres,
& qu'ils furent mal traictés par aucuns, de ſorte
qu'ils auoyent reſolu entr'eux de ne plus venir
au Saut , & que cela les auoit occaſionnés (n'e-
ſperans plus me voir) d'aller à la guerre ſeuls, &
de fait que 1200. des leur y eſtoyent allés. Et
d'autant que la pluſpart des guerriers eſtoyent
abſens, ils me prioient de remettre la partie à
l'annee ſuiuante, & qu'ils feroient ſçauoir cela
à tous ceux de la contree. Pour ce qui eſtoit des
4. Canots que ie demandois, ils me les accorderent, mais auec grandes difficultés , me diſans
qu'il leur deſplaiſoit fort de telle entrepriſe,
pour les peines que i'y endurerois; que ces peuples eſtoiét ſorciers, & qu'ils auoiét faict mourir beaucoup de leurs gens par ſort & empoi-
ſonnemés , & que pour cela ils n'eſtoient amis:
au ſurplus, que pour la guerre ie n'auois affaire
deux , d'autant qu'ils eſtoyent de petit cœur,
me voulans deſtourner auec pluſieurs autres
propos ſur ce ſubiect.

Moy d'autrepart qui n'auois autre deſir que
de voir ces peuples , & faire amitié auec eux,
pour voir la mer du Nord, facilitois leurs difficultez, leur diſant, qu'il n'y auoit pas loing iuſques en leurs païs; que pour les mauuais paſſa-
ges, ils ne pouuoyent eſtre plus faſcheux que

ceux que i'auois paſſé par cy deuant; & pour le
regard de leurs ſortileges qu'ils n'auroient aucune puiſſance de me faire tort, & que mon
Dieu m'en preſerueroit;que ie cógnoiſſois auſſi
leurs herbes, & par ainſi ie me garderois d'en
manger; que ie les voulois rendre enſemble
bons amis, & leur ferois des preſens pour cet
effect, m'aſſeurant qu'ils feroient quelque choſe pour moy. Auec ces raiſons ils m'accorderét,
comme i'ay dict, ces 4. Canots, dequoy ie fus
fort ioyeux, oubliant toutes les peines paſſées,
ſur l'eſperance que i'auois de voir ceſte mer
tant deſiree.

Pour paſſer le reſte du iour,ie me fus promé-
ner par leurs iardins, qui n'eſtoiét réplis que de
quelques citroüilles, phaſioles, & de nos pois,
qu'ils commencent à cultiuer,où Thomas mon
truchement,qui entend fort bien la langue,me
vint trouuer,pour m'aduertir que ces ſauuages,
apres que ie les eus quittés,auoient ſongé que ſi
i'entreprenois ce voyage, que ie mourrois, &
eux auſſi, & qu'ils ne me pouuoient bailler ces
Canots promis, d'autant qu'il n'y auoit aucun
d'entreux qui me voulut conduire; mais que ie
remiſſe ce voyage à l'annee prochaine,& qu'ils
m'y meneroient en bon equippage,pour ſe deffendre d'iceux, s'il leur vouloient mal faire,
pource qu'ils ſont mauuais.

                                        Ceſte.

Ceste nouuelle m'affligea fort, & soudain m'é allay les trouuer, & leur dis, que ie les auois iusques à ce iour estimés hommes, & veritables, & que maintenant ils se monstroyent enfans, & mésongers, & que s'ils ne vouloiét effectuer leurs promesses, ils ne me feroient paroistre leur amitié; toutesfois que s'ils se sentoient incommodés de 4. Canots, qu'ils ne m'en baillassent que 2. & 4. sauuages seulement.

Ils me representerent derechef la difficulté des passages, le nombre des Sauts, la meschanceté de ces peuples, & que s'estoit pour crainte qu'ils auoyent de me perdre qu'ils me faisoient ce refus.

Ie leur fis response, que i'estois fasché de ce qu'ils se monstroient si peu mes amis, & que ie ne l'eusse iamais creu; que i'auois vn garçon, (leur monstrant mon imposteur) qui auoit esté dás leur pays, & n'auoit recognu toutes les difficultés qu'ils faisoient, ny trouué ces peuples si mauuais qu'ils disoient. Alors ils commencerent à le regarder, & specialement Tessoüat vieux Capitaine, auec lequel il auoit hyuerné, & l'appelant par son nom, luy dict en son langage, Nicolas est il vray que tu as dit auoir esté aux Nebicerini? Il fut long temps sans parler, puis il leur dict en leur langue, qu'il parle aucunemét, Ouy i'y ay esté. Aussi tost ils le regarde-

rent de trauers, & se iettans sur luy, comme s'ils
l'eussent voulu manger ou deschirer, firent de
grands cris, & Tessoüat luy dict, tu es vn asseuré menteur, tu sçais bien que tous les soirs tu
couchois à mes costés auec mes enfans, & tous
les matins tu t'y leuois: si tu as esté vers ces peuples, ça esté en dormant; comment as tu esté si
impudent d'auoir donné à entendre à ton chef
des mésonges, & si meschant de vouloir hazarder sa vie parmi tant de dangers? tu es vn homme perdu, il te deüroit faire mourir plus cruellement que nous ne faisons nos ennemis: ie ne
m'estonnois pas s'il nous importunoit tant sur
l'asseurance de tes paroles. A l'heure ie luy dis
qu'il eust à respondre à ces peuples; & puis qu'il
auoit esté en ces terres qu'il en donnast des en-
seignemens pour me le faire croire, & me tirer
de la peine où il m'auoit mis; mais il demeura
muet & tout esperdu.

A l'heure ie le tiray à l'escart des sauuages, &
le coniuray de me declarer la verité du faict:
que s'il auoit veu ceste mer, que ie luy ferois
donner la recompense que ie luy auois promi-
se, & s'il ne l'auoit veuë, qu'il eut à me le dire
sans me donner d'auantage de peine: Derechef
auec iuremens il afferma tout ce qu'il auoit par
cy deuant dict, & qu'il me le feroit voir, si ces
sauuages vouloient bailler des Canots.

Sur

Sur ces difcours Thomas me vint aduertir
que les fauuages de l'ifle enuoyoient fecrette-
ment vn Canot aux Nebicerini, poui les aduertir de mô arriuee. Et lors pour me feruir de l'occafion, ie fus trouuer lefdits fauuages, pour leur
dire que i'auois fongé cefte nuict qu'ils vouloyent enuoyer vn Canot aux Nebicerini fans
m'en aduertir, dequoy i'eftois eftôné, veu qu'ils
fçauoyent que i'auois volonté d'y aller : à quoy
ils me firent refponfe, difans, que ie les offen-
çois fort, en ce que ie me fiois plus à vn menteur, qui me vouloit faire mourir, qu'a tant de
braues Capitaines qui eftoiét mes amys, & qui
auoyent ma vie chere : ie leur repliquay, que
mon hóme (parlant de noftre impofteur) auoit
efté en cefte contree auec vn des parens de Tef-
fpüat, & auoit veu la Mer, le bris & fracas d'vn
vaiffeau Anglois, enfeble 80, teftes que les fauuages auoient, & vn ieune garçon Anglois
qu'ils tenoient prifonnier, dequoy ils me vouloient faire prefent.

Ils s'efcrierent plus que deuant, entendant parler de la Mer, des vaiffeaux, des teftes
des Anglois, & du prifonnier, qu'il eftoit vn
menteur, & ainfi le nommerent-ils depuis, côme la plus grande iniure qu'ils luy euffent peu
faire, difans tous enfemble qu'il le falloit faire
mourir, ou qu'il dift celuy auec lequel il y auoit

esté, & qu'il declaraſt les lacs, riuieres & chemins par leſquels il auoit paſſé ; à quoy il fit reſponſe aſſeurément qu'il auoit oublié le nom
du ſauuage, combien qu'il me l'euſt nommé
plus de vingt fois, & meſme le iour de deuant.
Pour les particularitez du païs, il les auoit deſcriptes dás vn papier qu'il m'auoit baillé. Alors
ie preſétay la carte, & la fis interpreter aux ſauuages, qui l'interrogerent ſur icelle, à quoy il ne
fit reſponſe, ains par ſon morne ſilence manife-
ſta ſa meſchanceté.

　Mon eſprit vogant en incertitude, ie me retiray à part, & me repreſentay les particularités
du voyage des Anglois cy deuant dictes, & les
diſcours de noſtre menteur eſtre aſſés confor-
mes, auſſi qu'il y auoit peu d'apparence que ce
garçon euſt inuété tout cela, & qu'il n'euſt voulu entreprédre le voyage, mais qu'il eſtoit plus
croyable qu'il auoit veu ces choſes, & que ſon
ignorance ne luy permettoit de reſpondre aux
interrogations des ſauuages : ioint auſſi que ſi
la relation des Anglois eſt veritable, il faut que
la mer du Nord ne ſoit pas eſloignee de ces terres de plus de 100 lieuës de latitude, car i'eſtois
ſous la hauteur de 47. degrés de latitude, & 296.
de longitude : mais il ſe peut faire que la difficulté de paſſer les Sauts, l'aſpreté des mótagnes
remplies de neiges, ſoit cauſe que ces peuples
　　　　　　　　　　　　　　　　　　n'ont

n'ont aucune cognoiſſance de ceſte mer ; bien
m'ont-il touſiours dict, que du païs des Ochataiguins il n'y a que 35. ou 40. iournees iuſques
à la mer qu'ils voyent en 3. endroits : ce qu'ils
m'ont encores aſſeuré ceſte annee : mais aucun
ne m'a parlé de ceſte mer du Nord, que ce menteur , qui m'auoit fort reſiouy à cauſe de la
briefueté du chemin.

Or comme ce Canot s'appreſtoit, ie le fis appeler deuant ſes compagnons ; & en luy repreſentant tout ce qui s'eſtoit paſſé, ie luy dis qu'il
n'eſtoit plus queſtion de diſſimuler, & qu'il falloit dire s'il auoit veu les choſes dictes , ou non;
que ie voulois prédre la commodité qui ſe preſentoit ; que i'auois oublié tout ce qui s'eſtoit
paſſé: Mais que ſi ie paſſois plus outre, ie le ferois
pendre & eſtrangler ſans luy faire autre merci.
Apres auoir ſongé à luy , il ſe ietta à genoux &
me demanda pardon , diſant, que tout ce qu'il
auoit dict, tant en France qu'en ce païs, touchât
ceſte mer, eſtoit faux ; qu'il ne l'auoit iamais
veuë, & qu'il n'auoit pas eſté plus auant que le
village de Teſſoüat ; q'uil auoit dict ces choſes
pour retourner en Canada. Ainſi tranſporté de
cholere ie le fis retirer, ne le pouuant plus endurer deuant moy, donnant charge à Thomas
de s'enquerir de tout particulierement; auquel
il pourſuiuit de dire qu'il ne croyoit pas que ie

f

deuſſe entreprendre le voyage, à cauſe des dangers, croyant que quelque difficulté ſe pourroit preſenter qui m'empeſcheroit de paſſer, comme celle de ces ſauuages, qui ne me vouloient bailler des Canots : ainſi que l'on remettroit le voyage à vne autre annee, & qu'eſtant en France, il auroit recompenſe pour ſa deſcouuerture : & que ſi ie le voulois laiſſer en ce pays, qu'il yroit tant qu'il la trouueroit, quád il y deuroit mourir. Ce ſont ſes paroles, qui me furent rapportees par Thomas, & ne me contenterent pas beaucoup, eſtant eſmerueillé de l'effronterie & meſchanceté de ce menteur : & ne me puis imaginer comment il auoit forgé ceſte impoſture, ſinon qu'il euſt ouy parler du voyage des Anglois cy mentionné ; & que ſur l'eſperance d'auoir quelque recompenſe, comme il a dict, il ait eu la temerité de mettre cela en auant.

Peu de temps apres ie fus aduertir les ſauuages, à mon grand regret, de la malice de ce menteur, & qu'il m'auoit confeſſé la verité, dequoy ils furent ioyeux, me reprochant le peu de confiance que i'auois en eux, qui eſtoyent Capitaines, mes amis, & qui parloiét touſiours verité, & qu'il falloit faire mourir ce menteur qui eſtoit grandemét malitieux, me diſant, Ne vois-tu pas qu'il t'a voulu faire mourir; donne le nous,

nous, & nous te promettons qu'il ne mentira
plus. Et à cause qu'ils estoient tous apres luy
crians, & leurs enfans encores plus, ie leur déf-
fendis de luy faire aucun mal, & aussi d'empescher leurs enfans de ce faire, d'autant que ie le
voulois remener au Saut pour le faire voir à ces
Messieurs, ausquels il deuoit porter de l'eauë
salee ; & qu'estant là i'aduiserois à ce qu'on en
feroit.

Mon voyage estant acheué par ceste voye,
& sans aucune esperance de voir la mer de ce
costé là, sinon par coniecture, le regret de n'a-
uoir mieux employé le temps m'est demeuré,
auec les peines & trauaux qu'il m'a fallu neantmoins tolerer patiemment. Si ie me fusse tran-
sporté d'vn autre costé, suiuant la relation des
sauuages, i'eusse esbauché vne affaire qu'il faut
remettre à vne autre fois. N'ayant pour l'heure
autre desir que de m'é reuenir, ie conſay les sauuages de venir au Saut S. Louys, où il y auoit
quatre vaisseaux fournis de toutes sortes de
marchādises, & où ils receuroiēt bon traitemēt;
ce qu'ils firēt sçauoir à tous leurs voisins. Et
auant que partir, ie fis vne croix de cedre blāc,
laquelle ie plantay sur le bord du lac en vn lieu
eminent, auec les armes de France, & priay les
sauuages la vouloir conseruer, comme aussi celles qu'ils trouueroient du long des chemins où

nous auions paſſé;& que s'ils les rompoiét, que
mal leur arriueroit; & les conſeruant, ils ne ſeroient aſſaillis de leurs ennemis. Ils me promirent ainſi le faire , & que ie les retrouuerois
quand ie retournerois vers eux.

NOSTRE RETOVR AV SAVT. FAVSSE ALARME.
*Ceremonie du Saut de la chaudiere. Confeſſion de noſtre menteur
deuant tous les chefs. Et noſtre retour en France.*

CHAP. V.

LE 10. Iuin ie prins congé de Teſſoüat, bon
vieux Capitaine , & luy fis quelques preſens , & luy promis , ſi Dieu me preſeruoit en
ſanté, de venir l'annee prochaine,en equippage
pour aller à la guerre;& luy me promit d'aſſembler grand peuple pour ce temps là,diſant, que
ie ne verrois que ſauuages,& armes qui me dô-
neroyent contentement; & me bailla ſon fils
pour me faire compagnie. Ainſi nous partiſmes
auec 40.Canots, & paſſaſmes par la riuiere que
nous auions laiſſee, qui court au Nord, où nous
miſmes pied à terre pour trauerſer des lacs. En
chemin nous récontraſmes 9.grands Canots de
Oueſcharini, auec 40. hômes forts & puiſſants
qui venoient aux nouuelles qu'ils auoient euës;
& d'autres que rencontraſmes auſſi, qui faiſoient enſemble 60. Canots; & 20. autres qui
eſtoient

eſtoient partis deuant nous, ayans chacun aſſés de marchandiſes.

Nous paſſaſmes 6. ou 7. Sauts depuis l'iſle des Algoumequins iuſques au petit Saut, païs fort deſagreable. Ie recogneus bien que ſi nous fuſſions venus par là que nous euſſiós eu beaucoup plus de peine, & malaiſémét euſſions nous paſſé : & ce n'eſtoit ſans raiſon que les ſauuages conteſtoient contre noſtre méteur, qui ne cerchoit qu'a me perdre.

Continuant noſtre chemin 10. ou 12. lieuës au deſſous l'iſle des Algoumequins, nous poſaſmes dans vne iſle fort agreable, remplie de vignes & noyers, où nous fiſmes peſcherie de beau poiſſon. Sur la minuiĉt arriua deux Canots qui venoient de la peſche plus loing, leſquels rapporterent auoir veu 4. Canots de leurs ennemis. Auſſi toſt on deſpeſcha 3. Canots pour les recognoiſtre, mais ils retournerét ſans auoir rien veu. En ceſte aſſeurance chacun prit le repos, excepté les femmes qui ſe reſolurét de paſſer la nuiĉt dans leurs Canots, ne ſe trouuans aſſeurees à terre. Vne heure auant le iour vn ſauuage ſongeant que les ennemis le chargeoyent ſe leua en ſurſaut, & ſe prit à courir vers l'eau pour ſe ſauuer, criant, On me tue. Ceux de ſa bande s'eſueillerent tous eſtourdis, & croyans eſtre pourſuiuis de leurs ennemis ſe ietterent en

f iij

l'eau, comme feit vn de nos Frāçois, qui croyoit
qu'on l'aſſommaſt. A ce grand bruit nous autres
qui eſtions eſloignés, fuſmes auſſi toſt eſueillés,
& ſans plus s'enquerir accouruſmes vers eux :
mais les voyans en l'eau errans çà & là, eſtions
fort eſtonnés, ne les voyans pourſuiuis de leurs
ennemis, ny en eſtat de ſe deffendre, quand cela
euſt eſté, mais ſeulement de ſe perdre. Apres
que i'eus enquis noſtre François de la cauſe de
ceſte eſmotion, il me dict qu'vn ſauuage auoit
ſongé, & luy auec les autres pour ſe ſauuer, s'e-
ſtoit ietté en l'eau, croyant auoir eſté frappé.
Ainſi ayant recognu ce que s'eſtoit, tout ſe paſſa en riſee.

　　En continuant noſtre chemin, nous paruinſmes au Saut de la chaudiere, où les ſauuages firent la ceremonie accouſtumee, qui eſt telle.
Apres auoir porté leurs Canots au bas du Saut,
ils s'aſſemblēt en vn lieu, où vn d'entr'eux auec
vn plat de bois va faire la queſte, & chacū d'eux
met dans ce plat vn morceau de petun; la queſte
faicte, le plat eſt mis au milieu de la troupe, &
tous danſent à l'entour, en chantant à leur mode; puis vn des Capitaines faict vne harangue,
remonſtrant que dés long temps ils ont accou-
ſtumé de faire telle offrāde, & que par ce moyē
ils ſont garātis de leurs ennemis, qu'autremeht
il leur arriueroit du malheur, ainſi que leur per-
ſuade

suade le diable , & viuent en ceste superstition, comme en plusieurs autres, comme nous auons dict en d'autres lieux. Cela faict, le harangueur prent le plat , & va ietter le petun au milieu de la chaudiere, & font vn grand cry tous ensemble. Ces pauures gés sont si superstitieux, qu'ils ne croiroient pas faire bon voyage, s'ils n'auoiét faict ceste ceremonie en ce lieu, d'autant que leurs ennemis les attendent à ce passage , n'osans pas aller plus auant, à cause des mauuais chemins, & les surprennent là: ce qu'ils ont quelquesfois faict.

· Le lendemain nous arriuasmes à vne isle, qui est à l'entree du lac., distante du grand Saut S. Louys de 7. à 8. lieuës, où reposans la nuict, nous eusmes vne autre alarme, les sauuages croyás auoir veu des Canots de leurs ennemis: ce qui leur fit faire plusieurs grãds feux , que ie leur fis esteindre, leur remonstrant l'inconuenient qui en pouuoit arriuer, sçauoir, qu'au lieu de se cacher ils se manifestoient.

Le 17. Iuin nous arriuasmes au Saut S. Louys ou ie trouuay l'Ange qui estoit venu au deuant de moy dans vn Canot, pour m'aduertir que le sieur de Maison-neufue de S. Maslo auoit apporté vn passeport de Monseigneur le Prince pour trois vaisseaux. En attendant que ie l'eusse veu, ie fis assembler tous les sauuages pour leur

faire entendre que ie ne defirois pas qu'ils trai-
ctaffent aucunes marchandifes, que ie ne leur
euffe permis : & que pour des viures ie leur en
ferois bailler fi toft que ferions arriués; ce qu'ils
me promirent, difans, qu'ils eftoient mes amis.
Ainfi pourfuiuant noftre chemin, nous arriuafmes aux barques, & fufmes falués de quelques
canonades, dequoy quelques vns de nos fauuages eftoient ioyeux, & d'autres fort eftonnés,
n'ayans iamais ouy telle mufique.   Ayans mis
pied à terre, Maifon-neufue me vint trouuer
auec le paffeport de Monfeigneur le Prince : &
auffi toft que l'eus veu, ie le laiffay iouïr, & les
fiens, du benefice d'iceluy, comme nous autres ; & fis dire aux fauuages qu'ils pouuoyent
traicter le lendemain.

Ayant veu tous les Chefs, & deduit les particularités de mon voyage, & la malice de noftre menteur, dequoy ils furent fort eftonnés,
ie les priay de s'affembler, afin qu'en leur pre-
fence, des fauuages & de fes compagnons, il de-
claraft fa mefchanceté; ce qu'ils firent volótiers.
Ainfi eftans affemblés, ils le firent venir, & l'interrogerent, pourquoy il ne m'auoit monftré la
mer du Nord, comme il m'auoit promis à fon
depart: Il leur fit refpófe qu'il auoit promis vne
chofe impoffible à luy, d'autant qu'il n'auoit iamais veu cefte mer, & que le defir de faire le
voyage

voyage luy auoit fait dire cela ; auſſi qu'il ne
croyoit que ie le deuſſe entreprendre , & les
prioit luy vouloir pardóner, comme il fit à moy
derechef, confeſſant auoir grandement failly :
mais que ſi ie le voulois laiſſer au pays, qu'il feroit tát par ſon labeur , qu'il repareroit la faute,
& verroit ceſte mer , & en rapporteroit certaines nouuelles l'annee ſuiuáte: & pour quelques
conſiderations ie luy pardonnay à ceſte condition.

Apres leur auoir deduit par le menu le bon
traiᶜtemét que i'auois reçeu dans les demeures
de ces ſauuages, & mon occupation iournalie-
re , ie m'enquis auſſi de ce qu'ils auoyent faiᶜt
pendant mon abſence, & de leurs exercices, leſquels eſtoient la chaſſe , où ils auoient faiᶜt tel
progrés, que le plus ſouuent ils apportoient ſix
cerfs. Vne fois entre autres le iour de la S. Barna
bé, le ſieur du Parc y eſtant auec deux autres, en
tua 9. Ils ne ſont pas du tout ſemblables aux noſtres, & y en a de differétes eſpeces, les vns plus
grands, les autres plus petits , approchát fort de
nos dains. Ils auoient auſſi ſi grande quantité
de Palombes qu'impoſſible eſtoit de plus, ils
n'auoient pas moins de poiſſon, cóme brochets,
Carpes, Eſturgeons, Aloſes, Barbeaux, Tortues,
Bars , & autres qui nous ſont incognus, deſquels ils diſnoient & ſouppoient tous les iours:
auſſi eſtoyent-ils tous en meilleur point que

moy, qui eſtois attenué par le trauail & la faſ-
cherie que i'auois euë, & n'auois mangé le plus
ſouuent qu'vne fois le iour de poiſſon mal cuit,
& à demy roſti.

Le 22. Iuin ſur les 8. heures du ſoir les ſauuages nous donnerent vne alarme, à cauſe qu'vn
des leurs auoit ſongé qu'il auoit veu les Yroquois: pour les contenter chacun prit ſes armes,
& quelques vns furent enuoyés vers leurs cabanes pour les aſſeurer, & aux aduenues pour
deſcouurir: ſi bien qu'ayant recognu que s'e-
ſtoit vne fauſſe alarme, l'on ſe contenta de tirer
quelques 200. mouſquetades & harquebuſa-
des, puis on poſa les armes en laiſſant la garde
ordinaire. Cela les aſſeura fort, & furent bien
contens de voir les François qui ſe preparerent
pour les ſecourir.

Apres que les ſauuages eurent traitté leurs
marchandiſes, & qu'ils eurent reſolu de s'en
retourner, ie les priay de mener auec eux deux
ieunes hommes pour les entretenir en amitié,
leur faire voir le païs & les obliger à les ramener, dont ils firent grâde difficulté, me repreſentant la peine que m'auoit donné noſtre menteur, craignans qu'ils me feroient de faux rapports, comme il auoit faict. Ie leur fis reſponſe
qu'ils eſtoient gens de bien & veritables, & que
s'il ne les vouloient emmener, ils n'eſtoyent pas
mes amys, & pource ils s'y reſolurent. Pour
noſtre

noſtre méteur aucun de ſes ſauuages n'en vouluſt, pour priere que ie leur feit, & le laiſſaſmes
à la garde de Dieu.

Voyant n'auoir plus rien affaire en ce pays,
ie me reſolus de paſſer dans le premier vaiſſeau
qui retourneroit en France. Le ſieur de Mai-
ſon-neufue ayant le ſien preſt m'offrit le paſſage, lequel i'acceptay, & le 27. Iuin auec le ſieur
l'Ange nous partiſmes du Saut, où nous laiſſaſ-
més les autres vaiſſeaux, qui attendoyent que
les ſauuages qui eſtoient à la guerre fuſſent de
retour, & arriuaſmes à Tadouſſac le 6. Iuillet.

Le 8. Aouſt le temps ſe trouua propre qui
nous en feit partir.

Le 18. ſortiſmes de Gaſpé à l'iſle percee.

Le 28. nous eſtions ſur le grand banc, où ſe
faict la peſche de poiſſon vert, où l'on prit du
poiſſon tant que l'on voulut.

Le 26. Aouſt arriuaſmes à S. Maſlo, où ie vis
les Marchans, auſquels ie remonſtray combien
il eſtoit facile de faire vne bonne aſſociation
pour l'aduenir, à quoy ils ſe ſont reſolus, comme ont faict ceux de Rouën, & de la Rochelle
apres qu'ils ont recognu ce reglement eſtre neceſſaire, & ſans lequel il eſt impoſſible d'eſperer
quelque fruict de ſes terres. Dieu par ſa grace face proſperer ceſte entrepriſe à ſon honneur, à ſa gloire, à la conuerſion de ſes pauures
aucugles, & au bien & honneur de la France.

F I N.

TABLE DES CHAPITRES DV
QVATRIESME VOYAGE.